DISCARD

魂国志

天机之谜

杭松 / 著

Ch FIC HANGSONG
Hangsong.
Hun guo zhi

人们只看到了光明的坦途，争相爬向那火光照耀到的明天。
可也不要忘了那高举火把的人，是他，孤单地站在黑暗中呢。

贵州出版集团
贵州人民出版社

图书在版编目（CIP）数据

魂国志：天机之谜 / 杭松著. -- 贵阳：贵州人民
出版社, 2017.12
　　ISBN 978-7-221-14608-3

　　Ⅰ. ①魂… Ⅱ. ①杭… Ⅲ. ①长篇小说－中国－当代
Ⅳ. ①I247.5

　　中国版本图书馆CIP数据核字(2017)第331566号

魂国志：天机之谜

杭松 / 著

出 版 人	苏　桦
总 策 划	陈继光
责任编辑	潘　媛
装帧设计	唐锡璋
封面设计	源之设计
插画设计	陈　晨
出版发行	贵州人民出版社（贵阳市观山湖区会展东路SOHO办公区A座）
印　　刷	长沙鸿发印务实业有限公司（长沙市黄花工业园3号）
版　　次	2018年5月第1版
印　　次	2018年5月第1次
印　　张	16.75
字　　数	260千字
开　　本	710mm×1000mm　1/16
书　　号	ISBN 978-7-221-14608-3
定　　价	33.00元

版权所有　盗版必究·举报电话：0851-86828640
本书如有印装问题，请与出版社联系调换。联系电话：0851-86828640

R07102 06388

序

　　我很高兴在遥远的异国他乡认识了新一代的传统作家杭松。我和他在美国中文作家协会的年会上进行了文学上的交流和探讨。当得知他和我一样也进行幻想文学创作时，我感到这真是难得的缘分。

　　阅读《魂国志》，我发现杭松的文笔带着年轻的动感和生命力。充满朝气。如同刚刚出土的钻石，虽然包裹着一层尘土，但内在的光华却闪烁耀眼。拿到作品细读，先是震惊，年轻的思想是如此的跳跃洒脱；后是欣慰，有这样一位才华横溢的作家在美国推广中国文化是此等幸事。我作为协会的上一届副主席，应邀为这部优秀作品写序更是义不容辞。

　　故事围绕着三位主人公展开。一个是牺牲爱情去对抗黑暗的美丽女子，一个是守护爱情一往无前的帅气青年，一个是命运坎坷、饱经沧桑的异族后代。他们在不同的环境、不同的旅程中不断地寻找自己的目标和生活的方向。他们不是神仙，没有一手遮天的力量，但他们有着执著的信念和克服困难的勇气。做人难道不是这样么？我们都不是神仙，我们每天都面对数不清的困难，唯一可以相信的是纯洁的心、光明的眼，和对理想不尽的坚持。

　　《魂国志》不单是一部幻想作品，它描述了年轻人寻求人生价值的旅程。把对生活的憧憬和困惑，对价值观的向往和追寻，对宇宙的好奇和探索，表达在一个虚幻的世界里。在喧嚣、纷乱的幻想世界里生活着一群真实的人，他们懂得爱恨，明白是非，但又被欲望和梦想所缠绕，在亲情、爱情和友情的纠缠中寻找自己要走的路。路的尽头是黑暗还是光明，是痛苦还是解脱，是看破红尘还是放手一搏？

这是一部充满青春的热血同时具有鲜活的生命力的作品。细细读下去，文字跳脱、逻辑性强、感情纯真稚嫩，虽然没经历过风雨的洗涤，却满载着对人生的思考。这些思考是对是错并不重要，因为我们都曾年轻。人生就是学习、体验和进步。既然年轻，对错又何妨？只要做出自己最大的努力，用光明的胸怀在这个混沌的世界上寻求光明，世界必然会因这生生不息的推动力而日渐光明，驱散我们这些所谓的"前辈"布下的迷雾。

多年以后读到这部作品，让我想起了当年创建"九州"时的经历，也发现杭松的写作功力不逊于年轻时包括江南、今何在等作家在内的"九州七天神"。我也相信，他能成为华语创作世界的一颗新星。

《魂国志》带来的冲击是直接的、震撼的、真实的。走入这个世界，跟随英雄们的脚步，体验他们的烦恼和困惑，寻求他们的光明和独立。当这个旅程从起点回归到终点的时候，希望你能像他们一样，在漫漫的人生路上踩下坚实的一个脚印。

幻想不会终结，人生不会终结，困惑和挣扎、浴血重生的解脱不会终结。这本书并没有给出一个答案，只是带着你向前。主人公的路在他们的脚下展开，你的路在你自己的面前展开，愿这本书可以伴随你一直向前。

旅美作家／"九州"幻想世界创世天神　　　多事

目录

楔子

一切始于一棵树，承载着无数人的生死命数。

一切始于一把刀，一刃挥出而夺命摄魂。

一切始于一个人，命格混沌身世迷离。

一切的故事，要从黑风崖上的那场诀别讲起。

神秘广阔的魂国在不知名的远方。在魂国的中央，伫立着一棵巨大的灵魂之树。

在这个管辖灵魂的国度里，有一群忠实的执行者听从着"天机"的旨意。他们游走于魂国和凡世，维持着善恶的秩序，坚守着世界的法则。他们被称为"神之猎魂者"。

他们用手中的利刃铲除世上的邪恶。他们代表光明，带来希望。

可古往今来，有善就有恶，有阴就有阳，既有光明，便会有黑暗。

历史长河中，藏匿着这样的名字——深渊魂妖。这个陌生又瘆人的名字便是神之猎魂者的宿敌。他们伪装成一个个无辜的人类隐匿于芸芸众生之间，茫茫人海之中。他们就像深海中的鱼群，藏匿在汹涌的暗流之下。

找出深渊魂妖，将他们诛杀殆尽！这是魂国万年不变的古训。

杀戮和进化之后，深渊魂妖有了人类的样貌，人类的思维。他们不再是嗜血的野兽，而是一个个有血有肉的鲜活生命。他们或衣冠楚楚，风度翩翩，或食不果腹，流落街头，或痛改前非，悔不当初，或走火入魔，执迷不悟。他们就如普普通通的你我他，存在于世界的各个角落。

深渊者，这是他们称呼自己的名。

随着一声凄厉的惨叫，冠以正义的屠杀开始了。数以百计的神之猎魂者抽出雪白的刃。刀光剑影中，深渊者们无论男女老幼皆在一道道寒光中成了刀下之魂。

"我们犯下滔天大罪。求求你们，给我们一个赎罪的机会吧……"这是深渊者的乞求。

"成为深渊魂妖需要杀死上百人，夺取万年寿命！你们的死，便是最好的赎罪！"手起刀落，血溅当场。这就是神猎的回答和深渊者的末路。

曾经有一个深渊者在狂风大作的山巅叹道："我有沾满鲜血的过去。无论我的现在如何，我也永远逃不过自己的曾今。"说完这话，她迎着夕阳泪流满面。

历史的车轮滚滚向前，命运的长河波澜壮阔。生命的法则总是那般公平，又残酷。

深渊之子，深渊者交合而生下的孩子。他们没有继承长辈的余罪，依然是灵魂干净的普通人。

舜夏，这个深渊者的后代，这个单纯善良的年青人，却还是被神之猎魂者逼上了沾满鲜血的不归路。

手起刀落，父亲和弟弟的身影轰然倒下。他们死在了神猎的屠刀下，死在了舜夏的呼喊声中。

舜夏吞下蛇灵丸，誓要让魂国血债血偿。他的妖魄在觉醒，妖血在沸腾。寒冷的刀光和浓重的毒雾中，他护着自己的挚爱胡凤儿退到了狂风大作的黑风崖。

他知道，吞下这粒小小的药丸就意味着放弃了为"人"的身份。吞下蛇灵丸，也就迈入了魂妖的世界。他看了看周围的神猎，又看了看眼前的悬崖，自知已如那被围在垓下的楚霸王到了穷途末路。他想到胡凤儿还是人类，只要自己一死便不再有人难为她。

一念至此，舜夏推开胡凤儿，纵身跃入了深不见底的黑风崖。胡凤儿不忍舜夏黄泉路上孤单，便也如那深秋凄美的蝴蝶，纵身一跃为他殉情。

第一辑

你在我的记忆里折叠，我在谁的脑海里流浪。

年华匆匆，你的影子摇晃摇晃，拼凑成了整个未来和曾经。

昨日桃花

　　舜夏与胡凤儿坠崖三日之后,灵魂之渊迎来了寒夜。霜雪落在白色的屏障上反射着幽幽的天浊之光。清冷的夜色中,一个没有笼罩白色屏障的破败小屋伫立在不起眼的地方。

　　易辰坐在破败的屋顶上拎着酒壶喝着酒,夜风吹动他铂色的头发和黑色的灵袍。他提起酒壶,仰头,一道银色的线从酒壶落入他的口中。

　　待酒干壶空,易辰猛然将那酒壶从屋顶掷下发出一声脆响。这酒壶正好落到了远处走来的柳红尘脚下。

　　"易辰,别喝了。"柳红尘抬起头看了看落寞的易辰,飘飘然上了屋顶。

　　"酒……"

　　"你已经喝了三天。再这么下去,要是敌人来了怎么办?"柳红尘说道。

　　"敌人?呵呵……"易辰擦了擦嘴角笑了笑,"关我屁事!"他咳嗽了一声,继续说道,"灵魂之渊人才济济高手如云,还差我一个小小的凡人?"易辰打了一个酒嗝大骂道:"去他妈的拯救世界!小爷我可不是超人……我只想好好过我的小日子。"

　　"易辰,你醉了。我扶你回去。"

　　"小爷我的死活不用你魂国多管闲事。"易辰一把推开柳红尘,他顿了顿,继续说道,"你魂国逼死了与我出生入死的好兄弟,现在少在这里惺惺作态猫哭耗子!"

　　柳红尘倒在屋顶上,她捏着自己的灵袍问道:"易辰,难道,你真的只当我是魂国的一个灵官吗？"

易辰努力眨了眨眼睛，他的脸颊泛着酒后的红晕。他呆呆地望着柳红尘，问道："你是来安慰我的吗？"

柳红尘点点头。

"酒。"易辰像个孩子一样朝柳红尘伸出了手。看着易辰如今的样子，柳红尘低下头，落下一滴眼泪。

"易辰，要酒吗？本将军陪你喝个痛快！"循着声音，只见一道火光如游龙一样从夜空中落到了屋顶上。在那火光之中，墨炎扶着一个酒坛子坐在了易辰身边。

"墨炎，你知道吗？舜夏……"易辰一把抓住了墨炎臂上的铠甲大声咳嗽起来。

"我重伤初愈，已经在剑灵阁里听红尘师妹说了舜夏的事。"墨炎一把扶住了醉醺醺的易辰对他说，"可是，你不觉得这事很蹊跷吗？一开始所有人都以为首席观灵师观测到的妖气是司马印成的探子，可怎么偏偏会是舜夏一行？"

"我一定要杀了那个臭和尚！我要剥了他的皮，抽了他的筋！让他死无葬身之地！"易辰骂完，又被口中烈酒的气息呛得咳嗽了起来。

"易辰，可是如痴他也只是观测到了妖气。他也不能确定那到底是司马印成的探子，还是舜夏他们呀？"柳红尘说道。

"放他妈的狗屁！"易辰骂道，"他既然能窥探到你我在那槐树林里做的事，他能看不清舜夏几人的样貌？"

"可他并没有见过舜夏，说不定，是误判。"柳红尘说。

"舜夏和胡凤儿可是人类。特别是那胡凤儿，只是一个手无缚鸡之力的弱女子。误判？司马印成能让人类当先锋？"

"说不定是那如痴和尚修为浅薄，没能察觉舜夏和胡凤儿是人类吧。"墨炎说。

柳红尘低着头，慢慢说道："或许，如痴真的有问题。"

"你想到了什么？"墨炎问。

柳红尘用手托腮努力回忆着："我早些年听师父提过。这如痴和尚的来历蹊跷得很，没人知道他有多大年纪，也没人知道他是什么时候来的魂国。大家只知道这如痴和尚亦僧亦儒。早年间，有人称他鬼眼笑面僧，抑或是鬼眼笑面生。而至于是僧人的'僧'，还是书生的'生'已经无可考究了。这如痴神秘得很，他的行踪飘忽不定，也少有过问魂国之事。只是包括师父在内的所有人，都非常敬重他。"柳红尘在屋檐上走了几步继续说道，"我之所以觉得他蹊跷，是因为这如痴和尚已经好久都没有现身了。这次他突然要我们前去迎敌就出了这样的事，实在是说不过去。"

"呵呵，"易辰笑了笑，说道，"我用窥之力找了那如痴和尚三天，竟然连个影子都没有找到。我看他不只是魂国的内鬼，说不定就是司马印成的人假扮的。"

柳红尘回道："内鬼倒是有可能，但在这灵魂之渊里堂而皇之地假扮首席观灵师而不被发现，怕是连魂国天眼梦蝶都办不到吧。"

"唉，不想了。"易辰抓了抓头发一伸手，道，"酒。"

"易辰，你不能再喝了。这魂国的灵酒喝多了可是会伤灵体的。"柳红尘说道。

"酒！"易辰将手伸向墨炎。墨炎从那缸子里舀出一碗递到易辰手里。

"师兄，你别给他喝了。他再这样下去……"柳红尘伸手要拦。

"给他！"墨炎说着，就把酒碗递到易辰手里。易辰仰头一饮不禁将口中的液体喷了出来。他一边咳嗽一边骂道："我了个去！墨炎！你，你竟给小爷喝醋！是不是活腻了！"

"你不是要喝吗，老子让你喝个够！"墨炎一手抓过易辰的衣领，一手拿起那碗醋就往易辰嘴里猛灌。易辰推开墨炎猛烈咳嗽起来，他低头坐在屋脊上，头发遮住他的眼睛。他用手抹了一把脸，甩了甩头。

"醒了吧？"墨炎道。

易辰叹了口气说道："墨炎，那日舜夏被蛮灵谷人打落山崖，我知他凶多吉少，但因你探查到谷下的妖气，我还抱有一丝希望。可这一次，那黑风崖下全是乱石尖刺，怕是一点希望都没有了。你还记不记得那日舜夏为我挡下那血婴的攻击。你还记不记得那日舜夏在那封灵台上挡下了蛊灵的煞气救了我和……救了我和……墨炎，我……我……我的头好痛。"

银色的天浊之光下，墨炎和柳红尘看见易辰低着头，他的泪水像银色的珍珠一样一滴一滴落下来。

"墨炎、红尘，准备一坛好酒，明天，我要去黑风崖祭奠舜夏和凤儿。"

跃下屋顶，攀上天梯，墨炎扶着易辰往灵魂之渊的客房走去，长长的木质廊道似乎走不到尽头。左手边是山壁上那一间间了无生气的客房，右手边是灵魂之渊静谧的夜晚。廊道上的灯火发着暗淡的光，灵魂之树在很远的地方静默地伫立着。

"墨炎，为什么我老是觉得心里空落落的？"易辰问墨炎，"我总感觉我丢了什么东西。"

墨炎不自在地躲避着易辰的目光，他顿了顿，说道："易辰，早些休息吧。明天我们还要去祭奠舜夏和凤儿呢。"

易辰忽然一下搂过墨炎的脖子说道："墨炎，你有事瞒着我。"

墨炎忽地停下了脚步，却没有回答。

"墨炎，你前些日子躲在剑灵阁里疗伤，不会也是怕我看出破绽吧。你啊，什么事都写在脸上。"易辰紧了紧胳膊，他的脸上泛着红晕说，"说！你有什么事瞒着我！"

"我……"墨炎紧紧拽着拳头。

"你说……你快说……说……"易辰努力眨了眨眼睛，忽地如一摊烂泥一样醉了过去。

墨炎架着醉倒的易辰长长地出了一口气，他想起了和宁无南骁的约定。他已经承诺不再在易辰面前提起那个人，那个走失在易辰脑海中，名叫唐馨的女人。

彻夜的梦魇，那个女孩的身影在易辰的梦中跑了一夜。

易辰酒醒已近晌午，通过窗户，可以看见灵魂之树的影子在风中摇动。墨炎的身影在易辰身旁显现："易辰，你快点，人家柳姑娘在楼下都等了半个时辰了。"

"墨炎，帮我把这发蜡灵质化。"易辰一边穿衣服一边将行李包中的发蜡丢给墨炎。

墨炎一脸的不情愿。"易辰，你这头发够硬了，还抹什么发蜡？"墨炎嘟囔道，"要不要这么臭美？"

"你嘀咕什么呢？"

"没，没什么。本将军只是好奇你今天为何如此注重仪容，平日里也不见你如此这般。"墨炎不情愿地将手里的发蜡灵质化。

"今天毕竟是要去祭奠故人。不能像平日里那么随随便便。对了，昨天我做了个梦。"易辰一边穿衣服一边说道。

"梦到什么了？"墨炎问。

"梦到一个女孩。"易辰说。

墨炎俊脸一红："这种时候，你竟然还做那种梦？"

易辰看了一眼墨炎笑了笑："看不出来，你这么快就被新时代的思想毒害了。"

"你大爷的，还不是被你带坏的。"墨炎一下将那发蜡丢到易辰手里，"说吧，那女孩怎么样？"

易辰说道："我梦中的女孩穿了一件淡青色的连衣裙，背了一个印有Hello kitty的帆布包。她长发及肩温柔大方。你记得我有一辆老破的自行车吧。那车一骑起来还嘎吱嘎吱响。那女孩呢，就坐在我的自行车后座上。我载着她在大街小巷里乱窜，她一个劲地让我骑慢点。而我呢，就故意骑得很快很快。她被我吓得一下抱住了我的腰。我们就这么一直骑一直骑，仿佛这条路永远都没有尽头。只是，我怎么也记不起她的脸。"

"易辰，别再想你的梦了。你再这么折腾下去，柳姑娘要不高兴了。"墨炎催促道。

"走！"易辰关了门攀下天梯。柳红尘已经候在了深渊山壁之下。

"走吧。"柳红尘看了一眼姗姗来迟的易辰和墨炎面无表情。

墨炎似乎想起了什么事，说道："我去酒窖取酒，你们先行前往，我随后就到。"说完，墨炎化为一道火光往远处飘去了。

柳红尘转过脸对易辰说："慢死了。"说完，又转回脸不理易辰。

易辰一听这话就奇了怪了。他不想这"慢死了"竟会出自柳红尘之口。在他的印象中，柳红尘应该会用一种很官方的调调数落易辰不守时。易辰坏坏一笑："我慢我的，又没让你等。"

"你！"柳红尘一指易辰而后一甩袖子，"哼！本灵官才不和你计较呢。"柳红尘看了一眼易辰的头发暗讽道："不知易公子可否读过《病梅馆记》。此等以病为美真可谓是世间怪事，何不遵从事物的原始样貌，崇尚自然美呢？"

易辰回了一句："小爷我今天可是要去祭奠故人，怎能不好好打扮一番？"

"你那不叫打扮，你那叫作。"柳红尘忍不住说道。

"我说红尘学姐，你能不能官方一点？你是魂国灵官好吗？"

易辰和柳红尘一路聊着不知不觉已走到了剑灵阁外。忽然间桃花如大雨般倾泻而下，纷纷扬扬挥挥洒洒布满天空和大地。在那纷繁的花瓣之后，一个女子侧着身子安静地坐在远处的秋千架下。她的背影被桃花模糊，头发在风中微微飘动。她就那么静静坐着，像是心事重重，又像在等候着什么。轻风拂过她红蓝相间的华美衣裳定格成了一幅画。

易辰朝那背影眨了眨眼，忽然感到脑中传来一阵钢钉钉入一般的剧痛。

"我的头！"易辰用双手捂着头痛苦地惨叫了一声。

"易辰，你怎么了？"柳红尘看着痛苦的易辰不知所措。

"明明一点都不难过的，为何我却……"易辰不自觉落下两行清泪。他的脑海中忽然出现了昨晚梦中的单车，街道和女孩。"啊！"易辰惨叫一声晕了过去。

"易辰，易辰！快来人啊！"柳红尘急促地喊道。

花瓣浮动，春光不再。隐隐约约，易辰听见了一个陌生女子的声音，这声音说："你请放心，他似是饮酒过度，我已为他施术治疗了。"

易辰睁开眼睛挣扎着站起来，只见柳红尘的身边多了一个女子。这女子身形曼妙，面容姣好，长发披肩，身穿红蓝，丹凤之妆难以掩盖她眼神中的温婉贤淑。

　　"你是？"易辰看着眼前的陌生女子问道。不等对方回答，易辰又抢过一句："我知道了，你一定是红尘的双胞胎妹妹，难怪长得那么像她。"

　　"休得胡言。"柳红尘不满地看了易辰一眼，介绍道："这位是蛊灵谷主明空天后，刚才就是她施术让你醒过来的。"她又转向那女子："这位是易辰，也是灵魂之渊的客人。"

　　"蛊灵谷唐明空见过易先生。"唐明空行了一个礼。

　　"不好意思，我还以为你是红尘的妹妹呢。不过，长得可比她漂亮多了。"

　　柳红尘瞪了易辰一眼，唐明空脸颊微红，说道："易先生过奖了，若论姿容，本谷主自然不敢与深渊使者相较。"

　　"刚才真是谢谢你了。"易辰向唐明空道谢，忽然又说道，"你不喊我易公子，喊我易先生。莫非，你也生长在现代？"

　　"易辰，不得无礼。唐谷主可是深渊的贵客。"柳红尘看着易辰一副见了美女把持不住的样子终于忍不住了。

　　"无妨，"唐明空笑了笑，"本谷主乃凡胎肉体，自然生长在这个时代，不像易先生这般已经拥有虚空之体，可以和时代共同前进了。"

　　"你也别易先生易先生地叫了，我听着别扭。你叫我易辰就行了。"易辰说道。

　　唐明空的眼神闪烁着，她顿了顿，略带迟疑地问道："易辰，这灵魂之渊可还住得习惯？"

　　"挺好的，有吃有喝的。这里还有专门为凡人准备的食物，谷主你有尝过吗？"易辰正问完，就听见远处传来一个女人的声音："明空姐姐，咱们的银耳莲子羹好了，我给您端过来。"

　　紧接着的，是另一个方向，远远传来的墨炎的声音："易辰，你们怎么还在这儿？你们看，我把酒……"

墨炎拎着酒壶才刚走了几步就停了下来。他手一抖，这酒壶就摔了个粉碎。随之而来的，是唐明空身后丹眉手中洒落的银耳莲子羹。

"不好意思……手滑了。"墨炎看了看易辰身边的唐明空，捏了捏拳头，"我……我再回去拿酒。"说完，他化为一道火光飞也似的逃走了。

"明空姐姐，我……"丹眉看了看不远处的易辰，又看了看唐明空，挺着大肚子说道，"我回去再给您盛一碗。"

"丹眉，你有孕在身，不用去了。"唐明空唤住丹眉，让她来到身边。她介绍道："她叫丹眉，是我的侍女。而她肚子里的，是我的孩子。"

"唐谷主，你们俩都是女生，什么叫丹眉肚子里的是你的孩子？"易辰一脸的不解。

唐明空笑了笑："还说你我生长在这个时代。代孕听说过吗？"

"噢，"易辰恍然大悟，"原来如此。那孩子他爹呢？"

"死了。"丹眉白了易辰一眼。

唐明空给了丹眉一个眼色对易辰说道："孩子他爹不久前因病去世了。"

"不好意思……谷主节哀。"易辰道。

"无妨，"唐明空看着易辰，忽然问道，"今日你我有缘，我也想讨个好彩头。要不然，你给这孩子取个名字吧？"

易辰愣了愣，说道："取名字这么重要的事，怎能交给我一个外人？"

唐明空见易辰推诿，便说："前些日子，我到凡世拜佛求仙从一座寺庙里下来时遇到了一个五十岁开外的老阿姨。那阿姨让我告诉她一个数字，我问她为什么。她说她要去买彩票，还说要在这回去的路上问问上山的善男信女们，只要每人告诉她一个数字，她就能中头彩了。我觉得这个法子很好，所以，今天才希望你能给我的孩子取一个名字讨个好彩头。"

"男孩女孩？"易辰问。

"女孩。"唐明空答。

"孩子他爹姓什么？"易辰又问。

"这孩子随我姓唐。"唐明空回答。

易辰想了想："你看这漫天的桃花瓣香飘万里。要不然，就叫唐馨吧。"

唐明空怔怔地站着，半晌说不出一个字。

"谷主，你怎么哭了？"

唐明空抹了抹眼角的泪水，说道："今日风沙颇大，沙子进眼睛了。"

"谷主，你觉得唐馨这名字怎么样？"易辰又问。

唐明空顿了顿，说道："实不相瞒，唐馨是我的本名。这孩子可不能和我一个名字。可否，再想一个？"

"竟然还有这么巧的事。"易辰惊道。他闭起眼睛又想了想，说道："既然谷主本名唐馨，那何不加上一个念字，就叫唐念馨如何？"

"念馨？这个名字很好。易辰，谢谢你。"唐明空笑了笑，"时候不早了，我也要回去歇息了。我们有缘再见吧。"

"下次见。"易辰和唐馨道别。在他们擦肩而过的一瞬间，易辰窥见了唐馨的眼神。可他怎么也读不懂，为什么那眼神里藏着深深的无奈和不舍。

唐馨领着丹眉走了很远很远，一直到易辰的气息离她远去。唐馨捂着脸，在一株粗壮的桃树下伤心地哭了起来。

"明空姐姐，你这又是何必呢？"

唐馨擦干泪水说道："没什么。丹眉，我们走。"

丹眉挺着大肚子步履蹒跚："易辰那个负心汉果真是什么都不记得了。这样正好，既然他都不记得姐姐你了，何不就此忘了他？"

唐馨看了看丹眉，说道："我方才修补了之前加在他脑中的记忆封印。想不到，这封印竟然开始松动了。"

丹眉沉默了，她开口道："那，姐姐，那何不，解开他的封印？"

唐馨说道："你没看见他身边的女子吗？别说了，咱们走吧。"说完，唐馨领着丹眉消失在了这桃花雨中。

而另一头，易辰和柳红尘走在前往黑风崖的路上。易辰问柳红尘："这唐馨是蛊灵谷主。我分明去过蛊灵谷，怎么对她一点印象都没有？"

柳红尘说道："我随白夜大人去过一次蛊灵谷。那日是她的继任大典，我也就只见过谷主一面。"

"可是这蛊灵谷主怎么会来灵魂之渊呢？"易辰又问。

柳红尘一边走一边说道："这就说来话长了。1806年，司马印成暗中勾结蛊灵谷妄图推翻灵魂之树。因为蛊灵谷离灵魂之渊不远，所以司马印成就将此地作为囤积兵粮的据点。这给他的阴谋提供了很大的便利。现而今世事更迭，蛊灵谷已经不能为他所用，而尝过甜头的司马印成岂会放过这个战略要地。第六魂主白夜料定了司马印成会强占蛊灵谷，所以早早就开展了计划。她施展空间之术，已将整个蛊灵谷连根搬到了灵魂之渊旁边。这么一来，当司马印成赶到蛊灵谷原来的地方就只能得到一地的黄土。那里没有粮食，没有居舍，他的魂煞大军将无处驻扎。"

"这招儿真是高啊。"易辰不由得竖起了大拇指。

"蛊灵谷人个个灵力高强，他们都是人类中操纵灵力的精英。白夜大人和明空天后有一个约定。只要白夜大人保全蛊灵谷，蛊灵谷人必会在天浊蔽月之日为灵魂之渊而战。"柳红尘继续说道。

"所以，明空天后才会出现在这里和魂主们议事？"易辰问。

"是的。这明空天后灵术卓绝，她刚才为你疗伤的术法我从未见过。她区区凡人，灵力却远在我之上。这蛊灵谷里必然藏龙卧虎。"

柳红尘和易辰攀上天梯，来到了灵魂之渊上端。绿色的结界像是一个巨大的罩子将整个灵魂之渊笼罩在内。抬头望去，蓝色的天空中隐隐泛着绿色的结界之光，那条血色的长河从很远的地方飘荡到灵魂之树之上。

柳红尘领着易辰朝着离开深渊的方向走去。一队身着深蓝色袍子的神之猎魂者正守着一个石头砌筑的小门。这门小得近乎只能容许一人通行。

“吾乃魂国灵官柳红尘，这位是深渊的客人，我们奉首席剑术师之命离开深渊执行任务。还请各位速速放行。”柳红尘说着就从腰间拔出了漆黑的腰牌。

　　一个看门的神猎细细打量了柳红尘和易辰，又细细看了看她手上的腰牌，转头对另一个神猎说道：“确认无误，请核准。”

　　另一个神猎翻开了手上的簿子仔细看了看，说道：“没有错，柳红尘和易辰。首席剑术师已经报备。”

　　“放行！”一声令下。三个神之猎魂者同时施术，那小石门中的绿色结界渐渐消失不见。

　　易辰随着柳红尘刚迈开步子，身后就传来墨炎的声音：“等等，还有我！”

　　易辰眉头一皱，心想怎么把这家伙忘了。墨炎化为一道火光一下飘到易辰身前，却被那带头看门的三个神之猎魂者拦住了。

　　“你，对，就是你。干什么的？”一个神猎凶巴巴地问道。

　　“在下乃易辰的刀灵，要随他们出去的。”墨炎拎着一壶子酒说道。

　　“你叫什么名字？”另一个神猎问道。

　　“墨炎。”

　　“墨炎？”那神猎翻看着手中的簿子说道，“这上面没你名字，不许出去。”

　　“可我真是易辰的刀灵。”

　　“不许就是不许。”那神猎说道。

　　“你大爷的，凭什么？”墨炎怒道。

　　“这是规定。规定就是规定。不行就是不行。”

　　易辰看了一眼墨炎，说道：“别和他废话了。进来。”说完，易辰伸手拿出猎魂刃。墨炎一见，化为一道火光飘进了猎魂刃消失不见了。

　　那三个神猎看得目瞪口呆，就那么愣愣地看着易辰带着墨炎，和柳红尘一道出了那门。

待易辰出了门，一个神猎终于开口了："我的乖乖，那刀灵竟然能使用灵术，还能离开宿主独立行动！"

另一个年长的神猎说道："真没想到，除了魂国天眼和那些不能使用灵术的渣渣，这世上竟然还有第二个刀灵能够如此。"

"队长，那，那，那我们的深渊进出管理记录该怎么写？"

"不要提那个刀灵，就当他没出现过。"那队长模样的人说道。

"是是是。"那年轻的神猎唯唯诺诺。

寒冷的风掠过黑风崖漆黑的岩石，易辰、墨炎、柳红尘立在山崖之上。

易辰斟起一杯酒，面对那黑风崖说道："舜夏，你屡次救我性命，可那一天你身陷绝境我却什么都做不了，只能眼睁睁地看着你和凤儿落入山崖。现而今，我悔愧难当，只能用这杯酒为你送行。"

易辰一挥手，那杯酒就随风飘下了山崖。

墨炎斟起一杯酒，双手举起："舜夏，当日你与易辰为了我大战血婴，要不是你，我已经油尽灯枯，灰飞烟灭。大恩不言谢。这杯酒，敬你！"墨炎一挥手，这酒也落入了山崖。

柳红尘也缓缓斟起了一杯酒，说道："舜夏，虽然你我神妖殊途，势不两立，我作为魂国灵官本不该送你。可我曾也是一介凡人，今天，我柳红尘就敬你与胡凤儿那同生共死、感天动地的壮烈爱情。"说完，柳红尘也将那酒洒入了黑风崖。

酒水带着他们的思念随风而去。他们知道，这黑风崖深不见底，可见之处，乱石重生，草木凋零，想要下到谷里找回舜夏和胡凤儿的尸骨难于登天。

易辰点燃一支烟，说道："逝者已矣，可生者不能停下脚步。墨炎、红尘，我这就回去找那如痴和尚算账！"

易辰刚说完这话，黑风崖下忽然狂风大作。

"小心，有妖气！"柳红尘喝道。三人退开几步摆好架势。只见从那漆黑的山崖之下飘上了黑色的羽毛。这黑羽随风飞舞仿佛是那在风中被烧成了黑灰的纸钱。

"不要贸然出手，这人从黑风崖下上来，保不准和舜夏有关系。"易辰正说着，墨炎已经召唤出了火龙盘在了身上。

那黑色的羽毛越来越多，就像是无数的黑色飞虫从那漆黑的深渊中飞舞出来。渐渐地，那羽毛凝聚成了一艘船的形状。在那船之上，站了一个身着黑衣的女人。

那女人的裙子也是由黑羽编织而成。她站在这飞船之上，仿佛已经和船融为了一体。她手持黑羽扇子，粉色的长发在身后绑成了一个硕大的蜈蚣辫。

"好强的妖气。"柳红尘念道。

"你是谁？"易辰质问道。

"吾乃圣裁使者黑羽姬是也。想必阁下就是罡炎剑的主人易辰了？"黑羽姬摇了摇黑羽扇子指了指易辰。

"什么圣裁使者，听都没听说过。"易辰举起罡炎剑喝道，"说，你到底有什么目的？"

黑羽姬面对易辰的罡炎剑毫无惧色。她冷声说道："易辰公子何必如此动气？在下只是来传信的。古语有言，两军交战不斩来使。我们这都还没开战，你难道就要斩了我这个使者吗？"

"谁派你来的？"

黑羽姬摇了摇扇子，说道："我家主人和阁下颇有渊源。当日，就是我家主人将您请到了封灵台上。"

"原来你是司马印成的人！你今日出现在这里有什么目的？你若说了一句假话，我立刻让你化为灰烬！"

"快说，你的目的是什么！"墨炎也喝道。他身上的火龙已经对准了黑羽姬的胸口。

黑羽姬的脸上依旧是那种淡漠的表情，没有恐惧，也没有慌张。她一挥扇子，一根羽毛就飘到了易辰眼前。

易辰伸手接过一看，只见那羽毛上挂着一个时髦的耳坠。易辰将那耳坠拿在手里呷摸了一下，忽然说道："这是苒儿的耳坠。说，我妹妹在哪儿？你把我妹妹怎样了？"

"易辰公子莫要惊慌，我家主人只是看见令妹聪明可爱，于是请去府上玩耍玩耍。"黑羽姬说道。

易辰低头又看了一眼那耳坠，说道："司马印成诡计多端，最喜欢要小聪明。你不要以为从地摊上买个和苒儿一样的耳坠就能糊弄得了我。"

黑羽姬面无表情："虽然令妹乃一介凡人没有灵力，但我记得蛊灵谷唐馨谷主可是辨认气息的好手。你大可拿这个耳坠向她确认。"黑羽姬顿了顿，故作惊讶道："今天真是奇怪了，怎么唐谷主没有和你一起？"

"你大爷的，还不住嘴！"墨炎大骂一声，他身上的火龙发出一阵低吼朝着黑雨姬的胸口直冲了过去。

黑羽姬早有防备，她一挥扇子操纵着黑风舸避开了这条火龙。却不想这火龙在她身后拐了个弯，朝着她的后心又冲了回来。

"碍事！"黑雨姬一挥扇子，无数羽毛将那火龙包裹。她驭起黑风舸飘到高处，那火龙就在那羽毛的包裹之下熄灭了。

黑羽姬脸露怒色冷冷说道："要是我有个三长两短，可就永远也不会有人知道易苒的下落了！"

墨炎的肩上又盘起了一条火龙。易辰小声对墨炎说："先不要冲动，听听她怎么说。"

黑羽姬又挥了挥扇子，几根羽毛包裹着一个小物件就飘到了易辰眼前。易辰接过一看，原来那是一支录音笔。

"我家主人早就料到易辰公子会记挂令妹的安危，所以特地吩咐在下带上令妹的问候。"

易辰一按那录音笔的播放键，那录音笔里就传来了易苒凄厉的呼救声："啊，救命！救命啊！不要杀我……"

易辰一下捏碎了那支录音笔。他握着拳头，闭着眼睛一言不发。半晌，易辰长长呼出了一口气："你想怎样？"

黑羽姬的连上闪过一丝难以琢磨的表情，缓缓说道："我家主人仁义至极，已备了好酒好菜，想与易辰公子叙叙旧。"黑羽姬看了看墨炎和柳红尘继续说道，"来的都是客，在场的诸位务必一同前往。"

"红尘，你回去报信，我和墨炎去就好。"易辰压低声音说道。

黑羽姬似乎看出了易辰的心思，她在空中望向了柳红尘："那边的灵官，司马大人与灵魂之渊颇有渊源，请您务必前往。要不然，他这宴可就不设了。"

柳红尘压低声音对易辰说："她都这么说了，我就一起去吧。多一个人也多一份力量。"说完，她抬头对黑羽姬说道："多谢你家主人盛情邀请，那本灵官就恭敬不如从命了。"

黑羽姬侧着身子说道："如此甚好，你们随我来。"

易辰几人随着黑羽姬离开了黑风崖。不知随着那羽毛走了多久，他们终于穿过了一片广袤的戈壁滩，来到了一片石头森林跟前。在他们面前，大大小小、高高低低的石头纵横交错，这石头森林就如一个乱石围成的迷宫。

"易辰，我们还是不要贸然进入。这定是司马印成设下的圈套。"墨炎说。

易辰在那石林前顿了顿："我只是一介凡人，论武力论智谋都远不及灵魂之渊的魂主和其他高手。司马印成乃旷世魔头，他暗算我一个无名小卒有什么意义？"

墨炎说道："你不要忘记了，司马印成需要你将罡炎剑之力献给蛊灵。这一次，他的目的多半是夺取罡炎剑，并将你血祭。留得青山在，不怕没柴烧。易辰，我们还是先回去将此事禀告魂主为上策。"

易辰的手里捏着易苒的耳坠又指了指自己的胸口："若事情真的发展到了那个地步，我就让白金虚空暴走，让我这胸口的灵徽炸裂我的元神。现而今我灵体之身，一旦元神破裂，司马印成将什么都得不到。这罡炎剑也会自我封印变成一把废铁。司马印成的阴谋也将付诸东流。"

"易辰，你当真想清楚了？"

易辰的手里握着易莳的耳坠说道："若我不能为这个世界而战，那我至少可以为这个世界而死。经历了这么多生生死死、分分合合，死亡已经吓不倒我。"

易辰将易莳的耳坠放在胸口："可无论如何，我不想再看到我所珍视的人们离我而去！"

易辰转身看了一眼柳红尘说道："红尘，你在这石林外不用跟我进去。不管我出得来出不来，你一定要找机会跑回去报信。"

柳红尘握着猎魂刃点了点头，这的确是当下最稳妥的方案了。

易辰转身，他铂色的发和镶嵌云纹的黑色灵袍被风吹起，留给柳红尘一个决绝的背影。

"易辰！"柳红尘抱着猎魂刃在远处喊道。

易辰略略回了回头，却见柳红尘已是泪流满面。他张了张嘴，却发现自己说不出半个字。

易辰一扭头，大踏步地走进了眼前那萦绕着风沙的石头森林。离开荒凉的戈壁，这石林里只有呜呜的风声席卷黄沙。低矮的灌木零星点缀着他们脚下的道路，高耸的岩石就像是一张张石头雕刻成的脸肃穆地看着这两个外来者。

黑羽姬的声音从高处传来："怎么，灵官大人临时改变主意了？"

"灵官大人长途跋涉，身子多有不适，就让她在这石林外好好歇息歇息吧。"易辰说。

黑羽姬略略想了想："也是，这儿离灵魂之渊山高路远。也罢，两位请吧。"

黑羽姬领着易辰和墨炎在那石林里穿梭了一阵对着眼前的一块巨石说道："司马大人，易辰已经到了。"

"请。"那块大石之后传来了一个喑哑的声音。易辰和墨炎绕过那块高耸的巨石，只见脚下原本凌乱的沙石已经变成了光洁的石板。这大石板总共有八块，已经严丝合缝拼成了一个八边形。

这八边形的阵台周围立了八根石头柱子，这柱子上雕刻着密密的符文。而在那阵台的中央放了一张八仙桌。那桌子上坐了个清癯男人。这人样貌三十开外，高鼻长目，细眉入鬓，一撮短髭却添沧桑。他着一件金丝打底，红玉镶边的道袍，穿一双红木做底的木屐。他的袍子微微敞着露出清晰的锁骨轮廓，他的长发半干半湿地垂着像是刚刚出浴。他的左手优雅地衔着一个高脚杯，杯子晃了晃，杯中红色的液体正是上好的纳帕红酒。他随意而慵懒地坐在八仙桌的主位上却是那样优雅而有品位。可谓是谦谦君子，温润如玉。

他略略抬了抬眼看了看易辰和墨炎。他的眼神淡而冷，空洞又复杂。

"易辰，别来无恙。"几秒钟之后，那个男人开口打破了沉默。他淡淡地笑了笑，唇红齿白不怒自威。

"司马印成，快把我妹妹交出来！"易辰喝道。

"着什么急呢。"司马印成随口应道，"人生苦短，来来来，坐下来吃点菜，喝杯酒，吃好喝好再去想那些俗事。"

司马印成慢慢挽起自己的袖子，拿着金玉铸成的筷子夹了一点小菜尝了尝。

"黑羽姬，怎么回事？今天的鹿肉太咸了。"司马印成抱怨道。

黑羽姬的脸上没有表情："司马大人，昨天您嫌我做的肉太淡了，今天又说太咸了。您爱吃不吃！"

"算了算了。"司马印成挥了挥筷子，又把脸转向了易辰和墨炎，"你们俩再不过来坐，这菜可要凉了。"

"司马狗贼，还记得我吗？"墨炎的身上盘起了一道火龙怒视着司马印成，"快说，你把易苒藏到哪儿去了！"

司马叹了口气，放下筷子拍了拍手。只见他们先前绕过的那块巨石的上部打开了一扇窗。

"哥，墨炎。你们怎么来了？"易苒探出了脑袋对着驻台上的易辰和墨炎笑了笑。

"苒儿，你没事吧？"易辰仰着头关切地看着易苒。

　　易苒眨了眨眼睛："哥，这里有吃有喝的，住得我都不想走了。"说完，易苒指了指司马印成，"哥，快叫干爹呀。"

　　"什么！你认了司马印成当干爹？你！你这是想气死我吗？"易辰指着易苒。

　　易苒眨了眨眼睛一脸疑惑："哥，你这是怎么了？干爹对我可好了。你看，我新买的GUCCI。"说完，易苒拿出了一个手包晃了晃，"怎么样，好看吧？"

　　"苒儿，你太胡闹了！"易辰一个灵虚飘摇飞上了那巨石之顶的小窗，他站在窗前一下捏住了易苒的肩膀关切地问道，"苒儿，你没事吧？"

　　易苒微微一笑："哥，我这不是好端端的吗？"

　　"易辰，你我灵体之身，易苒一介凡人怎么能看见我们？她不是易苒！我们中计了！"墨炎大声说道。

　　那易苒的脸上露出了诡谲的笑容，她小口一张对着易辰的脸就喷出了一口金色的毒雾。

　　"司马狗贼，我和你拼了！"墨炎身上的火龙直直朝着司马印成的八仙桌打了过去。

　　"黑羽逐魂！"黑雨姬一挥扇子，那黑色羽毛在刹那间就将墨炎的火龙包裹。这黑羽就如疯狂的蝗虫仅在一瞬间就将那火龙啃噬殆尽。

　　那八仙桌上的司马印成依旧在悠闲地喝着酒，他放下酒杯，抚平衣服上的褶皱泰然自若地拿起筷子夹了一片鹿肉，一眼都没有看墨炎。而他的泰然自若仅仅维持了两秒钟，就皱起了眉头。

　　"司马印成，我们做一个交易吧。"易辰的声音。

　　司马印成顿了顿，缓缓放下了筷子。只见墨炎的身后，易辰的左手拽着假易苒的头发，他的罡炎剑已经横在了那假易苒的脖子上。

　　易辰用力将那冒牌易苒的头发向后拽去，一阵光芒过后，他手中的女子就变回了原来的样貌。

　　那是一个身着白衣白裙的少女，样貌大概十五六岁。长长的头发，整齐的刘海儿，就如那空中的彩虹一般有七种颜色。她的脸，眼睛和嘴唇如冰雪一样苍白。乍看起来，那女孩子就像是一个没有生命的石膏像。

"司马大人。"那女孩子委屈地说道，声音就像是机器人一样生硬且不自然。

司马印成看了看易辰，问道："你要和我做交易？什么交易？"

"你是聪明人，不会猜不到吧。"易辰用剑抵着那女孩子的喉咙说道，"用我妹妹换你的人。"

司马印成吞下口中的食物，拿起桌上的湿纸巾擦了擦手，尔后看了看那彩发白脸的女子说道："虹儿，别演了。赶紧的，干完活过来吃饭。"

"是，司马大人。"那叫虹儿的女子张口吐出了一道金色的粉末。

"易辰，快杀了她！"墨炎吼道。

易辰右手一用力，一刀就割下了虹儿的头。可那虹儿似乎是不死之身，她的脑袋一挣，那被易辰割断的头颅一下就飘到了空中。七彩头发在风中乱舞，她小口一张，金色的粉末就像是无数金色的小飞虫将易辰和墨炎围在了当中。

易辰开启窥之力说道："这是幻术，不要被他骗了！"易辰还想说话，却惊悚地看见他身边那个没有头的身体上忽然长出了另一个虹儿的脑袋。

那苍白的头颅上，七彩的头发如蔓藤一般从她那石膏像一般的头顶上爬了出来。咔嚓一声，她的头颅转过了三百六十度望着易辰。

"不好！"易辰移开目光正要挥剑斩去却感到一阵头晕目眩。他的眼中忽然出现了无数七彩的光芒让他失去了判断能力。就这一秒钟的眩晕，虹儿一把抱住了易辰一口吻上了他的嘴唇。

"可……恶。"易辰感觉身体的力气都被抽空了。他渐渐失去了重心，罡炎剑也落到了地上。

"易辰！"墨炎正要驱动火龙，却感觉四周金光一片。墨炎挥起一枪没有刺中。虹儿身法敏捷一把抱住墨炎，又一口吻上了他的唇。

"妖女！"墨炎挣开虹儿时已是步履踉跄。他的银枪落到了地上，仿佛被抽干了浑身的力气一头栽了下去。

"妖……女，我要杀了你！"墨炎虚弱的声音从他的喉咙里传出来。

虹儿拾起落在地上的罡炎剑踏着小碎步走到司马印成身前机械地说道："司马大人，任务已经完成了，这是您要的罡炎剑。"

"搁这儿吧，先吃饭。"司马印成说着，就示意虹儿将剑放在八仙桌的一角。

"白鲲鹏，那个观星台等一下再修了。先过来吃饭。"司马印成扭过头，朝身后的另一块巨石顶上喊去。

话音刚落，一个健壮的年轻男人就从那巨石顶端探出头来擦了把汗，长长出了一口气说道："终于有饭吃了。"他赤着上身，一头板寸很是精神，他皮肤白皙却有着清晰的肌肉轮廓，只是他的脊背和手臂上有着细细的绿色鳞片反射着明亮的光泽。

一只黄鹂鸟飞上了那年轻男人的肩头说道："白鲲鹏，你平时那么懒。要不是司马大人督促你，你天天就知道吃了睡睡了吃！"

"我吃了睡睡了吃碍着你了？"白鲲鹏朝那黄鹂鸟吐槽。他抹了一把汗，飞身从那巨石之上跃了下来坐到了八仙桌上。

"白鲲鹏，你是越来越不像话了。"司马印成教训道，"没看见客人还在地上躺着吗？快请过来啊。"说完，司马印成用筷子敲了一下桌子。

"是！"白鲲鹏从位置上弹了起来，三步并作两步地向倒在地上的易辰和墨炎走去，将他们挨个扶上了桌。

"司马印成，你到底要怎样？"易辰坐在位置上吃力地说道。

"我已经说了很多次了，请客吃饭而已。"司马印成一脸泰然自若，仿佛他在进行的不是一场阴谋而真的是一场宴席。

"司马狗贼，你……你别再在这儿惺惺作态。要杀便杀，别给大爷我磨叽！"墨炎吃力地说道。

司马印成拿起了桌上的葡萄酒晃了晃："易辰，你难道不觉得自己活得很累吗？"

"我……"易辰想说什么，却又无可反驳。他心想：是的，为了在这个世界生存下来，自己已被弄得遍体鳞伤。他至今忘不了当年母亲病危时的情景和苒儿攀附权贵的无奈。他想起了舜夏被世人误解，从凡世逃到异界，又在异界被神猎逼上绝路的悲凉。

"我累我的，与你何干？"易辰说道。

"加入我的乌托邦吧。"司马印成举杯对易辰说，"在我的乌托邦里，没有悲伤痛苦和绝望难过，没有攀龙附凤和阿谀奉承，没有尔虞我诈和钩心斗角。所有人都活得简单、真诚、幸福、快乐。就像这里一样。"司马印成举着酒杯晃了晃，看了看桌上的其他人："看吧，就像这个小家。白鲲鹏虽然懒惰，但勤快的时候一点都不含糊；虹儿虽然害羞，但心地单纯善良；黑羽姬虽然看着冷艳，但却是个顶好的管家。"

桌上的黄鹂鸟雀跃道："还有我，还有我。"

"对，还有我们的小鹂。"司马印成把桌上一碗小米推给那只黄鹂鸟。

"司马印成，当年蛊灵谷里一百生灵在你眼里就和猪羊一般。你要推翻灵魂之树就是要毁灭这个世界。你既然有如此歹心，现在又何必再在这里惺惺作态？"易辰说道。

"易辰，我问你，在你眼里，我真的是一个大恶人，大魔头吗？"司马印成问。

"没错！"易辰喝道。

"司马狗贼，两千年前，你分开我的灵体和灵种让我在凡世受尽苦难，你还打伤我师父，害得他老人家眼瞎耳聋。你这个浑蛋！你这个恶魔！"墨炎喝道。

司马印成的笑容转瞬即逝："浑蛋？恶魔？这些词都太微不足道了。"司马印成摇摇头，品了一口酒，指了指自己身后的巨石，"你们看看这巨石的顶端。"

易辰和墨炎抬头望去。只见那巨石的顶端竟是司马印成的塑像。

这塑像上的司马印成头戴玉冠，脚踏金靴，身着镶金灵袍，仗剑而立。

"有些人，即使把自己雕成石像也迟早会被人遗忘。就算不被人遗忘，这雕像也只会受万人唾骂。"易辰说道。

"你看看那雕像的眼睛。"司马印成淡淡说。

易辰仔细看了看那雕像，却见那雕像的眼里竟然在流着泪。

"你看见了吧，"司马印成道，"在这世上，有阴就有阳，有明就有暗，有善就有恶，而这善和恶的分量实则是一定的。只有我将这世上的恶事都做尽了，这世上的人们才能在善意中获得永久的幸福和快乐。就像这雕像一样，我愿意承受这世间所有的苦难，做尽这世间所有的恶事。如此一来，我就能将所有的善良和幸福留给世人了。"

"假仁假义！"易辰不屑地说道，"你不会指望拿这些鬼话来糊弄我吧。你那伪善的逻辑真是叫人恶心！"

"好，那我就告诉你，什么叫神的逻辑。"司马印成淡淡说道，"世界的规则在任何时候都没有变过。在动物世界中，弱者往往会被强者杀死。但既然弱者注定要被杀死，那何不让我成为那个杀死他的人？在王朝更迭中，君王都会被乱臣贼子杀死，既然王朝更迭不可避免，那何不让我成为这个乱臣贼子？现而今，这个世界已接近崩坏，迟早要有一个人来毁灭他而创造一个新的乌托邦。既然如此，何不让我成为这个毁灭世界的人？如此一来，所有罪恶都集于我一人，那世间就只会有我司马印成一个恶人。"

"收起你的歪理邪说吧！"易辰说道，"当世界崩坏，我们将会失去自己的亲人、朋友，失去自己热爱的家园。到时候天崩地陷，这世上将会充满苦难和悲伤。你难道就没有想过这些？"

"这又算得了什么？"司马印成问道，"对于现在的世界，快乐是短暂的，痛苦是永恒的。待我毁灭这个世界，痛苦转瞬即逝，随之而来的则是永恒的幸福。"

"你已经疯了！你以为你是这个世界的导师还是这个世界的保姆？我和你这种活了两千多年的老妖怪无话可谈！"易辰说道。

"如你这般凡夫俗子要我如何说你呢？"司马印成将杯中的酒一

饮而尽。"也罢,不说就不说吧。"司马印成顿了顿,冷声问道,"易辰,我就问你一次。你愿不愿意和我合作?"

"你做梦!"易辰喝道。

"好,既然你意已决,那我只有杀了你,把你的灵魂献给蛊灵。"司马印成对那彩发白面的女孩子说道:"虹儿,看紧他。可千万不能让他胸口的灵徽炸裂了。"说完,他指了指易辰的胸口。

"你怎么会知道灵徽!"易辰吃力地吼道,"说,你安插在魂国的眼线是谁!你快说……"

易辰还没说完,虹儿已经搂上了他的肩膀深深献上了一个吻。易辰只感觉双眼模糊失去了意识。

司马印成看了看手上的瑞士手表,说道:"时候不早了,我们开始吧。"

"他的刀灵怎么办?"黑羽姬问。

"放着吧,就当是给蛊灵的点心。"说罢,司马印成抓起桌上的罡炎剑,拔出剑插在了这八仙桌的中央。他扣起手指念起了召唤的咒语。待咒语念到第三遍,那八边形的阵台中忽然浮现出了一丝黑气。那黑色的煞气越来越多,原来越浓。从那漆黑的煞气中传出了一个邪恶的声音:"司马印成,召唤本尊有何贵干?"

司马印成拂袖说道:"蛊灵,罡炎剑主人的虚空之体在此,请笑纳。"

蛊灵从那黑气中探出了硕大的头颅。那是一条巨大的蜈蚣,长长的触角,狰狞的面孔在煞气中若隐若现。

白鲲鹏瞥了一眼蛊灵,暗叹道:"真是的,瞧这蛊灵给饿的,就剩这么点了。"那蛊灵的头颅比那张八仙桌还要大过许多,而易辰坐在椅子上背对着蛊灵低着头。

司马印成的嘴角浮现出一丝冷笑:"魂国最大的失败就是将你变为了虚空之体。这么一来,他们就没法用天机杀死你阻碍我的计划了。

受死吧！"

那蛊灵张开血盆大口眼看着就要将易辰生吞活剥。

"罡炎焚天，万物尽烬！"

易辰隐隐上扬的嘴角和耀眼的红光，不知何时，易辰已经伸手拔出了桌子中央的罡炎剑指向了蛊灵。

随着一声冲天的巨响，那蛊灵哀嚎一声，霎时大地颤动，黑云四起。那灼热的罡炎之光贯穿浓密的煞气穿过蛊灵的头颅。那狰狞而混沌的头颅只剩下了一小半。蛊灵伤口处的火焰正在阻止蛊灵的再生。它扭动着身体，挣扎着一下就将那八仙桌压了个稀巴烂。

"灵虚瞬动！"易辰拽着墨炎倏地出现在了阵台边缘。

"灵虚步？王平山那个老东西怎么还不死！"司马印成说道。

易辰扣起手指发出一道绿光，墨炎在那绿光中渐渐恢复了知觉。

"原来木龙之力竟可以阻隔虹儿的妖力。当真是士别三日当刮目相看。"司马印成背着手看着易辰。

"墨炎，杀了蛊灵！"易辰举起剑，又是一道红光。

"九龙吟！"墨炎身后猛然浮现出了九条火龙。这九条火龙随着易辰的罡炎之光飞舞着朝受伤的蛊灵猛冲过去。易辰和墨炎合力发出的这招儿聚满了灵力，威力之大不要说是这奄奄一息的蛊灵，就算是坚硬的阵台和司马印成一干人等也将在这灼热的光芒和火焰中化为灰烬。

在那滚滚的热浪之中，所有的声音都消失了，只有那耀眼的光芒席卷沙土飞上天空。

"易辰，我们成功了。"墨炎说道，"我们假装被司马印成擒住，果然骗他祭出了蛊灵。"

易辰施展窥之力望着那耀眼的光芒，手里的剑一刻都没有放下："墨炎，不要高兴得太早了。司马印成不是这么容易就能解决掉的货色。"

火光淡去，一个声音从那光芒中传来："易辰，你这话说得，像是很了解我似的。"司马印成依旧背着手站在原地，他的身旁是黑羽姬和虹儿。白鲲鹏挡在他们的身前。他的上衣敞开，双眼盯着易，直到最后一股地下的泉水被灼热的火焰蒸发在空中。

"那个男性深渊者可以操纵水。他用水挡下了我们的攻击。"易辰窥视到了白鲲鹏身体中的妖力流动对墨炎说道，"他竟然能在沙漠中召唤出这种程度的喷泉，绝非等闲之辈！"

白鲲鹏双掌向前大喝一声："水切！"

"小心！"易辰一把推开墨炎跳开一步。他们原本站立的地方忽地涌出一股地下水，这水锋利如刀，竟将那坚硬的土地切开了一道细长的裂口。若不是刚才易辰闪避及时，此时此刻他大抵已如那脚下的岩石被切为了两半了。

白鲲鹏的胸口起伏着，豆大的汗珠从他的额上滚落下来。他转头对司马印成说道："司马大人，我不行了，能不能歇会儿？"

司马印成黑着脸："俗话说得好，书到用时方恨少。平日里看你游手好闲无所事事，今日临到用时才会如此捉襟见肘。才出了两招儿就喊苦喊累，真是把我的脸都丢尽了。"

"不是的大人。你看这沙漠里干燥缺水，我刚才那两招儿已经是从干瘪的乳娘身上挤奶，有一滴算一滴了。"白鲲鹏继续抱怨道。

"还不住嘴！"司马印成小骂一句，脸色越发难看。他扣起手指，打算在法阵中将蛊灵引渡回去。

"墨炎，那深渊者妖力不济！我们趁机杀了蛊灵！"说完，易辰举起罡炎剑却看见墨炎也已是气喘吁吁。他艰难地举起银枪，可他的灵体渐渐变为了半透明。

"墨炎，怎么了？"

"无妨，我们上！"

易辰驱动罡炎剑的力量却也感到一阵乏力。他深吸了一口气，随即将那炙热的红色光芒缠绕在了罡炎剑之上。

远处的司马印成冷笑一声："刚才那一招儿，你们可是出了全力。要在这么短的时间之内再次使用罡炎剑没有一段时间的聚灵是不可能的。"司马印成话语间手上法印翻飞，那受伤的蛊灵慢慢沉入了漆黑煞气围成的法阵之中。

"你们聚灵的时间，已经足够让我送走蛊灵了。那之后，我再慢慢陪你们玩。"司马印成说话的语气就像是在玩一场游戏。

"别想跑！"易辰一招儿灵虚瞬动挥剑就朝蛊灵斩去。那蛊灵身子一晃，一根硕大的长腿在煞气中被易辰斩落。随之而来的则是黑羽姬的黑色羽毛。易辰向后避开这黑色的羽毛，只能眼睁睁地看着这蛊灵懒懒地沉入了黑色的法阵。

"可恶！"易辰暗骂。

司马印成接过虹儿递过来的湿纸巾擦了擦手，淡淡说道："易辰，乖乖束手就擒吧。如此一来，我便放你妹妹易苒一条生路。"

易辰笑道："你到现在还想骗我吗？苒儿根本就不在你这里！"

"是的，易苒并不在这儿，她正在我的乌托堡里花天酒地呢。"司马印成笑了笑随后甩过来一个信封，一根黑色羽毛载着这信封飘到了易辰手中。

易辰打开一看，那信封里满满的全是照片。而照片当中都是司马印成和易苒的合照。

"你！"易辰丢掉照片举剑指着司马印成，"你到底把我妹妹怎么样了？"

"易辰，你看你，都想到哪里去了？我只不过是请令妹去舍下做做客而已。"

"不对。"易辰指着司马印成身边的虹儿，"这照片里的苒儿肯定是你旁边的小妖精假扮的，你骗我！"易辰吼道。

"虹儿，变一个。"司马印成吩咐道。

"是，大人。"虹儿摇身一变就变成了易苒的样子。司马印成掏出手机给虹儿拍了张照片，然后便将手机转向了易辰："你看清楚了，虹儿的幻术只能欺骗人眼，无法欺骗相机。"司马印成说话间，易辰就看见那手机屏幕上的虹儿依旧是虹儿，只是她的身体周围散发着七彩的光。

易辰仰头看了看天，良久，又望向了司马印成。

"怎么？还不缴械投降？"司马印成依旧背着手，静静地站着。

他不愿意浪费一兵一卒甚至是一丝灵力。

易辰强撑着笑了笑："司马印成，你以为我还是当日在封灵台上的易辰吗？"

"哦？"司马印成的眼神有了一丝变化。

"当日我因为你怀中的一个婴儿竟然放走了你和蛮灵。可今天，我不会那么天真。"易辰举起了剑道，"就算今天我们兄妹二人死在这里，也绝不会让你得到罡炎剑的力量。我想，苒儿一定会原谅我的。"

易辰深深吸了一口气，大声念道："罡炎焚天……"

一道耀眼的红光和冲天的巨响。白鲲鹏妖力不济只得卧倒在地上。

"哼！"司马印成冷笑一声化为一道闪电躲闪开去，黑羽姬一挥扇子抱起虹儿也往空中躲闪。

"黑羽夺魂！"黑色的羽毛从黑羽姬的裙摆中分裂出来。

"幻术，黑蝠。"虹儿轻念道，那黑色的羽毛在虹儿妖力的作用下幻化成了一只只红眼蝙蝠朝易辰和墨炎扑了过来。

"魂破千军！"易辰像是一道黑色的风四下游走，他手中炙热的罡炎剑似乎变出了成百上千个残影。一瞬间，那漫天飞舞的蝙蝠就在易辰的剑下化为了灰烬。易辰逼到近前，一剑就斩落了黑羽姬的黑羽扇子。那漫天的羽毛裹着黑羽姬和虹儿向后飘去。

"好一套墨子剑，果然是以守为攻，步步为营。"司马印成称赞道。

"幻术，四重身。"虹儿没有感情的声音。她话音刚落，易辰眼前就出现了四个一模一样的黑羽姬和虹儿。易辰看见，黑羽姬正在为受伤的手臂治疗。虹儿这一招儿只是在拖延时间。

"这种伎俩就不要用了！"易辰使用窥之力一眼就找出了虹儿和黑羽姬的真身。易辰近前一步一刀斩下了虹儿的头，他又运起一剑就要刺向黑羽姬的喉咙。

利剑近在咫尺，却听见一声响。易辰感觉胸口一蒙，嘴角一甜。那口中翻滚上的血液合着胸口传来的剧痛让他近乎昏死过去。

易辰身体一颤，本能地捂住了胸口。又是一声响，这一次，疼痛由右边的小腿传来。钻入骨髓的剧痛让他不禁单膝跪地。

"这是……"易辰痛苦地扭过头去，却只见司马印成站在远处。他的手中是一把黑漆漆的手枪，那枪的枪口还在冒着淡淡的青烟。

"易辰！"墨炎的声音。

"乖乖站着别动！"司马印成用枪指着易辰，冷冷地看着墨炎。

"为什么？为什么我没有窥测到……"鲜红的血液从易辰的胸口和小腿渗出来。他身子一歪倒在了地上。

司马印成慢慢走到了奄奄一息的易辰身边，用枪抵住了他的头："易辰，你的眼睛的确很好使。但你看到的一切，都是灵力的流动。"

司马印成收回了手，将那把漆黑的手枪放在手里把玩了一阵："这是一把普通的手枪。他的工作原理很简单，火药燃烧压缩气体产生推动力，将子弹推射出去。这个过程不需要一丝一毫的灵力。原本，你只要进入绝对虚空状态就能躲过所有的非灵质攻击。只是可惜，你对你的眼睛太自信了。"

"卑……鄙！"

"卑鄙？"司马印成笑道，"用最笨的方法战胜对手，才是对对手最大的侮辱。"司马印成一把抓起易辰的头发对他说，"一个接受新时代教育的现代人竟然还不如我一个出生在汉代的古人懂枪，真是何等的讽刺！白金虚空的窥之力何等厉害，自诩可以看清所有招式的来龙去脉，今天却败在了区区一把手枪之下，真是可笑极了！"

"你！"易辰感觉受到了侮辱，他身子一挣，可胸口的剧痛又让他倒在了地上。他虚弱地说道："你……你怎么会知道窥之力？你的眼线到底是谁……"

"希望你来世投个好胎，不要再和我司马印成作对！"说着，司马印成将易辰的脸按在地上，用枪抵住了他的太阳穴。

"司马狗贼！暗箭伤人算什么英雄好汉！"墨炎的声音。

"都什么年代了，还舞刀弄枪的。这是枪，是手枪，不是你手里那把过时的红缨枪。更不是什么箭。"司马印成朝着墨炎晃了晃手里的枪话语里满是讽刺。

墨炎正要行动却听见了黑羽姬的声音。

"别动！"黑羽姬一下挡在了司马印成和墨炎之间。墨炎看着司马印成的手枪，只能站在原地死死握着拳头。

"说吧，还有什么遗言？"司马印成的手里发出了淡淡的蓝色光芒，他已将那把手枪灵质化。这样一来，即使易辰进入绝对虚空状态也躲不过这枪里的子弹。

易辰的眼神里没有一丝屈服。半晌，他的嘴角动了动："别伤害我妹妹。"

"你这是求我吗？"司马印成问。易辰默不作声。

"如果你求求我，我一高兴，说不定还能放了易苒。"司马印成的表情里满是玩味，就像是一只猫在作弄半死不活的老鼠。

又是一段沉默，易辰的嘴里吐出了三个字："我求你。"

"什么？我听不见？"司马印成戏谑道。

"我求你。"易辰咬牙说道。

"哈哈，哈哈哈！"司马印成仰头大笑了起来，这笑声里满是践踏了易辰尊严的快感说不出的轻蔑。

虹儿的脖子上又长出了新的头颅。她将一个手提包递到了司马印成的手边，又从包里抽出了一个笔记本电脑。

司马印成将嘴凑到易辰耳边小声说道："其实，易苒根本就不在我手里。我骗你的。骗你的！"

司马印成又笑了几声对着笔记本电脑说道："知道Photoshop吗？易苒和我的照片全是合成的。不仅如此，那录音也是易苒从我手里逃走之前录下的，而那耳坠则是她逃走时落在地上的。你没有见到易苒本人竟然就这么轻率地自投罗网。你真是笨啊，真是蠢啊！"

黑羽姬补充道："司马大人一直与时俱进，百年的时间里，已经精通了包括计算机、西方医学、物理、化学等几十个西方学科和新兴学科。你和他的差距就算是用'云泥之别'形容都已经抬举你了。"

"易辰，你还是太嫩了。Too young too simple！（太年轻太单纯）"司马印成靠在易辰耳边用英文戏谑道。

易辰艰难地呼吸着，他的脊背上下起伏，他的手里抓着土地上的沙石，一滴不甘的泪水落了下来。

"哎哟，哭了。你们看，这小伙哭了。丢死人了！"司马印成说着就拿出手机开始拍摄易辰狼狈的样子，"大家快来看啊。才说了他几句就哭得和个小姑娘似的。真是没出息！要是他那被我害死的老爹看到他这一番光景不知会不会气得从棺材里跳出来！"司马印成的语气满是讽刺和挖苦。

"我要杀了你！"易辰口中淌着血屈辱地吼道。忽然，司马印成听到了类似定时炸弹的滴滴声。易辰的后心忽然透着衣服开始闪着红光。

"黑羽姬、虹儿，退开点，要开始了。"司马背着手向后退去。

易辰大吼一声，他所躺着的地方爆发出了强大的能量，地面的沙石被他周身的能量震得飞了起来。

"杀！"易辰大吼着从地上挺起了身子。他的眼睛渐渐变成了血红色。

"易辰，冷静一点。不然灵徽会炸裂的！"墨炎大声说道。

黑羽姬的手里又变出了一把黑羽扇子摇了摇："司马大人，就让易辰这么死去吗？"

司马印成手里抓着罡炎剑："蛊灵受了伤，已经没有能力吃下易辰的灵体，也就是说，他已经没有任何利用价值。至于现在，我倒是很有兴趣看看白金虚空暴走和灵徽炸裂。只要易辰一死，我就能让易云成为这罡炎剑的唯一主人。"

说话间，易辰胸口跳动的红色光芒越来越快，这灵徽眼看着就要炸裂。

"易辰，冷静，冷静点！"墨炎捏着易辰的肩膀摇晃着他。

"杀！"易辰怒吼一声，一股巨大的灵力将墨炎掀翻在地。此时此刻，灵徽将易辰的胸腔照射成了半透明。那红色的小丸裂开了一道细小的缝，眼看着就要炸裂开来。若是易辰的元神被炸碎，他将即刻死去，身为刀灵的墨炎也将灰飞烟灭。

远处司马印成的头发在这沙漠中已经干得差不多了。他品着手中的葡萄酒，眼神里满是玩味，他身旁的黑羽姬和虹儿静静站着，就像在看一场用生命进行的血腥表演。

绝处逢生

"这是哪儿？"一个虚弱的声音。

"好冷，好黑。这里是哪里？"还是那个声音。

"舜夏！"胡凤儿撕心裂肺地喊道。她满脸尘土满身泥泞，强忍着浑身的剧痛向四周摸索。

"难道，这里就是地狱吗？"她仰头望了望天，只能依稀看见寒冷坚硬的石壁和那无限高远的地方那道灰蓝色的缝。

胡凤儿努力眨了眨眼睛向四周望了望，借着暗淡的光线往四下摸去。她在乱石中摸索着，摸着摸着，她终于摸到了一只手。

"舜夏！"胡凤儿顺着那只手一直往上摸是强壮的手臂，再往上是宽大的肩膀，继续往上摸就摸到了舜夏刚毅的脸颊。可她再继续去摸舜夏的身子却不禁哭出了声音。她手上黏糊糊的全是血，舜夏的半个身子已经被一块巨大的岩石死死压在了下面。她使劲推了推，可那岩石却似乎是长在这地上一般纹丝不动。

"凤儿，你为什么那么傻？"舜夏沙哑的声音。

"舜夏，我这就救你，我这就救你！"胡凤儿哭着说道。

"凤儿，我疼。"

"舜夏，我会救你，我一定会救你……"

胡凤儿依稀记起了自己跳崖的那一瞬间，她伸开双臂向舜夏飘去，她本想就此与舜夏一同长眠在黑风崖下。可在她下落之时却看见了舜夏眼中的悲伤，她听见了呼呼的风声和舜夏的呐喊。然后，她看见舜夏的手臂上缠绕起了赤色的妖气，那手臂也变成了粗壮的妖爪。舜夏一手摩擦着粗糙的山壁，一手接住了落下的凤儿。他们就这么一直落，一直落，无数的岩石经由舜夏妖爪的摩擦纷纷坠落下来。在那之后，凤儿就什么都不知道了。

舜夏虚弱的声音从黑暗中传来："凤儿，我好难受……"

"有没有人？救命！救命！"胡凤儿绝望地朝四下喊去。可她只能听见黑暗之中传来自己的回声。胡凤儿努力让自己冷静下来，她向四周胡乱地摸索着却只能摸到一些小石块。

"有办法了。"胡凤儿灵机一动，她用尽力气将那些石块推进巨石底下的空隙想要以此减轻舜夏的痛苦。可她却怎么也没有想到，因为被垫入了石块，石头的受力随之产生了变化。

舜夏疼得大喊了起来。

胡凤儿哭着瘫倒在地上。她胡乱扯着自己的头发，自责道："我为什么这么笨。我为什么永远都是舜夏的累赘。我为什么什么都做不好！我是个废物，我就是个废物！"

想着想着，胡凤儿努力擦干眼泪："不行！至少这一次，我一定要救出你！"

胡凤儿继续向四下摸索，在那黑色的坚硬岩石上，她摸到了残破的古代铠甲还有人和战马的骨骼。而她要救舜夏的决心已经让她忘记了什么是恶心，什么是害怕。摸着摸着，胡凤儿忽然摸到了一把长长的东西，又硬又冷。她仔细摸了摸，原来那是一把古代打战用的长戟。这戟完全是由金属打造，坚硬无比。

胡凤儿将那戟拖到了舜夏所在的巨石下，将戟的一头插入了岩石底下的缝隙，随后用肩膀顶住了戟杆使劲往上一撬。

伴随着舜夏的惨叫，巨石抬起了一道缝。舜夏拼死将身子抽出岩石打了个滚躺在地上大口喘息起来。胡凤儿丢下那戟，跑到舜夏身边："舜夏，你怎么样？"

舜夏深深吸了几口气，吃力地说道："凤儿，让我躺一会儿。"舜夏说着，握住了胡凤儿的手。舜夏的手大而粗糙，温暖着胡凤儿冰冷的小手。

胡凤儿脱下自己的外衣盖在舜夏身上，自己也抱着手，瑟瑟地蹲在了舜夏身旁。

"凤儿，对不起。"舜夏的声音，"如果没有遇见我，你便不会经历这些。这都是我的错……"

"舜夏，我从未后悔遇见你。"胡凤儿说道。

"不，凤儿，这都是我的错……"舜夏紧紧握住了胡凤儿的手，"如果你没有遇见我，你依然是那个金水村里安静的胡家小妹。如果你没有遇见我，你哥哥就不会死，你姐姐就不会那么伤心。而你，也不会被抓来异界，也不会随我坠下这该死的黑风崖。这都是我的错，这一切都是我的错……"

黑暗中，胡凤儿的声音传入舜夏的耳膜："你还记得我们的初次相遇吗？那一天，你背着大大的登山包第一次出现了金水村。那天天色很晚，你敲开了我家的门。我还记得你对我说的第一句话。你问我，妹子，有吃的吗？我饿了。你的声音雄浑而质朴，眼神里透着憨态和不好意思。那一晚，村里的旅舍满员，我便留你在家里的柴房过夜。你记得后来发生了什么吗？"

舜夏擦了擦嘴角的血说道："我记得那一晚，你哥哥在观云居捣药，你姐姐在古董店出货，家里只有你一个人。那天夜里，一只土狼从你家敞开的窗户钻进来找食。你在屋里大喊救命。我撞门进来的时候，你已被那土狼扑在了身下。我什么也没有想，一刀就结果了那畜生。"

胡凤儿说道："也许凤儿在见到你的第一面就喜欢上了你，要不然，凤儿怎么可能留陌生男人在柴房里过夜。这事若是让哥哥和姐姐知道，我必然没有好果子吃。也许一切冥冥之中早已注定，若那天没有你，也就没有了今天的凤儿。"胡凤儿依偎在舜夏身边说道，"舜夏，你千万不要自责。那一碗饭和那一匹狼都是上天的安排。就如今日今时，我们被困在这黑风崖底也是命运使然，怨不得谁。"

"凤儿，我好难受。"舜夏忽然捂着心口说道。

"大石头已经移开了，可为什么……"

"我的胸口好像有一团火……"舜夏捂着心口蜷缩了起来，"凤儿，快跑……"舜夏说这话时声音已经变了。

胡凤儿还没来得及多想就感到自己被一股莫名的力量推开。凤儿努力支起身子，就看见赤色的怪烟从舜夏的双臂中涌出来。这赤色的烟雾发着微弱的红色荧光。在那流动的荧光中，凤儿看见舜夏用手支撑着自己的身体，就像是一只匍匐的野兽。他的双手变成了强而有力的红色妖爪，他身上的衣服被他强壮到恐怖的肌肉撑开了一道道口子。

"舜夏……"胡凤儿惊得坐在原地，竟然忘记了尖叫。她眼睁睁地看着眼前的舜夏仰头怒吼了一声，尔后就像是一只发狂的野兽朝着眼前的巨石飞扑了过去。

赤色的妖爪拍向巨石，尖锐的割裂声伴随着重物砸击的钝响，一阵摩擦的火花闪过，那巨石被舜夏的妖爪打了个四分五裂。飞溅的碎石朝胡凤儿飞过来，凤儿急中生智拿起了手边的古代盾牌挡在了身前。

一阵寂静之后，凤儿正要移开那盾牌往外看看，可忽然间，手中的盾牌却被一股强大的力量打飞了出去。红色的荧光再次在她眼前浮现出来。她惊惧地仰着头，舜夏就像是一只缠绕妖气的红色野兽在怒视着她。

"舜夏……我，我是凤儿……你……你不认识我了……"胡凤儿嚅嗫着呆坐在原地。

舜夏用一只妖爪捏着胡凤儿的脖子。他赤色的头发根根竖起，他的眼睛里是血红色的瞳孔。在那微弱的荧光之中，舜夏捏着胡凤儿的脖子迷茫地看着她，尔后凑到了她的身前贪婪地嗅了嗅。

"舜夏，我是凤儿……"胡凤儿挣扎着发出最后一丝声音。

"凤……儿……"舜夏一张口，一道红色的妖气就从他的嘴里钻了出来。这发光的红色妖气越来越多，就像是红色的萤火虫将舜夏和胡凤儿围在了当中。

舜夏放开胡凤儿捂着脑袋痛苦地吼了一声，尔后向那岩石密集的地方如一只野兽一样飞奔过去。妖爪刮砸而过，乱石四下飞溅。舜夏就像是一道红色的光芒，拖着长长的发光妖气在这黑风崖底四下发泄。

胡凤儿摸索着又拾起了一个盾牌死死挡在了自己身前，她只能听见盾牌之外舜夏撕心裂肺的吼叫和岩石崩裂的震动。不知过了多久，外面又安静了下来。凤儿缓缓移开盾牌，只见舜夏匍匐在不远处的空地上。他身上发光的赤色妖气往空中飘去，一直消失在看不见的黑暗远方。这潺潺的妖气就像是融化在空中的鲜血一样，凄美而悲凉。

"舜夏，怎么会这样……"胡凤儿念道。

"凤儿，快跑……"含混的句子从舜夏的嘴里挤出来。

"不，我不走。我走了，你怎么办？"胡凤儿推开盾牌站起来说道。

"我没法控制我自己，我怕我会……"舜夏慢慢站起来，绝望地看着不远处的胡凤儿。

"不管你变成什么样子，凤儿都不会离开你的。"胡凤儿说道。

舜夏的眼里落下了两行血泪。

"凤儿……凤儿……不，不！"舜夏大吼一声，忽然像一头发疯的野兽冲向了坚硬的山壁。他一头撞上了漆黑的岩石倒在了地上，鲜血弥漫开来。

"舜夏！"黑风崖底回荡着胡凤儿凄厉悲凉的尖叫。

此时此刻，在那石头森林当中，司马印成的手里正握着血色的葡萄酒，玩味地看着即将暴走的易辰。白鲲鹏懒懒躺在一旁，黑羽姬和虹儿木然地站在两侧。

易辰的胸腔在那灵徽光芒的照射之下变成了半透明。那红色的灵徽就像一个血色的鸽子蛋。金色的裂纹浮现出来，只要灵徽一炸，易辰元神俱毁，死路一条。

墨炎被易辰暴走后强大的灵力推到了一旁失去了意识。

"来吧，就差一点儿了。"司马印成的嘴角浮现出一丝阴笑，"别了，白金虚空。你原本是魂国对付我的一张王牌，可今时今日，你即将葬送在魂国自己的灵徽之下。"司马印成大笑着把杯中之酒一饮而尽。

忽然之间，司马印成感觉一股力量近前。他赶紧化为雷电闪躲开去。他站在远处，却发现那杯中的葡萄酒竟然洒了自己一身。

"黑羽姬，毛巾。"司马印成刚说完这句话，就见一道黑色的风朝自己狂奔而来。

易辰？这灵徽为何没有炸裂？司马印成这么想着，便又化为了雷电躲闪开去。

司马印成感受到了一丝气息，他往观星台的巨石之上看去，就看见了一个长发少年迎风而立。那少年身着土金僧衣满脸笑容。他的右手拖着长长的佛珠，左手赫然衔着那只鸽子蛋一般的红色灵徽。他将灵徽在眼前展示，他的笑容中满是对司马印成的蔑视。

如痴？他怎么会在这里？司马印成心想着，而黑羽姬和虹儿在易辰的进攻之中已经乱了阵脚。黑羽姬挥动扇子抱着虹儿乘着黑风舸一下上了天。司马印成扣起手指，一下将罡炎剑封入了卷轴。这速度快得竟然连肉眼都难以捕捉。

司马印成眉头微蹙，原本空空的袖中滑出了一把金色短剑。他一挥短剑，一道白色的雷电就朝着易辰飞奔的黑影击打过去。

易辰用双手护在身前，电光闪过，他停顿了一小会儿便又朝着司马印成飞奔了过来。

司马印成闪身躲过迎面而来的攻击，一腿就将易辰踢飞了几十米。易辰顿了顿，满身杀气地站了起来。现在的易辰虽然赤手空拳，但司马印成的脸上已经没有了原先的泰然自若。他举起金色的短剑召唤出一道雷电朝着易辰击打了过去。

可那一瞬间，易辰的身影竟然消失不见了。雷电打在易辰身后的巨石上发出了爆裂之声。

"速度竟然快得躲过了雷电？"司马印成猛地一转身，易辰的拳头已经迎面而来。他伸手一挡，只感觉手臂一颤，手腕上的金属手表被震得变了形状。司马印成来不及心疼新买的手表，身体就被白金虚空巨大的力量推了个趔趄。易辰没有给司马印成任何喘息的机会，他像是一道黑色的风扑了过去。拳脚像是雨点一样落在了他的身上。一时间，司马印成竟然只有招架的份儿。

"很好的力量，很好的速度。"司马印成赞叹道，"可是，若论力量和速度，你能比过我的神之雷光术吗？"

话音刚落，司马印成化身一道雷电和易辰纠缠在了一起。在那沙石地上，一道黑色的风和一道发光的雷电互相追逐，互相缠斗。几个回合下来，易辰再一次被重重甩在了远处的巨石之上。这一次，易辰没有那么幸运。他的身上剑伤累累，白色的电流在他流血的伤口处闪烁着。他动了动手，却发现身体已经麻痹。

司马印成举起剑，一步一步向易辰逼过来。

"易辰，乖乖受死吧。你现在所有的挣扎都只能让你死得更加痛苦。与其如此，不如闭上眼睛，让我给你个痛快！"司马印成已经走到了离易辰五步远的地方。可易辰的身体依旧被司马印成的雷电麻痹着。

"结束了！"司马印成运起一剑朝着易辰刺了过去。

在这千钧一发之际，司马印成的金色短剑却像是被一股力量死死扼住了。

不知何时，如痴和尚已经凭空出现在了司马印成和易辰之间。他的右手握着佛珠笑意盈盈，而他的左手已经用两根手指夹住了司马印成的金色短剑。

如痴笑着说道："乖师侄，你是不是太放肆了？"

司马印成抽回金色短剑也笑了笑："这不是师叔吗？今天是什么风把您给吹来了？"

"有我在，你觉得你能伤得了易辰吗？"如痴问道。

"师叔，多管闲事可不是您的作风啊。"司马印成说道。

如痴又笑了笑："你既然见着了我，还敢对易辰出手，如此不知进退也不是你的作风啊。"

司马印成收起金色的短剑化为一道闪电上了黑羽姬的黑风舸。白鲲鹏几人已经在那黑风舸上等候了良久。

司马印成的声音从空中传来："今日我司马印成卖你三分薄面不杀易辰。若是来日你再要和我作对，可别怪我不念同门之谊。"司马印成说完这话，乘着黑风舸消失了。

易辰浑身是伤地倒在坚硬的岩石上。随着司马印成的离开，易辰也渐渐从暴走状态恢复了过来。他仰面望着天空，心中百感交集。今日受了奇耻大辱，自己无论斗智斗力都远不及司马印成。杀父仇人近在眼前，可他却只能任其玩弄侮辱。易辰愤懑地捏着手边的沙石，一滴不甘的泪水溢出了他的眼眶。

忽然，如痴笑意盈盈地出现在了易辰的视野里。

"臭和尚，为什么救我？"易辰问。

"贫僧碰巧路过，看见我那乖师侄欺负小辈。贫僧看不过去，于是教训了他几句。"如痴拖着长长的佛珠说道。

"原来司马印成是你的师侄，原来你真的是魂国的内鬼！"易辰艰难地站起来摆出战斗架势。

如痴笑了笑，说道："王上是司马印成的师兄，那王上也就是我的师侄。你这么说来，岂不是王上也是魂国的内鬼？"

"王上？你是说，王老师？"易辰问道。

"不错。"如痴笑了笑，"那老头子见着了我也得称上一句师叔呢。"

"你说，你为什么骗我？"易辰用手指着如痴问道。

"贫僧何时骗过你？"如痴依然是一脸笑容。

"你明明知道西方接近的妖气是舜夏一行，你为什么骗我们说那是司马印成的先头部队？"易辰问道。

如痴笑了笑："贫僧可不记得自己说过那妖气来自何人。所有的一切，都是你们的胡乱猜测和主观臆想。"

易辰从怀里掏出那个黑色的锦囊问道："那你说，你给我这个黑囊的目的是什么？"易辰摊开锦囊里的那张纸。

纸上写着：保护深渊者，别让任何一个死了。

如痴看了看那纸说道："这就说来话长了。那日，贫僧观测到了一股妖气，那妖气和1806年进攻灵魂之渊的一股妖气是一样的。贫僧奉三尊之命查明1806年浩劫之事，因此需要留下活口方便问出线索。"

"你既然要留下活口，又为什么让槐带着顾氏姐弟前去袭击他们？"易辰问道。

如痴的手里掐算着佛珠，问道："难道，你要我下令，命他们不许杀死深渊者吗？"如痴顿了顿，继续说，"贫僧只是一介小小的首席观灵师，只有权力将观测到的妖气向魂主禀报。至于杀还是留，贫僧并没有权力参与决策。第二，魂国之中有内鬼。若我一反常态提议活捉深渊者，不仅会让人生疑，还会让内鬼有所警觉。"

"所以，你就让绝不可能是魂国内鬼的我暗中保护深渊者，将他们活捉回来审问是吗？"易辰问道。

"你果然有你父亲的聪明才智，这么快就开窍了。"如痴不知什么时候已经来到了易辰身边，伸手抚摸着他的头顶。

"别碰我。"易辰一挥手，却见如痴又出现在了远处。

"你这孩子，简直是和易枫一个模子刻出来的。"如痴背着手依旧是一脸笑意。

"可是，那两个深渊者都死了。"易辰道。

"贫僧已经知道了。"如痴又笑了笑，"并且，贫僧对魂国的内鬼已经有了七成的把握。"

"内鬼是谁？"易辰问。

"不能说。"如痴慢慢走到了那八边形的法阵中间。

"为什么？"易辰问。

"还不是时候。"如痴说完，顿了顿，自顾自往残破的阵台走去，"易辰，今天就让你开开眼界吧。"如痴一挥佛珠，那九十九粒珠子就悬浮在了半空。他双手合十念念有词。易辰只感觉地底之下传来了一股巨大的能量。

随着阵阵轰鸣，那八边形阵台的当中裂开了一道缝，这缝隙随着地底的震动越来越大，沙土从这缝隙中不停地翻滚上来。随着一声巨响，一个巨大的头颅带着身体钻出了地面。

"中原土龙，别来无恙。"如痴说道。

易辰被这地底之下钻上了的庞然大物吓了一跳。定神看去，那土龙的身体都由沙土汇聚而成。它扭动着身体，无数的黄沙从它的身上挥撒下来。它的眼睛就像两粒鹅卵石发着琥珀色的光。

"如痴小儿，别来无恙。"土龙的声音干燥嘶哑仿佛沙石的摩擦。

"真想不到一别千年，你竟然会被奸人利用，成为召唤蛊灵的能量源泉。"如痴说道。

那土龙摆动了几下身子说道："那狗贼趁我熟睡之际设下了这邪恶阵法将我利用。要是让我再看到那狗贼，定要将他碎尸万段！"

"土龙，你长年镇守中土不能擅自离开。你若想要报仇雪恨，贫僧倒是有一计。"如痴说道。

"说来听听。"土龙说。

如痴笑了笑，看向了易辰："这位易辰公子与那司马印成有不共戴天之仇，你何不将你的神力予他，借他之手报今日之仇？"

土龙看了一眼易辰不屑道："就这么个乳臭未干的小子也配要本尊的神力？让我将神力予他，我还不如将神力予你。你不是一直想要本尊的力量吗？本尊今天就成全你，也算是你打破封印的奖赏。"

如痴笑了笑，说道："土龙，千年前，我的确觊觎你的神力。可今时今日，我已经到了神灭的边缘。与其将你的神力给我一个将灭之人，不如将这力量给一个值得托付的后生。纵使你我寿比南山，南山也会有崩塌的一天。我们这些上古先辈必然会消失在历史的烟尘中，迟早有一天，你我要将未来托付给年轻后辈。"

土龙叹了口气，无数的沙土落下来："本尊相信你的判断，可这小子体内已经有了木龙之力。本尊只怕给他这力量反而会害了他。"

"的确，木与土是两种相克的力量。不过没有关系。"如痴一挥手，地上出现了一道法阵。倒在远处的墨炎被这法阵传送到了如痴面前。

如痴看着易辰叹了一声："你的刀灵可谓是命途多舛。之前被司马印成分开了灵体灵种饱受折磨，跟了你之后每每又是旧伤未愈又添新伤。"如痴将手放在墨炎的额前。一道灵光闪过，墨炎渐渐苏醒了过来。

墨炎从地上支起身子，他转过脸看见了一脸笑容的如痴。

"你是……"墨炎愣了两秒钟忽然双手抱拳，"墨炎拜见恩公。"

"墨炎，你之前见过如痴吗？"易辰问。

墨炎答道："几百年前，我流离凡世被魂使追杀。若不是恩公相救，我恐怕早已灰飞烟灭了。"

如痴将墨炎扶起来，说道："灵体的能力大多是后天领悟和学习获得的。贫僧当年授予你驭火之术不但因为你名字有一个炎字，而且你命中属火，有极高的驭火天赋。"

"墨炎，原来你控制火焰的能力是如痴教你的。你怎么从来都没有提过？"易辰问。

墨炎说道："当年恩公教了我本领之后，就消失不见了。我甚至不知道恩公的名字。"

如痴慈祥地抚摸着墨炎的头顶说道："当年时间仓促，贫僧是从魂国偷偷跑出来的。你是我的曾师侄，我怎会亏待于你。况且，当年你的体内封印着三件神器，要是贫僧不教你一些本领，你今后必然无从应对。"

土龙看了看墨炎忽然说道："如痴小儿，想不到，你竟然将火龙之力给了一个刀灵。千年前，你向本尊索取土龙之力，本尊果然是以小人之心度君子之腹了。"

如痴的笑容隐没在夕阳之中，他说道："刀灵之力，就是宿主之力。只要有火龙之力在其中周旋，木便能生火，火便能生土。只要斩断木与土之间的灵力联结就能让三龙之力和谐共处。"

土龙昂起头颅，琥珀色的光芒从他的眼睛中溢出来。这光芒渐渐将易辰包裹。

如痴说道："易辰，你记住，五龙之力并不是操纵这五种元素。五龙之力都是抽象的。木龙之力为'隔断'，火龙之力为'释放'，土龙之力为'融合'，水龙之力为'吸收'，金龙之力为'禁锢'。如何运用这五种抽象的力量，只能靠你自己的体悟。"

如痴看着琥珀色的光芒将易辰包裹，他缓缓说道："现在你已经有了土龙的融合之力，试着将你和墨炎的灵力融合到一起。你能做到的。"

如痴的土金僧衣在风中摇摆，他的手中在不停地掐算着佛珠。

易辰将墨炎收入猎魂刃，默念道："墨炎，我们试试看。"

易辰驭起土龙之力，将自己的灵力和墨炎的灵力进行融合。一阵耀眼的光芒闪过，只见易辰的黑色灵袍上覆盖起了火光，他的胸前和肩头出现了橙色的铠甲，头上出现了发着橙色光芒的头盔。而他的手中，出现了一把灵力凝聚而成的长剑。这长剑通体透亮，发着耀眼的橙色光芒。易辰挥起一剑，一根石头柱子便被齐齐斩断。

易辰向如痴走去，他脚步迈过之处都燃起了橙色的烈焰。他就像是一个浴火的战士甲胄加身，步步生炎，所过之处，皆为灰烬。

如痴笑了笑："易辰，你知不知道你现在所使用的屠灵式可是无数神之猎魂者修炼千年而不得的。现在，你试着将木龙之力覆盖在自己的灵体之外，然后挥剑使用火龙之力。"

易辰凝神聚气，将木龙之力覆盖在身体周围，然后朝着另一根柱子挥了一剑，只见一道冲天的火光，那石头柱子刹那间就被炸成了碎片。而易辰因为有木龙之力的隔绝，自己没有受到一丝一毫的伤害。

如痴忍不住笑出了声："易辰，贫僧果然没有看错你。处于屠灵式的你，有着无与伦比的攻击力，以及对灵术和幻术的防御力。你现在的实力，可以和魂主比肩。不过，贫僧还须亲自试试你的能力。易辰，准备好了吗？"

"来吧。"

话音刚落，就见如痴笑着往易辰飞奔而来，他扣起手指轻念一声："灵蝶，幻。"话音刚落，如痴的周身忽然绕满了蓝色的灵蝶。七个一模一样的如痴向易辰包抄过来。

易辰轻笑一声挥剑朝着如痴的真身斩去。

"不错，窥之力果然名不虚传。"如痴的真身一下出现在了易辰的身后，易辰挥剑向后，霎时火光炸裂乱石飞溅。

那火光过后，易辰看见如痴竟然空手接住了他手中的灵剑。

"断。"如痴轻念一声，易辰的剑上忽然出现了一个细小的空间法阵，那法阵将空间扭曲，易辰的剑应声折断。如痴扣起手指往易辰的胸口一指，一只蓝色的蝴蝶一下钻入了易辰的胸腔。

易辰感觉眼前模糊近乎昏死过去。在危急关头，易辰急中生智，驱动木龙之力将如痴灌入的灵力隔断。他向后退了一步稳住重心，反手又挥出一剑。

"不错，这么快就能够灵活运用木龙之力了。"如痴笑着出现在远处，侧着身子问道，"易辰，你在出手的时候为什么有所保留？你是怕会伤到我吗？"如痴的笑容弥漫开来，他在手里聚集起一道紫色的烟雾。

易辰身披橙色的铠甲，手中的断剑已经复原。

"去吧。"如痴轻念一声，一个空间法阵一下将那紫色烟雾传送到了易辰的身旁，易辰赶紧躲闪，但这紫色雾气依然沾染了他的肩甲，这肩甲在这紫色雾气中竟然开始分崩离析。

易辰赶紧卸掉肩甲将那紫雾去除，尔后凝聚灵力又生成了新的铠甲。

易辰惊道："那是时尘之雾和空间阵法。你怎么……"

"我想你已经见识过我的好徒弟时尘、断空和梦蝶的本领了吧？"如痴淡淡说道。

"原来第五、第六、第七魂主的刀灵都是你的徒弟！"易辰惊呼道。

"不错。你既然知道了贫僧的来头，就不应该手下留情。"如痴的笑容消失了，他冷冷说道，"如果轻敌的话，会死的。"

如痴双手合十，无数蓝色的蝴蝶将易辰围绕在了中间，大大小小的空间阵法出现在了易辰周围，一团又一团紫色的雾气随着这空间阵法慢慢将易辰包围了过来。

"墨炎，我们突出去。"易辰凭心念对墨炎说。他开动灵虚瞬动化为了一道火光挥剑朝着如痴斩去。如痴一笑，扣起手指，他的身影随着法阵一下出现在了高高的岩石顶端。

他笑了笑，开口说道："易辰，恭喜你，悟出了神之火光术。"

易辰站在原地，卸去了身上的灵力。他不禁坐倒在地上大口喘息了起来。

如痴飘飘然下了岩石，说道："司马印成神之雷光术的奥妙在于他在开启屠灵式的同时，使用了灵虚步，在使用灵虚步的同时展开了攻击。现而今，你已悟出了神之火光术，已经能够与之抗衡。但你修为尚浅，还须勤加练习。"如痴一挥手，易辰身前就出现了一个空间法阵。

"随我来。"如痴说完，领着易辰走入了那道法阵。一道白光闪过，易辰睁开眼睛惊讶地发现自己竟已回到了灵魂之渊。他的脚下，是晶莹剔透的明镜台。一百零八面明镜悬浮在明镜台上。

如痴笑了笑，说道："易辰，从现在开始，贫僧会在明镜台上制造出一个时间场和一个空间场。这明镜台上时间流动的速度将会是外面的十二分之一。也就是说，从现在开始，你在这明镜台上度过一天，这外面的世界才往前走了一个时辰。天浊蔽月之日将近，若不偷点时间，你要如何斗得过那司马印成？"

易辰望着明镜台外的世界，所有的一切就像是放慢了十二倍的电影。那扬起的桃花，行走的人们，甚至是那风中衣服的褶皱都是那样缓慢而清晰。

易辰正看得出神，如痴忽然说道："我还请了两位客人。"话音刚落，两个空间阵法在明镜台中闪现，从那法阵中先后出现了两个人影。

如痴指着先出现的人介绍道："这小金毛是贫僧的关门弟子，你应该认识。接下来的日子，就由他陪你练习。"

"南骁？怎么是你？"

"易辰？"南骁的脸上也浮现出了少有的惊讶。

另一道光芒也淡去了，在那法阵中站着的，是一个高挑的女子。如痴介绍道："这位是蛊灵谷主明空天后，虽然失去了仁王戒，但她的医疗灵术出类拔萃可谓是世间少有。让她为你们治疗恢复是再好不过了。只不过唐谷主乃是凡人，不能在明镜台上久留，今天先将她介绍给两位，之后贫僧会定期安排唐谷主过来。"

唐馨穿着红蓝相间的华丽祭袍局促地站在明镜台上。

"唐谷主，我们又见面了。"易辰向唐馨打招呼。

"原来，如痴前辈说的需要治疗的客人，是易先生呀。"唐馨顺着眼，局促地说道。

"唐谷主，你见到我不高兴吗？"易辰走到唐馨身前问道。

"高兴，怎么会不高兴呢？"唐馨从惊讶中回过神来，"易先生，接下来的日子，就请多多关照了。"

易辰看着唐馨局促的表情和生硬的礼节，说道："唐谷主，咱们现代好像没有这么行礼的吧。"

唐馨说："蛊灵谷是一个世外桃源，所以还保留着许多古时候的礼数。易先生见笑了。"

易辰说道："不是说了别叫我易先生了吗？听着像是个算命的。你叫我易辰就可以了。"

唐馨顿了顿，朱唇轻启道："易辰。"

当这一句"易辰"从唐馨的口中说出。易辰忽然感觉一阵剧痛从他的大脑中传递出来。

"我的头好痛……"易辰用双手捂着自己的头，无数残缺的片段从他记忆深处的缝隙中钻出来。豆大的汗珠从他的额上渗出，他痛苦地吼了一声倒在了明镜台上。

唐馨赶紧俯下身为易辰施术。易辰忽然一下抓住了唐馨的手，眼里噙满泪水："馨，你为什么要离开我……"

那一刻，明镜台上的时间似乎静止了。唐馨看着易辰的眼睛仿佛回到了从前。易辰怔怔地望着她，唐馨手中的光芒闪过，易辰便闭上了眼睛失去了意识。

南骁站在远处一语不发，如痴走到唐馨面前说道："唐谷主，贫僧似乎知道了什么不该知道的。"

唐馨低着头小声啜泣了起来。如痴说道："易辰将三龙之力结合之后灵力已可比肩魂主。唐谷主，你的术法的确很精湛，但依旧难保日后封印崩塌，悔不当初啊。"

唐馨说道："还请如痴前辈指点。"

如痴笑了笑："唐谷主封印易辰的记忆，是因你和他现而今人神殊途，命不由己，所以你想要斩断与他的羁绊相忘于天涯。唐谷主一介女流，竟有如此大爱，贫僧佩服。只不过，情由心生，命由天定。依贫僧愚见，唐谷主何不解除了这记忆封印，将命运交给上苍，而将爱情握在自己手里。"

唐馨抹了抹眼角的泪水说道:"那日白夜大人将蛊灵谷搬至灵魂之渊,我本以为蛊灵谷安全之后,便能与易辰回到从前。可那日见到易辰,他已成为虚空之体,有着无尽的寿命。而我蛊灵谷人寿数短暂,慢也不过匆匆三四十载。那一刻,我才知道我与他已如燕雀鸿鹄,再也无法回到从前了。"

如痴笑了笑:"恕贫僧直言,你与易辰之间的这点俗事就是一个笑话。"

如痴不顾唐馨惊愕的表情转眼看了看南骁,说道:"南骁,回避一下。"南骁心领神会地飘下了明镜台。

如痴的嘴角微微上扬,他近前一步,一掌击在了唐馨的腰上。唐馨还未回过神来,只见一道蓝色的光芒在如痴的手中闪现。他奋力一推,一个人影就从唐馨的身体中被推了出去。

"什么人神殊途?"如痴看着眼前的光芒笑道,"贫僧这就助你成为虚空之体。"一道耀眼的光满闪过,唐馨的肉身倒在了地上,而在那明镜台的半空却悬浮着一个发光的人影。这人的姿容和唐馨一模一样,只是她的身上穿着发着耀眼白光的华丽祭袍,长发在光线中上下浮动仿佛置身水中。

如痴叹道:"原来这躯壳里装的竟是天女之魂,难怪有如此高强的灵力。这身上还穿着天女之衣。真是天意,天意啊……"

虚空唐馨慢慢落到明镜台上,她愣愣地看着自己的样子问道:"如痴前辈,这是……"

"贫僧送你的第一道大礼,助你成为虚空之体。"如痴的嘴角扬起了一道弧线。他一摆手,易辰的身体就从明镜台上直了起来,他将手放在易辰的额上念动咒语。咒语念到第三遍,如痴笑了笑:"唐谷主,贫僧送你第二道大礼,还你一个从前的易辰。"

如痴手中的光芒渐渐消失,易辰缓缓睁开了眼睛。明镜台外是缓慢流逝的时间,明镜台上,是记忆拼贴而成的从前。易辰和唐馨互望了良久,竟只是泪流不止,无语凝噎。

魂妖之家

黑色的风灌入黑风崖底，岩石苦涩的气味夹杂着腐朽、寒冷和孤寂。残破的旌旗森然伫立，红色的荧光映照着满地骨骼和铠甲。

舜夏一头撞向坚硬的山壁震得地动山摇，滚烫的鲜血在红色的荧光中汩汩而出。胡凤儿尖叫着瘫软在地，她努力支着身体慢慢移动到舜夏身旁。

舜夏身上的红光暗淡下去，远远看着，就像是一只死去的野兽趴在地上一动不动。胡凤儿俯下身来才看见舜夏的身体还在微微颤抖，就像是野兽被屠宰之时的痉挛。

凤儿想起在金水村里，自己的哥哥胡三多杀鸡时提刀放血。那鸡将死之前，全身都会如触电了一般猛烈颤抖。凤儿捂着嘴一点一点靠近舜夏，却惊愕地发现舜夏头上的伤口正在慢慢愈合。

忽然间，被舜夏撞开的山壁像是疏松的土块坍塌下来。那坍塌的土块之后赫然出现了一个洞口，这洞内发着幽幽的绿光，寒冷的风从这洞口中呜呜地涌出来，恍若耳边吹响的箫声让人汗毛倒竖。

看来刚才舜夏撞上的是这厚厚的黏土。如果撞上坚硬的岩石，他必然已经没有了气息。

胡凤儿望着奄奄一息的舜夏，然后看了看洞口。小时候曾在山野中玩耍的胡凤儿知道，如果有风从山洞中吹出，那就说明这洞内必然有其他出口。

凤儿知道，舜夏已经身受重伤，凤儿此时不能再依靠舜夏。只有自己找到出口，才有可能救出舜夏和自己。要不然，这黑风崖底无水无粮，又黑又冷，死亡只是时间问题。

凤儿借着洞中射出的绿光找来了四个盾牌遮盖在舜夏身上。她也不知道自己为什么要这么做。也许只有这么做了，她才感觉舜夏是安全的。做完这些，凤儿抄起了手边一把生锈的短刀走进那个发着绿光的洞口。

洞中并没有想象中的寒冷，那绿色的光芒来自洞中星罗棋布的发光宝石。才走进了几步，脚下和四周凹凸不平的山壁就变成了平整的石板。这石板一看就是人工修筑而成。

这深谷密洞中竟然会有人工的痕迹。胡凤儿心中有了不好的预感。她小心地拐了个弯，探出头去看了看，出现在她面前的就是一条长长的石头廊道。那些绿色的灵石就像是一只只发光的绿色乌龟有规律地镶嵌在光滑的石头天顶上。乍一看就像是一排发绿光的吸顶灯。

胡凤儿小心地走向石头廊道的尽头，寂静的廊道里除了呜呜的风声就是她沉闷的跫音。不知不觉，她来到了廊道的出口，她只探出头去看了一眼，就被眼前的景象惊呆了。相比这压抑的石头廊道，映入她眼前的是一个如宇宙一般浩瀚的巨大空间，密密麻麻的绿色灵石镶嵌在这空间的四壁恍如宇宙中无穷无尽的星辰。

凤儿知道自己依然在这山体内部。只不过黑风崖有万丈之高，崖体内能容纳的空间更是难以估量。

凤儿慢慢探入了这个巨大的空间，只见在无数浩瀚的星辰中央是一座孤零零的荒山，这山上没有植被，就如寸草不生的梯田。在那山脚下，一节石阶通往山顶，而在那石阶之前伫立着一块近十米高石碑，这碑上赫然用古体写了三个大字：魂妖冢。

胡凤儿只感觉头皮发麻，手脚不听使唤。她再往那山上看去，竟然密密麻麻的全是墓碑。这些墓碑参差不齐，高矮错落，有的白，有的黄，而有的，已经被氧化成了斑驳的黑灰色。

在这魂妖冢前，凤儿不敢再向前一步。在这么一个满是死人骨骸的陌生谷底见到了一座巨大的坟山。不要说是如胡凤儿这般的弱女子，就算是血气方刚的男子也未必有勇气继续前进。

可绝境总是能逼出人们身体中隐藏的巨大潜力。凤儿回忆起小时候跟着的姐姐去坟茔试胆的经历。她想起金水村边的坟山和古墓要比她眼前的这座不知大上多少。舜夏沾满鲜血的脸庞出现在了凤儿面前，凤儿咬了咬牙，大声对自己说："有什么好怕的！大不了一死！"凤儿鼓起勇气往坟山侧面绕去。她想绕过这座坟山看看这空间的后面是不是有出口。

接近那座坟山时，凤儿还是本能地浑身颤抖。她的脖子、下巴、膝盖都在不住地打战。她的后脑麻麻的，后背已被冷汗浸透。她隐约瞥见，在那坟山之上，似乎站了一个人。

我什么也没有看见，我什么都看不见……胡凤儿半闭着眼睛一遍又一遍在心中暗示自己。她又小声说了一句："大不了一死！"凤儿身体的颤抖停止了。她稳了稳情绪继续往坟山之后绕去。

突然之间，原本寂静的空间猛然传出了一声清晰的怪笑。这笑声就像是老房子的木门被推开，又像是生锈的铁链在地上拖动。

凤儿先是脑袋一缩，之后猛地打了个机灵，再然后，她机械地将脖子转向了坟山的方向。在那幽幽的绿光中，她看见一个只有一条腿的白影，正在一步一跳地朝自己这边蹦过来。那白影浑身长着白色的长毛，当它从坟山上往下跳时，那在空气中上下翻动的白毛让它看着就像是一只畸形的水母。

凤儿的嘴哆嗦了两哆嗦，终于发出了一声凄厉的尖叫。

凤儿胡乱挥动着双手，只感觉脚下一软已经吓得没有了逃跑的力气。那白影怪笑着已经蹦到了胡凤儿跟前。走近了，凤儿才看见那白影的手上伸出了长长的指甲。

"走开！快走开！"凤儿胡乱挥舞着手里的剑。才挥了两下，这剑就被那白影打飞了出去。

凤儿一抬眼，就看见那白影的眼睛发着狰狞的红光。那白影抬起爪子，凤儿抱着头，紧闭着双眼。她感觉，自己的死期到了。

一阵嘈杂过后，凤儿慢慢睁开了眼睛。她的眼前，依然是一双红色的眼睛。只是那眼睛的主人，换成了舜夏。凤儿像是浑身被抽干的力气一下瘫在了舜夏怀里，她瞥见，那个白影的头颅和四肢都被扯得支离破碎。

"舜夏，那是什么？"凤儿虚弱地问道，却见舜夏头上的伤口已经恢复如初。

舜夏说道："那是白凶，僵尸的一种。这里是养尸地，不宜久留。"说完，舜夏抱起胡凤儿就往坟山后头走去。

才刚走了一步，就听见那坟山上怪笑四起，仿佛无数扇老木门依次打开。伴随着墓碑裂开的声音和泥土翻滚的闷响，一只又一只白色的僵尸从那坟山上如一只只白色的猿猴朝舜夏蹦了过来。

"凤儿，闭上眼睛，抱紧我。"

凤儿死死抱着舜夏，闭着眼睛。她感觉自己就像乘坐着一辆飞快的过山车，一会儿上，一会儿下，一会儿左，一会儿右，一会儿快，一会儿慢，一会儿平稳，一会儿震动。凤儿不知道为什么，当他靠在舜夏怀里时，她一点儿也不害怕。舜夏的胸膛是那样宽广，那样让人感到安全。

"凤儿，我们到了。"终于，舜夏的脚步平稳了下来。

凤儿像是一只小兔，慢慢从舜夏的怀里探出头来。只见那座坟山就像是被血洗过的一样，到处都是长满白毛的残破肢体，绛紫色的血液从那坟山上如瀑布一样流淌下来。在这绿色荧光的映照之中是说不出的血腥和恐怖。可不知为何，凤儿竟没有感觉到害怕，他看着舜夏的脸。舜夏的脸颊刚毅伟岸，赤色的头发根根竖起，泛着血色的瞳孔里是冰冷的杀意。

凤儿又看了看前面，只见他们的身前是一个开敞的石门。呼呼的风声就是从这石门中吹出的。舜夏放下胡凤儿，牵着她的手走进了这坟山之后的石室。

"来者何人？"石室中传出一个喉咙摩擦的沙哑声音。

"你是何人！"舜夏的话语咄咄逼人。

"嘎嘎嘎……"那老木门一般的声音怪笑了起来，"孺子，你竟有胆不回本尊的问话？"

舜夏没有理会那个声音，牵着凤儿走过了石门。

"如此强大的妖力，本尊已经百年未见了。"那声音继续说道。

舜夏仿佛没有听见那个声音，径直走到了石室内。只见那石室中央平放着一口石棺。一束光打在了石棺之上，而那个令人作呕的声音正是从这棺材中发出来的。

"你到底是谁？"舜夏厉声问道，"我数三下，你若不老实回答，我就把你碎尸万段！"

"嘎嘎嘎……"棺材中又传出了笑声，"吾乃修炼千年的尸鬼，不知何处冒犯阁下，竟惹得阁下大开杀戒？"

"我爱杀便杀，与你何干！"舜夏忽然冷笑了一声。那一声冷笑让胡凤儿毛骨悚然。因为，那一种笑，并不是属于舜夏的。还有那发着红光的冰冷眼神，也不是属于舜夏的。

那棺材忽然立了起来，盖子缓缓打开。只见那棺材当中的，是一个全身焦黑的身体。这身体在棺材的阴影中让人看不清细节。

"嘎嘎嘎……"尸鬼又笑了起来，"若是阁下决意要与本尊一战，本尊保证在三招儿之内取你身边女子的性命。"

舜夏将手搭在凤儿肩上，冷冷地看着尸鬼："快说！怎么可以离开这里？老实交代我就饶你不死！"

尸鬼的声音缓缓从那棺中渗出："孺子，本尊念你年幼无知不与你计较。今日你我无冤无仇何必平添纠葛。本尊虽能战胜你，但必会损耗元气。于你而言，只要能找到出路，想必也不希望与本尊有过多冲突。正所谓你走你的阳光道，我走我的独木桥，我们井水不犯河水。我们在此拼个两败俱伤意义何在？"

"哼，那你就说，怎么能离开这里？"舜夏问道。

"这石室后头有一圆洞，洞后是一水渠，只要沿着水渠的流水就能到达室外了。"尸鬼说道。

"笑话，三岁小孩都知道水往低处流。这里是万丈之下的黑风崖底，再沿着水流往下能到黑风崖之上？敢骗我，他奶奶的是不是活腻了！"舜夏喝道。

"孺子，本尊何时说过顺水而下能够回到黑风崖上。在那水流的下游，有一块环形的石碑，那环形石碑的中央就是空间裂口。这裂口连接这里与地面。只要到了那里，你们自然就有了出路。"尸鬼说道。

"我凭什么信你？"舜夏问道。

"问路的是你，质疑的还是你。本尊话已至此，信不信悉听尊便。"尸鬼说道。

舜夏感受到的确有风从那石室尽头的圆形缺口中涌出来。他冷冷看了一眼尸鬼，牵着胡凤儿往那圆形的缺口走去。舜夏向那缺口中望了一眼，缺口之下果然有一条清澈的水流。发着绿光的石头布满了水渠的四面。

　　"凤儿，抱紧我。"舜夏说完这话，一把抱住胡凤儿跃入了水中。他顺着水流往下游漂去。

　　尸鬼来到那圆形缺口前，看着顺流而下的舜夏和胡凤儿笑了笑："孺子，你杀了本尊众多子孙，还对本尊出言不逊，本尊岂能轻饶你？"尸鬼咳嗽了一声，将一口带着黑气的痰吐到了水流之中。那原本清澈的水流霎时泛起了黑气，那黑气像墨汁一下翻滚扩散，如有了生命一般往下游追去了。

　　"无论对于人类还是深渊者，能令其痛不欲生肝胆寸断的不是死亡，而是生命中重要的东西被无情地剥夺。黄口小儿，本尊要你一世后悔！"尸鬼说完这句话就飘回了石棺中。那棺材的盖子缓缓合上。尸鬼在这石棺中长眠了。

　　灵魂之渊的剑灵阁旁，桃花如雪般纷纷扬扬。唐馨坐在桃树下的秋千架上一脸幸福地笑着。她身着天女之衣，恍若天女下凡。

　　"易辰，再用点力，再荡高一点。"唐馨话音刚落，就见易辰在唐馨身后推着那个老旧的秋千一脸幸福。

　　"易辰，我要坐你的自行车。"唐馨笑着说道。唐馨连自己都记不得有多久没有如此发自内心地高兴过。他看见易辰铂色的头发和眼睛在阳光下明媚而光鲜。易辰一把抱起唐馨："自行车没有，但我能带你飞呢。"

　　易辰一个灵虚飘摇抱着唐馨在那桃树林的顶端飞翔。飞过艳丽明媚的桃花林，穿过纷纷扬扬的桃花瓣，他抱着唐馨坐在斑驳的屋檐上瞭望远方。天空又高又远，空气清冽如水。在那无限高远的地方是寂寞的灵魂之树，那树下是白色的巨塔。深蓝色的旗帜迎风招展。易辰和唐馨俯瞰身着灵袍的神猎们来了又走，如深蓝色的鱼在深渊中穿梭。

　　唐馨抱着易辰，将头枕上他结实的胸膛上："易辰，我们永远都不要分开。好吗？"

　　易辰抱着她，说道："馨，我再也不会将你忘记。再也不会！我已经失去了你一次。我不会让任何人夺走你，也不会让你离我而去。从今往后，无论天涯海角，生死祸福，我们都要在一起。"

"辰，今天后知后觉的我们立下永不分离的海誓山盟。当我们的念馨出生，我们便回去凡世好吗？"唐馨问。

"如果那时候凡世还在，我们便穿上肉身去过平常人的生活。我们可以送念馨上学，让她和其他小朋友一样快乐地成长。"易辰说。

易辰正抱着唐馨，忽然由窥之力看见了一丝杀气。尔后，就是一声带着哭腔的女人声音："易辰，你个负心汉！你骗我，你为什么要骗我！"

柳红尘挥剑一下将那屋顶劈为了两半。易辰抱着唐馨飘飘然站到了一棵桃树之顶。

"红尘，你听我解释。"易辰道。

"收起你的花言巧语！我不要听，不要听！"

"红尘，是我对不起你。"易辰飘下桃树说道，"可那时，我的记忆被封印。我只是将你错认成了馨。"

柳红尘倒退了一步，她的神猎灵袍在风中飞舞。她泪眼婆娑举着剑，却说不出半个字。她的脸庞和唐馨渐渐重合，甚至连那眼下的泪痣都十分神似。

"错认？"柳红尘的眼角滑过一丝泪水，"一句对不起你就指望我能原谅你吗！"

"红尘，我配不上你。"易辰说道，"我不值得你喜欢……"

柳红尘一步一步走向易辰。她一把抓住了易辰衣服。

"不值得？配不上？"柳红尘的眼泪一滴一滴落下来。

"易辰，我问你，我在你眼里，到底是什么角色？"柳红尘问。

"你是我的学姐。我只能敬你，不能爱你。"易辰说。

一声响亮的耳光。柳红尘抹着泪水转身跑去。她的头发在风中左右摆动。她奔跑的背影和擦去眼泪的样子是说不出的绝望和心痛。她的深蓝色灵袍上下翻动，一直远远消失在影影绰绰的桃花林中。

"馨，她是我的学姐。之前，我误将她错认成了你，所以……"易辰低着头。

唐馨伸手抚摸易辰的脸颊，说道："曾经你说，我是你的唐馨。那从今天开始，你就是我的易辰。你的心、你的身体、你的所有，都将属于我一个人。"

在那桃花雨中，易辰第一次吻上了唐馨的唇。那一瞬间，易辰有一种热泪盈眶的冲动。那感觉就如得到了梦寐以求的东西，又像是心中的幸福之火被肆意点燃。那火焰的光芒能让他忘记所有伤心痛苦、饥饿严寒、疾病生死。那一刻，易辰的心中只有这个让他深爱却不忍亵渎的女子。

他们已将彼此视为了特殊的存在。易辰唯有在唐馨面前会失掉他的浪荡不羁，唐馨唯有在易辰面前会失掉她的端庄贤淑。

过去的一切像放电影一样在易辰脑海中闪现。他想起了他们的曾经，从那条漆黑的小巷到偏远的金水村，从灵魂商铺的黑色大殿到蛊灵谷的白色祭坛。原来彼此早就在心中许下了白首不相离的夙愿，只无奈年少青葱的他们却都选择了三缄其口欲说还休。

直到多年以后，易辰依然能清晰地回忆起那天的吻和漫天的桃花雨。易辰时而会想起那些和他有过瓜葛的女子。就像他的前女友颜夕一样，她们都有一副好皮囊，可纵使身体纠缠在一起，灵魂却依旧背靠着背往两个方向远去。

易辰和唐馨就如站在大河两岸的两人。他们互望着彼此笑而不语，装作不在意的样子顺流而下。忽然有一天，河上的大雾遮住了视线，他们才大声呼喊着彼此的名字蹚水寻找。当他们在大雾中看见了彼此，便相拥在水中央承诺白首不离。

湍急的河水拍打着他们的曾经。这条河，叫青春。

第二辑

我们或是书中的人。这世界只是书架上千万典籍中的一本。生命、命运、宇宙，或是一冰冷的文字，书写于宇宙之外的某某某。

凤城易主

也许在另一个次元里，命运只是一张布。那织布的女人，用自己的黑发和白发编织着人世间的爱恨情仇和悲欢离合。

也许在另一个次元里，时间只是一座山。那个手握佛珠身着袈裟的僧人正在翻山越岭，游走于未来与过去。

而对于这世间的芸芸众生，不到时空破碎，又何以见到江海倒流，时光逆转。

当舜夏抱着胡凤儿在湍急的水流中顺流而下，他感觉自己何尝不就像这水中的落叶，在命运的洪流中颠沛流离。可那水流刺骨的冰凉与他心中蚀骨的心痛相较，又算得了什么呢？

他抱着胡凤儿跃出了水面，他们的面前是尸鬼口中所说的那环形的石碑。呜呜的风声伴随着细碎的黄沙从那石碑的中心涌出来。

凤儿微弱的声音在舜夏耳边呻吟："舜夏，凤儿怕是要不行了。"

胡凤儿湿漉漉的长发奋拉在她苍白的脸上。她的嘴唇是瘆人的青紫色。她白皙纤弱的手腕奋力地抓着舜夏的熊皮大袄。水中的黑气像是无情的蚂蟥在湍急的水中上下翻滚。尸鬼的笑声似乎还在回荡，死神就像是那水中的黑雾一样抓住了凤儿的脚踝。

舜夏看着凤儿，没有哭，只是沉默。他明亮的瞳孔就像是嗜血的公牛。他想起了他的弟弟舜秋。他在临死之前也就是这么不舍地望着自己。

"凤儿，我带你回家。"舜夏的脸上没有表情，他抱着胡凤儿一步一步走向了那环形的石碑。

无穷的黑暗过后是耀眼的阳光。狂风伴随着黄沙吹打着这一片荒凉的石头森林。这里已是黑风崖上，那林立的怪石就像是一张张奇形怪状的脸。

　　"舜夏，真是天网恢恢疏而不漏。"声音从一块巨石的顶上传来。那个清瘦的中年男人在那巨石上现出了样貌。尖脸长发，眼神极冷。

　　舜夏将胡凤儿放在了一块巨石之下，充满杀气地怒视着那个男人。

　　那男人冷笑了一声："黑风崖里没摔死你，今天，你不会再那么走运了。"

　　"鸩队长，他是？"声音从低处传来，一个身着深蓝色风衣的男子立在巨石之下。这男子的装束与鸩的装束并不属于一个时代。他拉下了原本被撩到了额前的护目镜，将手藏在风衣之后。

　　鸩对那男子说道："王龙，他就是那日被我打入黑风崖的深渊之子舜夏。没想到他竟然苟活至今。"

　　王龙对鸩说道："鸩队长，魂主派我们两队为的是搜集司马印成留在这石林里的资料。我们没有必要做无谓的战斗。"

　　鸩冷笑一声："诛杀深渊者是我魂国的本分。王队长还是太年轻了。"话音刚落，一个异国打扮的黝黑男子从远处跃到了鸩的身旁。这男人穿着黑金相间的无袖短衫，黑色布裙，扎着金腰带。一个黑金相间的法老帽子格外显眼。他的下巴留着一小撮胡子，眼神滴溜溜地转。

　　"那尔，找到了什么线索？"鸩问道。

　　那尔整理了一下自己的帽子一紧张就口吃了："回回回回大人，除了一些鹿肉和酒水，其他的什么都没有。"

　　此时此刻，王龙的身后也慌慌张张跑来了一个金发碧眼的男子。这男子穿着深蓝色的迷彩服却是军人打扮。

　　"小猫，你躲一边去。"王龙对那年轻男子说道。

　　"龙哥，我们不是来找东西的吗？怎么会碰上深渊者？"小猫胆怯地说道。

　　"胆小就躲一边去，别碍事。"王龙说着就从风衣后掏出了两把手枪。

"雾失楼台，月迷津渡。"鸩闭起眼睛拔出了猎魂刃。绿色的毒烟从他的猎魂刃中随风涌了出来。他居高临下，这烟雾就如瀑布一样朝舜夏的所在之地倾泻而去。

王龙大喊一声："鸩队长，那深渊者身旁还有无辜的群众，你怎能置群众的安危于不顾？"

"王队长，你真的是太年轻了，有些东西还要好好学学。"鸩没有丝毫犹豫。王龙一把拉过小猫往绿烟外围边跑去

"那尔，放蛇。"鸩对身边那法老装束的人说道。

"没问题。"那尔说着就从身后解开一个布袋，他把那布袋往那巨石之下倒去。只见几百条眼镜蛇从他这个看似狭小的布袋中像是开了闸的水龙头一样倾泻而下。

小猫一看到眼镜蛇就被吓得怪叫一声没命地逃跑。原本是王龙拉着小猫跑，现在倒变成了小猫拉着王龙跑。

剧毒的绿色烟雾中是凶恶的毒蛇。舜夏抱着胡凤儿一跃而出，跃上了另一块巨石的顶端。他放下了胡凤儿，双手缠绕起赤色的妖气，又像是一只野兽一样扑向了鸩所在的岩石。

一声巨响，巨石裂成了四瓣崩塌开去。鸩和那法老一跃而下躲进了毒雾之中。舜夏怒吼一声，如一只发狂的猛兽扎入那毒雾去追杀鸩和那尔。

舜夏一落到毒雾里，那些红着眼睛的眼镜蛇就像是闻到了血腥味的蚂蟥一口又一口咬到了舜夏的身上。舜夏根本不管自己身上挂了多少条毒蛇，他追出几步一掌就将那法老打得飞了出去。那尔落在地上吐出一口血不动了。那一瞬间，舜夏身上的眼镜蛇也消失不见。

鸩挥动利剑刺向了舜夏的心口。舜夏不躲不闪，他心口的肉像是铁打的一般，鸩的毒剑愣是没有刺进去。舜夏不管鸩惊恐的眼神，一腿就将他踢得飞了起来。鸩重重撞在一块巨石上，一头栽在了沙地里。他想勉强支起身子，却吐出了一大口鲜血。那毒雾，也消失了。

舜夏冷冷地走向了在地上挣扎的鸩。他一下捏住了鸩的脖子，就像提起一只活鸡一样将他当空提了起来。鸩在舜夏的手中无力地挣扎

着，只要舜夏稍稍用力，鸩的脖子就会被捏碎。

就在此时，只听得一声枪响。一颗子弹贯穿了舜夏的头颅。

王龙趴在远处的巨石上，他的身前架着狙击枪。又是一声枪响，这一次子弹贯穿了舜夏的左眼。

舜夏笑了笑，他太阳穴和眼睛上的致命洞口便愈合了。

王龙的手有一些发抖，豆大的汗珠从他的额上落下来。他知道若是一般的魂妖被狙击枪打中了头部，那必然是红白四溅，毙命当场。

"看来不是一般的货色。二虎，出来。我们拼了！"王龙轻念一声，一个身着绿色军装的军人便从王龙腰间的猎魂刃中飘了出来。他的头上戴着一顶军绿色的帽子，那帽子的中央是一颗耀眼的红五星。

"二虎，我们一起上。"说完，王龙刀中的二虎拿出另一把狙击枪也趴在了岩石之上。他们左右开弓，子弹贯穿了舜夏的头颅、手臂、胸膛、膝盖。每中一枪，舜夏的身子便会被这巨大的冲击力推得摇晃一下。

舜夏怒吼一声朝着王龙所在的巨石飞奔而来。

"换枪！"王龙和二虎每人抽出了两把机关枪。四把机枪猛烈地扫射着飞奔而来的舜夏。枪林弹雨中，巨大的后坐力推得王龙和二虎一小步一小步往后退，可这如烟花一般的子弹对于舜夏却像是天上下的毛毛细雨。

王龙的嘴角近乎咬出了血。他知道，自己和二虎都不会使用任何灵术，只能借助灵械进行战斗。如果与这种等级的深渊者近身搏斗自己必死无疑。

看着飞奔而来的舜夏，王龙沉住气，丢掉一把机枪从腰间拔出一个手雷咬开拉环朝舜夏投掷了过去。舜夏冷笑一声一跃而起，就像是打乒乓球一样，一掌就将那手雷打了回去。

"卧倒！"王龙话音刚落手雷就炸了。硝烟散去，王龙与二虎倒在巨石之上，衣衫残破，奄奄一息。舜夏一步一步走向了满脸是血的王龙。而王龙躺在那里，连动一动手指的力气都没有了。

突然之间，舜夏感到一个东西朝自己飞了过来，他刚想躲闪，无奈那东西速度太快。舜夏来不及反应就只听得一声冲天巨响。舜夏的身体被炸得飞了出去，巨大的冲击让舜夏撞碎了一整块巨石。无数的碎石尘土崩落下来，将舜夏埋在了里面。

再看另一块巨石之上，小猫的身旁站着一个美国大兵。他的肩上扛着一个硕大的火箭炮，那火箭炮的炮口还在冒着烟。刚才，舜夏就是被这火箭炮给轰出去的。

"Good job! Mike.（麦克，干得好！）"小猫和那黑人士兵击掌庆祝，却见那些沉重的碎石猛地被掀开，舜夏从那废墟当中慢慢站了起来，他的熊皮大袄已被打烂，他结实的肌肉上泛着烟熏的焦黑。他睁着血红色的眼睛怒视着小猫和麦克，尔后就像是离弦之箭一般射了过来。

小猫被吓得浑身颤抖，麦克抢起火箭炮又是一发，舜夏闪身一躲没有打中。麦克撩起太阳眼镜又要开炮，可舜夏已经扑到了他的跟前。麦克被舜夏的气势震慑地动弹不得。舜夏笑了笑，一爪就抓碎了麦克的胸口。他痛苦地吼了一声飘进猎魂刃消失不见了。

舜夏挑衅地看着不远处浑身发抖的小猫，一步一步朝他逼了过去。小猫咽了一口口水猛地举起了枪。

只听得"砰"地一声，子弹打在了舜夏的胸口。舜夏感觉身体一颤，胸腔中传来的是不同于刚才的火辣辣的疼。他的身体竟然开始麻痹，他不由得停住了脚步调整呼吸。

"深渊者，这枪的子弹上了符咒，是专门对付你的。受死吧！"小猫说着又上了膛用枪对准了舜夏的头颅。

"快杀了他！"鸩满身是血地吼道。

"小猫，动手！"王龙踉跄地站起来，满脸是血。

小猫握枪的手颤抖着，他看着舜夏血红的眼睛不知是害怕还是紧张，竟然迟迟没有扣下扳机。舜夏用妖力化解了子弹上的符文，一招儿就夺了小猫的枪，卡住了他的脖子。

虽然小猫是一个健壮的士兵，但是力量的悬殊让他看着真的就像是舜夏手中的一只小猫在无力地挣扎。小猫的脸已经因为充血变成了粉红色，舜夏抱住小猫的胸腔轻轻一挤，伴随着肋骨断裂的声音，鲜血就像是开了闸的龙头一样从小猫的嘴里涌了出来。

"小猫！"王龙捂着脸跪倒在地上。

"废物！"鸩大骂一声也瘫倒在了地上。

舜夏将那奄奄一息的四人丢在了一块巨石下抱着胡凤儿来到了他们身前。

"凤儿，你说，我是该将他们剥皮抽筋、千刀万剐还是给他们个痛快？"舜夏问道。

凤儿吃力地抬起手抚摸着舜夏带血的脸颊："舜夏，不要再杀人了，好吗？"

"凤儿，神猎杀我父母兄弟，将我们逼下黑风崖。我恨只能杀死他们一次！"

说罢，舜夏举起了绕满妖气的手。王龙四人闭上眼睛准备等死。

胡凤儿吃力地环住了舜夏的脖子。她的声音虚弱而清晰："舜夏，如果你是一把嗜血的剑，那就请让凤儿成为你的剑鞘，保护你的锋利。舜夏，答应凤儿，放下仇恨，快乐地活下去。"说完这句话，凤儿便昏死在了舜夏怀里。

舜夏看了看凤儿，又看了看那等死的四人，抱着胡凤儿转头走去了。

"舜夏。"鸩朝着舜夏的背影喊道。

舜夏转过半边脸，血色的眼睛格外瘆人。

鸩吃力地说道："你怀中的女人中了尸毒，怕是活不长了。你若是不嫌弃，老夫可以救她一命。"

"我凭什么信你？"舜夏问。

"你不信我，她必死无疑。让我试一试，说不定还有一线生机。"鸩说道。

舜夏将胡凤儿放在鸩的身前。只见鸩扣起手指，黑色的尸毒就如雾气一样从胡凤儿的口中被他吸出。鸩说道："老夫已经清除了她体内的尸毒，之后，就只能听天由命了。"

舜夏抱起凤儿，头也不回地消失在了漫天的风沙之中。

那巨石下的四人你看看我，我看看你，都不说话。

良久，王龙开口了："鸩队长，你说，这一次……"

"技不如人，无话可说。"鸩说道。

"你为何会救那个女人？"王龙又问。

"其一，我两度陷那女人于不义，可今日我们却因她而能苟活。若今天见死不救，天理难容。"鸩说道。

"那其二呢？"王龙又问。

"其二，若那女人死去，舜夏将无牵无挂。这世间必将出现一个杀人如麻的旷世恶魔。刀鞘保护刀的锋利，却满足于自己的迟钝。此间大义，又有几人明白？"

舜夏衣衫褴褛地在沙海中飞驰，他对凤儿说："凤儿，你想回家吗？我带你回金水村吧。"

凤儿虚弱的声音从舜夏怀里传来："舜夏，你在哪里，家就在哪里。"

"好，凤儿。从今往后，你和我，就是家。"舜夏的眼眶微微发红，他抱着胡凤儿靠着日月星辰和那血色的河流辨别方位，终于在那风沙中看见了一座城池。高高低低的城墙如一条黑色的卧龙在风沙中忽隐忽现。

近了，就见那城门裂开了一道缝。

"舜夏，你还是回来了。"线人身着黑衣伫立在风城的大门之前。

舜夏抱着胡凤儿没有说话。

"如果你要找风邪大人报仇，那已经晚了。"线人说道。

"晚了？"舜夏吐出两个字。

"风邪大人即将走到生命的尽头，他将成为世间第一个老去的深渊者。舜夏，风邪大人曾收留你的父母，给他们吃穿，给他们庇护。虽然城主是做了一些于你不利的事，但他的所作所为都是为了风城着想，都是为了风城里千千万万的深渊者着想。难道，你连让他寿终正寝都做不到吗？"

"线人，我不是来寻仇的。我和他的目的是一样的。带我去见他。"舜夏说。

线人转身摆手，风城厚重的大门打开了一道缝，线人便领着舜夏和凤儿往里走去了。

见到风邪时，他已卧病榻上。晦暗的寝宫里密不透风，黑色的帐子笼罩在古旧的木榻上。

风邪的身体枯瘦如柴，他的白发和胡须就像凌乱的稻草披散在被褥之上。周围的油灯散发着暗淡的光。此时的风邪已经不是那个威风八面的渊帝，而像是一个即将油尽灯枯的老人。

"舜夏，"风邪的声音颤抖着，"本王总算把你盼回来了。"说完这句话，风邪别过身去猛烈地咳嗽了起来。

"你怎么知道我会回来？"舜夏问。

"当日你三人离开的时候，本王看见了你的眼神。单凭一个眼神，本王就能断定你一定会回来找我。"风邪说。

"既然如此，想必你也猜到了我回来的目的。"舜夏伫立在风邪的榻前望着他，"放下过往的恩怨，灵魂之渊是我们共同的敌人，敌人的敌人就是朋友。"

风邪顿了顿，缓缓支起了身子。他颤抖的动作就像是行将就木的老人。

"线人，把东西拿出来。"风邪吃力地说道。

线人从风邪的床边拿起了一个早就准备好的锦盒。风邪道："舜夏，从现在开始，本王封你为风城右将军。掌管风城二十万兵权。这盒子里的，是你父亲舜天的虎符。现在本王交于你。你一定不要辜负风城的男女老幼。你要永远记住，你是舜天和姜寒的儿子。你是深渊者；你是我们的同胞；你的身体里流着和我们一样的血。从今往后，你我被赶尽杀绝还是颠覆历史，就看你了。"

舜夏接过风邪的虎符往昭天府走去。线人在风邪床头问道："风邪大人，恕小人直言，您此举是否过于轻率？"

风邪叹道："风城到了生死存亡关头，已容不得畏首畏尾。论实力，舜夏之妖力除本王之外，无人能出其右。论出身，舜天、姜寒立下赫赫战功，将此重任委以其子嗣，名正而言顺。线人，本王百年之后，你一定要尽心辅佐舜夏。如若他不将光复深渊者视为己任，你可除而代之！"

"是，风邪大人。"线人叩拜，风邪闭目不言。忽然，门外闯进了一个小卒："报！第五魂主连安求见。"

风邪咳嗽了两声，望了望线人，嘴角浮现出了一丝苦笑。烛光闪过，这一笑似是对命运流转的无奈，又像是走到宿命尽头的解脱。

"该来的还是来了。依计行事。"风邪缓缓说道。

线人心领神会，往门外走去。屋外天朗气清，风和日丽，清风拂过风邪屋外的黑色大帐露出天空的一角。

脚步声、嘈杂声、人声、马声从很远的地方传过来。不知过了多久，线人领着连安来到了风邪的寝宫。

连安依旧穿着那件裁剪精致的深蓝色西装，金丝边眼镜温文尔雅。他的身边站着他的刀灵，魂国天眼梦蝶。她身着五色薄纱，有着蓝色的瞳孔和嘴唇。

"第五魂主，别来无恙。本王身体抱恙无法起身相迎，还请魂主海涵。"风邪躺在床上说道。

连安扶了扶自己的金丝边眼镜："听闻城主身体抱恙，本座特代表灵魂之渊以示慰问。城主替灵魂之渊管理风城可谓是鞠躬尽瘁，劳苦功高。可是，城主害的是哪般疾病，竟到了卧榻不起的境地？"

"实不相瞒，本王历经岁月，现而今寿数将尽。今日卧病榻上怕是再也起不来了。恐怕今后再也不能为灵魂之渊效劳了。"风邪卧在榻上虚弱地说道。

"城主言重了。"连安说，"其实今日前来，本座还有一事。"
"魂主请讲。"

"实不相瞒，本座无意间得知舜夏已经到了风城。舜夏其人凶残无比，还请城主将其交由于我带回灵魂之渊等候发落。"连安的话语波澜不惊。

风邪咳嗽了一声，回答："魂主消息果然灵通，舜夏的确在风城之内。本王看他年轻力壮，现又正值春耕，是故本王特封他为农耕长负责农耕事宜。线人，将本王的旨意给魂主过目。"

他身边的黑衣人取出了一张文书交由连安，上面的确写着封舜夏为农耕长。

"魂主，今天风和日丽，想必舜夏应该在田间劳作才是。"风邪道。

一只蓝色的发光蝴蝶从门外飞入。连安将那蝴蝶放在手上看了看，说道："的确如此，看来舜夏倒是找到了一份好差事。可无论如何，他与灵魂之渊有莫大瓜葛，今日我必须将他带走。"

风邪又咳嗽了几声："当年三尊与本王定下契约，风城乃深渊者的避难之所，灵魂之渊不可在风城之内为难深渊者。这约定，魂主不会不记得吧？再者，舜夏带着内人来我风城定居。你若强行将舜夏掳走，岂不是要他夫妻天各一方。想必灵魂之渊不至于做出这种要人妻离子散的龌龊勾当吧？"

"城主果然好口才。你要本座不带走舜夏也可以，但你必须要回答我的所有问题。"连安原本就没有奢望自己能够在风城中带走舜夏，于是言语中以退为进，步步紧逼。

"魂主请讲。"风邪说。

"敢问城主，风城和1806年的深渊浩劫有没有干系？"

风邪笑了笑："魂主已经问过本王多次了。本王的回答依旧，没有干系。"

连安也笑了笑："本座知道城主可以用深厚的功力抵御我的灵蝶读心，可是你身边的侍从可就不一定了。"说罢，连安一挥手，一只蓝色的蝴蝶一下就钻入了黑衣人的身体，待那灵蝶钻出来时，连安的表情冷到了极点。

"他不是你的侍从。你的侍从在哪里？"连安问道。

风邪又笑了笑："我的侍从多年前害病死了。因为思念他，我便让下人打扮成他的样子侍奉左右。"

"风邪啊风邪，你可真是费尽心机。"连安说道，"虽然我的灵蝶读心奈何不了你，但你可骗不了我的灵蝶辩证。"说罢，梦蝶的手上就浮现出了一只蓝色的燕尾蝶。

"风邪，现在开始，你若是说一句谎话，这测谎的灵蝶便会告诉我。如果你不希望灵魂之渊发兵风城就老实交代！"连安喝道。

"废话少说，要问就问吧。"风邪道。

"你有没有想过在天浊蔽月之日攻打灵魂之渊？"连安问。

"想过。"风邪回答。测谎的灵蝶没有反应。

"你好大的胆子！"连安喝道。

"我风城地短人贫，长年风沙漫天。我深渊者受尽神猎欺辱，若说没有想过那简直就是睁着眼睛说瞎话！"风邪说道。

"那本座再问你，你会不会在天浊闭月之日发兵攻打灵魂之渊？"

风邪狡黠地一笑，坚定地说道："不会。"

连安看了一眼测谎灵蝶，那蝴蝶竟然没有任何反应。风邪在心中默念，本王当然不会发兵攻打深渊。现在虎符在舜夏手上，要发兵也是他发兵，岂可能是本王发兵？

连安又问："你风城现在有多少兵力？"

"不足一万。"风邪答道。

连安又看了那灵蝶，却见那测谎灵蝶优雅依旧没有丝毫反应。风邪心想，本王一刻钟以前就遣散了我二十万的军队编制，将他们编为农夫去开荒拓土，现在我风城兵力当然不足一万了。

连安的脸上没有丝毫表情，他继续问道："风城和1806年的深渊浩劫有没有瓜葛？"

"有。"风邪从容地答道。

"是你主使的吗？"连安又问。

"不是。"风邪回答。

"那是谁？"连安问。

"司马印成。"

"你有协助过司马印成吗？"连安问。

"协助过。"风邪答。

"你好大的胆子！"连安怒道。

风邪笑了笑："怎么？现在天浊蔽月之日将近，你灵魂之渊不好好加固防御工事，难道要在这时候算旧账吗？"风邪的声音苍老而坚定，"本王实话告诉你，1806年之事本王就是参与了！这一切都是本王一个人的主意。现在本王就一将死之人，要杀要剐悉听尊便！"

"你！反了！"连安怒道。但他心想，现而今，灵魂之渊的确无暇去算这笔旧账。他暗暗思忖，终于问出了至关魂国存亡的问题。

"你知不知道司马印成在魂国安插了细作？"

风邪枯槁的双手捏紧了被褥，他心想，莫不然现在就除了连安。不行，连安死前必会发出信号求援。到时候风城首当其冲成为魂国的讨伐目标，那自己的千年韬光都付诸东流了。现而今，还不如先取得魂国的信任。

"知道。"风邪说。

"我魂国内鬼是谁？"

风邪缓缓说道："若是我告诉你他是谁，我能得到什么好处？"

连安扶了扶眼镜嘴角微微上扬："好处倒是不会有，可若是你不愿意讲，就说明你风城有异心，依然在和司马印成勾结。我必会禀报三尊，在天浊闭月之日到来之前踏平风城！"

风邪知道，这是一场关乎风城存亡的智斗。若是他说错了一句话，他整个风城必将尸横遍野，血流成河。

风邪忽然大声咳嗽了起来，他痛苦地说道："拿笔来。"

身边的黑衣人拿上了笔墨，风邪从床头抽出了一个卷轴。这卷轴由金丝绣成，两侧装了木质的把柄。风邪握着把柄，慢慢摊开卷轴写了起来。

风邪写完，只见那卷轴上写了三个黑色的大字：卯时鬼。

"这就是内鬼？你确定是真的？"连安指着卷轴上的字问道。

"是的，确定。"风邪回答。连安瞥了一眼测谎灵蝶，那灵蝶没有反应。

"内鬼就叫卯时鬼？"连安又确认了一次。

"我已经将我知道的告诉你了。你再问我，我也不会再说什么。"风邪说完便闭起了眼睛。

见灵蝶没有反应，连安收起卷轴，带着梦蝶转身走了。

风邪躺在床上，长长出了一口气，他的被褥，全都湿透了。

连安走后只有呼呼风声在风邪殿外叫嚣。连安神秘的笑容隐没于夕阳,他对身边的女子说:"梦蝶,查得怎么样了?"

梦蝶小声说道:"这风城内城里的深渊者妖力平平不足为惧,那外城的都是些老弱妇孺应该没什么战斗力。"

此时此刻,风邪躺在床上也露出了笑容。他已将风城里一等一的高手隐藏在了外城的民居和商铺里。那些卖肉的屠夫、织布的农妇、扫落叶的老人、玩球的孩童,抑或是街头鸡皮鹤首的老妪都是风城中一等一的高手。那些田间劳作的农民实则都是风城里强壮的士兵。而那风邪殿外的禁卫军实则是风城的普通百姓假扮的。

"连安啊连安,只愿你聪明一世糊涂一时。天佑我风城吧……"风邪说完这话便咳出了一口紫红色的血。

连安走出风城,厚重的大门慢慢关上。连安淡淡说道:"风邪,无论你有无异心,我连安都要做到万无一失,正所谓宁可错杀一百不可放过一个。天浊蔽月之日,风城,呵呵,风城,呵呵……将,不复存在!"

风邪殿的寝宫内,线人匆匆赶来:"风邪大人,禁卫军首领沐鲁托之女求见。"

"传。"风邪道。

不一会儿,一个披着褐色粗布袍子的小女孩就走到了殿里。她的样貌只有四五岁,她的眼睛碧蓝碧蓝的一眨不眨。

"城主大人,十万火急。"小沐说道,"我在风城周围的地底下探测到了奇怪的灵力。"

风邪的眼睛猛然睁大了,他吃力地支起身子,喘着气说道:"快说,是怎样的灵力?"那声音就如一个老旧的风箱。

小沐说道:"这些灵力隐藏得极好,似乎很久之前就在那儿了。他们的形状像是一只只蛹。这些蛹密密麻麻数以亿计。这蛹的外壳是用来遮蔽灵力的,今天我之所以能感知到这些灵力是因为……"小沐顿了顿。

"因为什么?"风邪问道。

小沐睁大了眼睛，声音颤抖："因为，那些蛹里的东西，动了！那是蝴蝶。成千上万的蝴蝶！"

"线人！"风邪大喝一声，"马上通知禁卫军，任何人不许进出风城！"

风邪大骂一声："连安，你不得好死！"他一口鲜血喷到了被褥上。风邪踉跄地披上龙袍化为一道黑风往风城之外追去了。

"风邪大人！"线人朝着风邪乘风的方向大喊。

"任何人不许出城！"风邪苍老的声音回荡在风城上空。城内所有的农夫、士兵、老弱妇孺都抬头望去。只见风邪的龙袍在黑风中上下翻动，他御风掠过的轨迹变成了一条模糊的黑线撕开蓝色的苍穹。

"黑风斩！"风城外的沙海之中，风邪追上连安朝着他的背影掷出一阵盘旋的黑风。

连安和梦蝶乘着蓝色的蝴蝶一跃而起。风邪与连安悬浮于沙漠的半空对峙着。

"风邪，怎么？你想杀我？"连安冷冷问道。

"废话少说。黑风舞！"风邪没有回答，他口中吐出一口鲜血，双手合十召唤出了八道黑色的龙卷风朝着连安包抄过来。远远看去，浩渺的蓝天黄沙之间，八条黑色的线合着风沙纠缠着、扭曲着。

"幻蝶，屠灵式。"连安念道，她身边的梦蝶便进入了连安的猎魂刃里。连安的身后长出了蓝色的蝴蝶翅膀，这半透明的发光翅膀载着连安在空中急速飞舞。在那八条龙卷风的夹击之下竟是毫发无伤。

"黑风咬！"风邪目露凶光，将黑风聚集在手中。他瞄准在龙卷风中躲避的连安如发射炮弹一般将一团又一团黑气轰了出去。

风邪知道，这一战必须要杀死连安。就算是拼了自己这条老命也要杀死连安！

可风邪几招儿后已是口吐鲜血，气喘吁吁。

"看来，你已经发现了。"连安在空中扶了扶眼镜，"可是，一切已经来不及了。就算没人惊动灵蛹，待到灵蝶自然成熟，你风城也将不留一个活口。"

浩瀚的沙海蓝色的天，黑色的风中是血色的河流。舜夏穿着舜天曾经穿过的虎皮大袄与线人，小沐和风城的士兵们一起站在高高的城墙上望着远处空中对峙两人。

"我要出城。"舜夏说着就要跳下城墙。

"别！"小沐大吼一声，"这地底下的灵蝶能感知妖力，如果你这样跳下去惊动灵蝶，我们就全完了！"

线人低声说道："这是灵蝶三伤阵，是千年前鬼眼笑面生开创的用来剿灭深渊者的禁忌之术。因为太过残忍所以一直都被封禁着。没想到，连安竟会破坏千年的规矩动用这种邪术来对付我们风城。"

"这阵法到底是什么？有破解之法吗？"舜夏问。

"一旦这灵蝶钻入我们深渊者的体内，便能让我们丧失心智自相残杀。到时候风城将会变成人间地狱。届时父子相杀，夫妻相弑，手足相残，同袍相戕。这场景光是想一想都叫人不寒而栗！而这唯一的破解方法就是杀死施术者中断术法！"线人说着，就看见远处空中的连安动了动。

"现在换我进攻了。"空中的连安扣起手指，"四象灵蝶。"话音刚落，他的身边就出现了四只硕大的蓝色蝴蝶朝着风邪扑腾着飞了过去。

"灵爆！"连安扣起手指。那蓝色的蝴蝶在扑到风邪面前的一瞬间，就如炸弹一般炸裂开来。伴随着空气爆裂的声音，就是刺眼的蓝色光芒。

"黑风盾！"风邪撑开黑风盾防御，待挡下这四枚炸弹回手又是一计黑风咬。连安扇动翅膀躲闪开去。

风邪擦干嘴角的血。他知道，论速度他不及连安，论耐力，他也不及连安。自己唯一的优势就是巨大的攻击力和攻击范围。

"连安，你布下灵蝶三伤阵，就算本王拼了这条老命也要带走你！"风邪的头发和胡须飘飞起来。

"天地玄黄，黑风八面！"风邪话音刚落，就见天地色变，日月无光。刚才还晴空万里的沙漠霎时黑风大作。待连安回过神来，发现自己和风邪已被困在了一个巨大的龙卷风内。聒噪的轰鸣席卷着锋利的沙石似乎要将一切撕裂磨碎。

风邪扣起手指，慢慢将黑风毒从四面八方汇入龙卷风中。连安脸色骤变，他知道，若是待到这黑风毒充满整个风眼，自己将毫无胜算。

风邪捂着胸口剧烈咳嗽着，这个巨大的龙卷风随着他的咳嗽也在微微颤抖。风邪知道，凭现在的自己已经无法驾驭这么大的风了。他仰天大笑起来："连安，本王做出了连自己都没法控制的风，我们一起死在这里吧！"

这龙卷风的范围慢慢缩小，连安急中生智召唤出无数灵蝶落回了地面。那一瞬间，这咆哮如猛虎的黑风就将两人吞噬了。

这狂风咆哮了良久终于渐渐散去，天空又恢复了宁静。连安拨开掩盖自己的沙子，慢慢站了起来。刚才千钧一发之际，他用灵蝶凿开了沙子做了一个地洞藏了进去。

可是，当他刚站起身来就感觉后背一痛。他感觉嘴角一甜扭过头去，只见风邪的半个身子悬浮在地面上。他的下半身和一条手臂已经没有了。他的龙袍变成了残破的碎布条，他口中吐出的鲜血将他的胡须染成了紫红色。他伸出仅有的一只手，黑色的指甲上盘旋着黑色的风。这风汇聚成了一团朝着连安打了过来。

连安躲闪不及胸口又中一弹。他面若金纸，鲜血从嘴角淌下来。

"再吃本王一招儿！"风邪又发出一阵黑风，连安挥动翅膀躲开。说时迟那时快，连安一挥手指召唤出了一只小蝴蝶一下就钻入了风邪的胸腔。

风邪笑道："你那些读心以及控制人心智的把戏，对本王可没有效果。"

连安擦去嘴角的血，道："所以，我才创了这招儿。"他扣起手指轻念一声，"蝶噬！"

话音刚落，就是风邪扭曲惊愕的脸。无数蓝色的发光蝴蝶咬破风邪的身体，从他的胸腹中钻了出来。这漫天的蝴蝶就像是疯狂的蝗虫将风邪的身体从内到外咬得千疮百孔。灵蝶四散，风邪的半截身体如一个破烂的人偶瘫在了沙漠里。

那一瞬间，在他身后的风城之上，响起了痛彻云霄的哭声和足以让天地色变的咒骂。城里的人们像潮水一样冲向城门。那些穿着粗布短衫的、拿着镰刀锄头的，那些抄着扁担、拎着水桶的，那些抱着孩子、拄着拐杖的人们有的号啕大哭，有的指天怒骂，有的捶胸顿足，有的呆若木鸡。

"风邪大人，风邪大人……"

他们哭着喊着风邪的名字誓要让连安血债血偿。他们呼喊着叫嚣着要将连安碎尸万段。

线人的身体颤抖着，他强忍着心底山陵崩塌一般的剧痛与沐鲁托一起指挥着禁卫军阻挡民众出城："不许出城，谁都不许出城。触发了灵蝶我们都得死！"

舜夏默然地看着战败的风邪在城墙上迎风而立，他问小沐："这灵蝶的感知范围在哪里？"

小沐的表情冷冷的，她的眼里似是掠过了一丝悲伤："在很远的地方，"她站在城墙往远处指了指，"除非能像风邪大人那样御风飞行，单凭跳跃是到不了安全区的。"

"灵蝶感知的是只是妖力吗？"舜夏又问。

"是的。"小沐回答。

"线人，我需要你的帮助。"舜夏靠在线人耳边低语了几句便一下拔起了风城城墙内侧二十多米高的木柱子，他将那木柱像是投掷标枪一样往城外投掷出去。那木柱子便深深地插在了沙海之上。

线人垂着袖子运起妖力，他将袖子一甩，两根黑绳就如没有重力一般直直地朝着那立在沙海中的木柱子伸了过去。黑线缠绕着木柱子做成了两道钢丝桥，舜夏踏着那桥，就如一只矫健的猿猴朝城外爬去。掠过无数沉睡的蝴蝶，他终于落到了城墙远处。线人猛然抽动丝线，他就像一个黑色的怪影荡到了舜夏身边。待他们跑到风邪身旁，连安已经消失不见了。

"风邪大人……"线人跪在风邪残破的身躯旁泣不成声。

"舜夏……"风邪的嘴唇动了动，他的须发溅满了紫红的血液。舜夏来到风邪身旁俯下身。

风邪从腰间颤抖地抽出了一块玉牌怔怔地望着舜夏，他那只枯瘦的手一下抓住了舜夏的衣角。他用苍老沙哑的声音像是用尽了毕生的力气说道："舜夏，你听好了。今日今时，本王正式将渊帝之位传授于你。现在，你就是风城之主，你就是深渊妖王。你一定要为风城的百姓破除灵蝶三伤阵，你一定要带领风城的将士们凯旋。王师北定中原日，家祭无忘告乃翁。本王，会在天上看着你的。风城的未来，就托付给你了……"

说完这句话，风邪半睁着褐色的眼睛没有了气息。无情的沙漠贪婪地吮吸着即将干涸的血液，干燥的大风吹散他染满鲜血的白须。舜夏和线人立在风邪残破的尸身旁低头默哀。细碎的黄沙落在他如火烧过的树皮般焦黑的脸颊上，伴随着远处此起彼伏的哭声和撕心裂肺的咒骂是那样悲壮而凄凉。

步步杀机

荒凉的戈壁，树木稀疏，时间已近黄昏。连安和梦蝶互相扶持着往灵魂之渊的方向一瘸一拐，他们已经走入了戈壁与绿地的交界。连安面若金纸，口吐黑血。梦蝶神形憔悴，身影涣散。

"魂主大人，这黑风毒不死不休。我们须静坐调息，要不然后果不堪设想。"梦蝶的声音尖锐而虚弱。

"梦蝶，我们的灵蝶三伤阵是困不住所有深渊者的。你且听我说，"连安黑着眼眶掏出从风邪那里取来的卷轴，"你且开天眼将这卷轴里里外外看个清楚。风邪向来狡猾，他只说将内鬼的名字给了我，但天知道他在要什么阴谋。你将这卷轴上的每一个纹路，每一个细节都放大十万倍一纳米一纳米地检查。"

"魂主大人，这没有必要。您既然指着卷轴向风邪确认，他说是，那就一定是。"梦蝶说道。

"不行，这份卷轴关乎魂国的兴衰，关乎凡世的存亡。我们不能有一丝一毫的闪失！快做！"连安喝道，忍不住又咳出了一口黑血。

"是，魂主大人。"梦蝶与连安盘坐在一棵隐蔽的树下，连安开始运用灵力抵御黑风毒。梦蝶则御起灵力分析卷轴上的纹路。

过了良久，卷轴上浮现出了一只蓝色的发光蝴蝶。梦蝶说道："大人，卷轴已经扫描完毕，并没有发现什么异样。我这就让灵蝶将所有信息传递给灵魂之渊。"说完，梦蝶朝那卷轴吹了一口气。那蓝色的蝴蝶就蹁跹着往灵魂之渊的方向飞去了。

连安和梦蝶调息了良久直到暮色降临。连安叹一口气："这黑风毒一时半会儿是解不了了。但至少，你我的性命暂时保住了。"

树丛外传来了窸窸窣窣的脚步声，连安警觉地扣起了手指。梦蝶说道："大人，是我们的救兵到了。"

树丛之外，顾青丝和顾小左带着一队人马前来救驾。几句寒暄过后，顾青丝便驱动灵术为连安疗伤，顾小左和其余十个神猎则在一旁放哨。

"红尘呢？她怎么没有来？"连安问。

顾青丝顿了顿，说道："红尘妹妹近日受了打击，不在状态，观灵师便没有通知她。"

"原来如此。"连安虚弱地说道，"观灵师他老人家应该知道我布下灵蝶三伤阵的事了吧。"

"是的。"顾青丝回答。

"他老人家怎么看？"连安又问。

"观灵师什么也没有说。"顾青丝答道。

"罢了。待我回到灵魂之渊再向他请罪吧。"连安话音刚落，就听见周围"唰唰唰"的拔剑之声。顾小左和那十个神猎都将猎魂刃拔了出来。他们摆出了战斗架势对着不远处的灌木丛。

只见在那漆黑的灌木丛内出现了四个发光的点。两个发着红光，两个发着蓝光。

"什么人，鬼鬼祟祟的？给爷爷我滚出来！"顾小左骂道。

那灌木动了一下，一个身材高大的男子就从那灌木丛中慢慢走了出来。他身披虎皮大袄，脚踏牛皮战靴，一条玉带缠在腰间。他短发竖起，目光入炬，红色的妖气缠绕他的双臂。他的身后斜绑着一个羊皮布兜，一个四五岁的小女孩静静地趴在他的背上。那女孩的眼睛一眨不眨，发着碧蓝碧蓝的幽光。

"舜夏！黑风崖里没摔死你，你还想怎样！"顾青丝认得舜夏，她站起来拔出猎魂刀大喝一声。

"我就说一次。"舜夏的声音冷冷的，"交出连安，我便放你们一条生路。"

"兄弟们，上！"顾小左一声令下，那十个神之猎魂者召唤出刀灵之力朝舜夏扑了过去。

"碍事！"舜夏挥动妖爪，几秒的工夫，那十个神之猎魂者竟然已经没有一个是完整的了。他们的灵血、残肢和内脏撒了满地。

他们甚至连惨叫和哀号的工夫都没有，就死在了舜夏的妖爪之下。最后一个神猎倒下了，他拖着上半截身体，像是一只蜗牛一样爬到顾小左面前抱着他的腿，他的脸颊沾满鲜血，他的肠子拖了满地，他的声音含混不清，但分明喊的是："救命……救命……"说完这句话，他便没有了气息，他的身体和内脏在一瞬间发出一道光，消失在了空气中。

"你……你！"顾小左握刀的手颤抖着，他的泪水在眼眶中打转。因为愤怒与恐惧，他将牙齿咬得嘎嘎直响。

"老子和你拼了！！"顾小左的眼泪夺眶而出，他大吼一声挥动猎魂刃。一瞬间，舜夏的面前出现了十个一模一样的顾小左。他们每一个都是目露凶光，反握着短刀。

"茹莼，放肆生长吧！"顾青丝一挥猎魂刃，那地底下就长出了锋利的蔓藤。这蔓藤就像是一只只章鱼的触手，扭曲着朝舜夏伸了过来。舜夏一边摆脱着蔓藤的牵制，一边与顾小左的分身战成一团。

顾小左不停地驱动刀灵之力，一个又一个分身源源不断地加入到了战斗之中。舜夏每杀死一个顾小左，就会有一个新的顾小左顶上。顾氏姐弟是想用车轮战来耗死舜夏。已经不知有多少深渊者死在了他们的阵法之中。

"就是现在！"顾青丝大喝一声，忽然间蔓藤疯狂地生长起来。一条条蔓藤缠绕上舜夏的脚踝、膝盖、手臂、腰际。

"死吧！"十个顾小左一拥而上，十把短刀刺向了舜夏的要害。

　　舜夏冷笑一声，缓缓伸手护住了背后的小沐。

　　只听得一声声金属折断的声音。十把短剑刺在了舜夏铁打一般的身躯上尽数折断了。

　　"什……么……"顾小左颤抖的声音。

　　"我说过，不要碍事。"舜夏低低的声音。一瞬间，妖气弥漫妖爪破风，十个顾小左的分身应声倒下。舜夏出手快如闪电，一爪就朝着顾青丝的脑门劈了过来。顾青丝奋力躲开了这致命的一击，却还是被舜夏一腿踢飞了出去。顾青丝的身体就像是一个铁桩子。她撞断了七根大树之后，终于被第八根大树拦了下来。

　　"姐！"站在远处的顾小左大吼一声，飞快地跑到了顾青丝的身边。他哭着摇晃着顾青丝，而顾青丝只剩下了最后一口气。

　　舜夏正要走向顾小左。小沐忽然道："小心身后。"

　　舜夏一跃上了树，只见四只蝴蝶蹁跹着朝舜夏追了过来。舜夏就像是一只猿猴，在树杈和戈壁间跳跃飞奔。

　　"乾位。"小沐的声音。

　　舜夏随手折下一根树杈转身往乾位的灌木中丢去。一阵爆裂之声，连安和梦蝶从那灌木中飞身跳出。舜夏一边躲避凶猛的蓝色蝴蝶，一边又折下一根树杈朝着连安的胸口丢了过去。

　　"爆！"连安扣起手指，一只蝴蝶追上那树杈将其炸裂。其余三只蝴蝶则依旧在拐着弯追击舜夏。

　　"梦蝶，你我身中黑风毒，已经不能施展屠灵式了。这一次，恐怕凶多吉少。"连安的口中淌着黑血。

　　梦蝶挡在连安身前说道："魂主大人，梦蝶生是你的人，死是你的鬼。只要梦蝶还有一口气在，就不会让舜夏动你一根汗毛。"

　　舜夏跳跃着拾起戈壁里的一块石头猛地朝连安掷了过来。

　　"爆！"连安驱动另一只蝴蝶与那石头撞在了一起。连安念道："我们动用了速度最快的四象灵蝶竟然都奈何不了他。我们必须找机会撤退。"

　　梦蝶道："连四象灵蝶都追不上他。这要我们如何撤退？"

"是啊，"连安叹了一声，"我们身中黑风毒，就算是驱动灵力御风而行也走不了多远。"

梦蝶轻声说道："魂主大人，虽然我们的灵力已经不足以御风，也不足以发动蝶噬，但我们还有蝶蛊。"

"蝶蛊的速度太慢了。"连安说。

"所以，需要近一些。"梦蝶挥动五色薄纱操纵追击舜夏的两只灵蝶。梦蝶故意露出了破绽。舜夏一看有机可乘，便朝着连安直冲了过来。因为他知道，于他而言，杀死连安只需要一击。而连安在一招儿之内是无法置舜夏于死地的。

舜夏红着眼朝连安直冲过来。

"就是现在！"梦蝶张口吐出了一只绿色的蝴蝶，这蝴蝶速度极快朝着舜夏迎面扑了过来。

舜夏与那绿蝶的速度都快极了。还未等舜夏反应过来，这蝴蝶就钻入了舜夏的胸口。那一瞬间，舜夏感觉眼睛发花，手脚不听使唤，他一个趔趄身体一歪打了个滚半跪在那戈壁上捂着胸口干呕了起来。

舜夏想动用妖力抵御梦蝶注入的灵力，但无论他怎么做都无法控制自己的身体。

那两只致命的蓝色蝴蝶转眼既至。它们翩翩然飞到了舜夏面前，一下撬开了舜夏的嘴钻了进去。

梦蝶吃力地说道："纵使你有金刚不坏之身，要是妖魄从内部被炸裂，你必死无疑！"梦蝶说着扣起了手指，"爆！"

几秒钟后，梦蝶和连安呆呆地看着舜夏安然无恙地跪在那里。钻入舜夏口中的蝴蝶竟然没有爆炸。

"怎么了？"一向冷静的连安也渗出了额上的汗水。

小沐躺在舜夏背后的羊皮布兜里轻念一声："解。"

"不好，那小孩解了我们的术！"梦蝶惊道。

说时迟那时快，舜夏抬起血红的眼睛，怒吼着朝连安扑了过来。

"大人！"梦蝶一下推开连安挡在了他的身前。刹那间，舜夏的五根手指就像五根利剑洞穿了梦蝶单薄的身躯。蓝色的血液从梦蝶的伤口中涌出来就像琼浆玉液一般。

"梦蝶！"连安大吼道。梦蝶无力地扣起手指，两只灵蝶拽着连安往戈壁深处逃去。

梦蝶蓝色的嘴唇动了动："大人，不，夫君，永别了。"梦蝶落下两行蓝色的眼泪。她的身体发着光，变成了半透明的影子化作了一只巨大的蝴蝶。这蝴蝶正是刚才追击舜夏的那一种。

"他奶奶的！"舜夏大骂一声，一把扯下羊皮布兜将小沐甩了出去。

"要杀我夫君的人，都得死！"梦蝶话音刚落，全世界的声音都消失了。

在那昏暗的荒野上，冲天的蓝光在寂静的黑夜中绽放。无数细碎的沙石被这巨大的能量卷到空中，低矮的灌木被连根拔起散到各处。

连安也在这巨大的冲击之中被推到了更远的地方。他朝着那束蓝光无力地伸出手，却只看见梦蝶的残影在那光芒中破碎。

两只蝴蝶在风中折断翅膀。

"梦蝶！"连安大吼一声，呕出一口黑血昏死了过去。

那蓝色的蝴蝶载着魂国兴衰的秘密飞啊飞，飞啊飞，飞到了那高处的明镜台上。

大风中，蝴蝶停在一串古旧的佛珠上拍着翅膀，直到飞溅的鲜血合着佛珠四下散开。

伴随着佛珠四散的噼啪声，明镜台上，如痴捂着心口，鲜红的血液从他的胸口喷溅而出。

如痴痛苦地笑了笑，他带血的口中挤出了四个字："果然，是你。"

当易辰和唐馨来到明镜台上，如痴倒在地上已是奄奄一息。他的土金僧衣沾满鲜血，他的佛珠散落满地，他吃力地张了张嘴却发不出任何声音。

"如痴！"易辰一个灵虚瞬动来到了如痴的身旁。

"如痴前辈，你振作一点……"唐馨拼尽全力为如痴治疗，可她再怎么努力，也止不住如痴胸口涌出的鲜血。

如痴虚弱地看着易辰和唐馨，他扣起手指，那只死去的蝴蝶发出了一道光芒。那光芒中是一个卷轴，那卷轴上写着三个黑色的字：卯时鬼。

"卯时鬼？"易辰轻念道。

这三个字一晃而过，那只蝴蝶也消失不见了。如痴的手慢慢垂下去。他的身体发出一阵灵光消失在了明镜台上。

南骁从远处跑来。他看着眼前的一切如被雷击中了一般定格在了原地。

易辰和唐馨低着头沉默不语。三人就这么默默站着，没有一个人说话。

南骁一步一步来到如痴消失的地方颓然跪了下去。他的脸上没有表情，似乎还没有从刚才的一切回过神来。又或者，他根本就不相信他所见到的是真的。

于魂国而言，如痴，是神一般的存在。如痴会死，尤其是被人杀死，这是超出南骁理解范围的事。

易辰和唐馨互望了一眼，看了看南骁，低下了头。他们顿了顿，又互望了一眼，又看了看南骁。

南骁跪在那里，面无表情，双目无神。明镜台上的大风吹动他金色的头发。那一百零八枚灵镜反射着晦暗的光。

他们就重复着这样迷茫的眼神交流。没人知道发生了什么，没人知道该怎么办。

"如痴前辈的元神碎了，一击致命。"唐馨小声说道，"凶手只出了一招儿。"

"偷袭吗？"易辰问。

"你说，这魂国之内有谁能堂堂正正一招儿击碎如痴前辈的元神？"唐馨问。

"没有人。"易辰说。

"对，没有人。除非是神魔。"南骁的嘴动了动，"师父的时空之术登峰造极，即使连日来他为了维持我们的时空场耗费了大量功力，也不至于虚弱到被人一招儿击杀。"

南骁缓缓站起来，他的眼睛埋在金发投射下的阴影里："师父可以用功力让时光倒流几秒，如果不是一击毙命，他一定能用时间之术回到受伤之前，然后用空间之术避开。这魂国之中能偷袭师父的只有一个人！"

"谁？"易辰问。

"首席剑术师，王平山！"南骁说出"王平山"这三个字时充满了杀气。他一下跃下高高的明镜台往剑灵阁的方向飘去了。

"这不可能，怎么可能……"易辰捂着头。

"这只是南骁的猜测而已，事情的真相还没有人知道。"唐馨说着，就用灵力开始检查如痴灵体消失的地方。

"怎么样？"易辰问。

唐馨闭起眼睛感应了一会儿说道："这里只有如痴前辈一个人的气息，绝没有首席剑术师或者其他任何人的气息。"

易辰站起身来对唐馨说："馨，事情肯定没有想象的那么简单。我必须阻止南骁去做傻事。"说完，易辰一下飘下了明镜台，只留唐馨一人在这台上发呆。

易辰来到剑灵阁外就听了打斗之声。他一下跃上了剑灵阁后院的院墙就见柳红尘和南骁战成了一团。

柳红尘的脸上淌着泪水，她挥动利剑招招指向南骁的要害。南骁赤手空拳可依旧不落下风。

"南骁，你个忘恩负义的畜生！还我师父！"柳红尘含泪骂道，他一剑砍开了南骁金色的战袍。

"我来这里时，首席剑术师已经不行了。"南骁的脸上没有表情。

"你说什么？"易辰铂色的瞳孔猛然睁大。他的身体猛地颤抖了一下，一字一顿地说道："你，说，什，么！"

柳红尘举着剑移动到了易辰身旁："易辰，师父，师父他老人家……"柳红尘忍不住用手捂着嘴哭了出来。

墨炎的身影一下出现在易辰身边："南骁，你大爷的，给老子说清楚！"墨炎的银枪指向了南骁的胸口。

"我来到这里时，首席剑术师已经身受重伤。我扶起他时，他便不行了。"南骁说道，"你我来到剑灵阁可谓前脚后步。你难道觉得我在这一分钟之内能杀死首席剑术师吗？"

墨炎眉头紧锁，他握枪的手颤抖着："那你倒是说说，师父是怎么，怎么去的！"

"被一招儿击碎元神，手段干净利落。"南骁说。

"这怎么可能……"墨炎喃喃念道。他双目无神，呆呆地站在那里。

柳红尘一把扑到墨炎怀里大哭了起来。墨炎木然地站在那里，不说也不动，任由柳红尘的泪水沾湿他的衣襟。

一切的一切都发生得那么让人猝不及防。几人呆呆地站在那里，只能看见落下的桃花瓣，听见柳红尘断断续续的哭声。

"老师仙逝前，说了什么？"半晌，易辰开口问道。可无论他如何掩饰，都无法掩饰他嘴角抽动时透露出的难以言状的哀伤。

"元神破裂，他已说不出任何话，只是指了指那桃花。"南骁说。

"桃花？"易辰的嘴动了动，慢慢走到了那纷纷落下的桃花瓣前留给众人一个落寞的背影。老师的音容笑貌在易辰脑海中浮现，他想起不久之前，老师还就在这一株桃树之下双目微闭颔首而笑，杯中绕满茶水的清香。

现而今，转身又转身，便是永别。自己甚至没能见到老师最后一面。

易辰在那桃树之前低下头，顿了顿，转过了身来。他的眼神里满是刚毅，他的话语坚定极了："逝者已矣。凶手绝不会善罢甘休。我们必须要抓出凶手，为老师和如痴前辈报仇！"

易辰瞥见墨炎背着身子，撩起衣襟用力擦去不断涌出的泪水。

易辰来到墨炎背后说道："转过来。"墨炎不愿被人见到自己伤心拭泪的模样，依旧背着身。

"我让你转过来。"易辰又重复了一遍。

墨炎依然背着身子，易辰一把抓过墨炎让他面对着自己。他从未见过墨炎如此伤心难过。墨炎的眼眶是红色的，泪水从他的眼中贴着脸颊不住地流淌下来。试问，这世间能有什么事可以让一个历经千年沧桑的铮铮男儿如此这般？

"墨炎，事到如今，我们已经没有时间悲伤，也没有资格悲伤。"易辰说话时很平静。他将手搭在墨炎的肩膀上："凶手就是希望我们自乱阵脚。如果我们自此一蹶不振只能让亲者痛，仇者快。凶手越是想激怒我们，我们就越是要冷静；凶手越是要震慑我们，我们就越是要无畏！"

墨炎擦干泪水，道："今日，我墨炎对天起誓，一定要抓出真凶为师父报仇。我墨炎粉身碎骨也好，魂飞魄散也罢，一定要将凶手碎尸万段，挫骨扬灰！"

墨炎一下跪倒在王平山消失的那株桃树下呼喊道："师父，徒儿不孝！没能在您有生之年杀了司马印成！但徒儿一定会继承您的遗志，为魂国存亡，天下苍生而战！"说罢，墨炎重重地在那桃树前叩了三个响头。

"墨炎，你的愿望，便是我的愿望。凶手，是藏不住的；司马印成，是活不久的！"易辰说罢，一下将墨炎收入了猎魂刃往门外走去。

"易辰，你要去哪里？"柳红尘问。

易辰没有回头，他的步伐中藏着隐隐的杀气。"我预感，事情，还没有完。"

走过那无数坠落的桃花瓣，唐馨已在一株桃树下等着易辰。

"易辰，怎么了？"唐馨看着易辰落寞的表情问道。

易辰一把抱过她，不说话。

"怎么了？"唐馨又问。

易辰依旧抱着她，不说话。唐馨的身后，首席灵术师唐云翼正往这边匆匆赶来。他身着深蓝色的袍子，手握法杖，神情凝重。

"易辰，我已经用灵术把发生的一切传递给了祖师爷爷和白夜魂主。"唐馨说道。

易辰将王平山被害的事讲与二人听，二人听罢又是一阵惊愕与唏嘘。唐云翼来到王平山遇害的地方抓起了院里的一撮泥土放在鼻子前嗅了嗅："和唐谷主说的一样，凶手没有留下任何灵力残留，看来魂国要出大事了。"

"你的意思是？"易辰问。

"凶手似乎并不属于这个次元。"唐云翼缓缓说道，"因为在这个世界上，不可能有人能够一招儿击杀首席观灵师和首席剑术师而不留一丝痕迹。除非……"

"除非什么？"南骁问。

"除非，是'它'。"唐云翼道。

"它？"易辰问，"哪个它？"

"我们称它为魂国之王。"唐云翼答道，"它是谜一般的存在。它看我们，就如我们看书中的人物。传说，只有在天浊蔽月之日，我们才能跳出那本书与魂国之王见面。"

"那你的意思是，我们好比在书中。而它，就是写书的人。而我们所有的生离死别、悲欢离合都被它掌控着？"易辰问。

"不，"唐云翼答道，"那个'它'虽然开启了我们的命运，创造了这个世界，但这世界如何流转，人们如何挣扎着做出抉择并不能任它随心所欲。"

"那我们所做的一切，它都知道？"易辰问。

"又或者，没有它，就没有我们。"唐云翼答道。

"那这么说来，若是魂国之王要观灵师和剑术师死去，他只需要大笔一挥。我们岂不是做什么都是徒劳？"易辰问。

"不。"唐云翼说，"我们还活着。或者说，我们已经活了。"

"我们已经活了？这是什么意思？我不明白。"易辰说。

"父母创造了孩子，却不能阻止他们的年少轻狂和刁蛮任性。"唐云翼转过毫无血色的脸，缓缓说道，"这句话，能明白的人就明白。不明白的人，解释再多，也是徒劳。"

易辰顿了顿，低头沉思。一片桃花瓣落到了他铂色的头发上。

"魂国之王，你到底想怎样！"易辰忽然朝那空中问去。却只有大风吹动灵魂之树发出一阵阵嘲弄般的轻响。

唐云翼冷冷地笑了笑："也许你刚问出的这句话，也是'它'让你问的。真是讽刺。呵呵……"

唐云翼笑了笑，拂去落在花白长发上的花瓣便消失在了那茂密的桃花林中。

灵魂之渊两根坚实的柱子已被折断，这巨大的王朝摇摇欲坠，岌岌可危。死亡的气息从观灵师与剑术师的死讯中弥漫开去。没人能阻止谣言，没人能封锁消息。

神猎的死亡并不是身躯的毁灭，而是元神与气息的彻底消失。那些嗅觉敏锐的神猎又怎会眼睁睁地看着两盏明灯在眼前熄灭却视而不见？

嘹亮的钟声从灵魂之树旁高耸的钟楼中传出。厚重的金属之声夹杂着悠远的回声如闷雷一般从人们的头顶掠过。灵魂之树的叶子哗哗作响，像是对命运无常的叹息，又似是对人们傀儡一般人生的无情嘲弄。

那些肃穆的神猎披麻戴孝头戴白巾，长长的队伍从深渊的山壁之下一直延伸到了洗魂池的岸边。此岸是送行的队伍，彼岸便是那随风摇曳的灵魂之树。

那队列之中，两口黑漆漆的棺木缓缓往洗魂池移动着。抬棺之人一步一停，九步一跪。每一次的跪拜与起身都似乎用尽了全部的力气。道路两旁的神猎无不身着孝服弓身相送。当棺木经过面前，他们便跪拜相迎，昂首相望。这是灵魂之渊最为崇高的礼节，原本只有魂主才有这种等级的丧葬。而这一次，是三尊的决定。

那两口棺木的最前面，是身着孝服的柳红尘和南骁，他们捧着红色的曼珠沙华面无表情，步履沉重。

红尘和南骁站在灰色的河岸上抚摸着斑驳的棺木。他们知道，这只是师父的衣冠冢，他们的灵魂已经化为了这深渊中的一草一木庇佑着他们。

棺木被送到洗魂池上，随着池中灵魂的游动渐渐往中心漂去。两道绿色的火焰在远方亮起，深渊中远远近近皆是隐忍的哭声。

葬礼过后，七魂天机大会临危召开。这魂国中最为重要的会议在天机之中秘密开始了。

天机，是另一个世界。

在那幽冥般黑暗的天机之中，分不清天空，也分不清地面。无数盏明灯在这黑暗中游离飘飞。一盏灯就代表着一个凡人。在那无穷的漆黑之中，悬浮着七个发光的小岛。这岛屿以北斗七星的顺序排列，只够一人站立。

随着七魂天机大会的开始，岛屿之上依次亮起了蓝色的光芒。

"第五魂主人在何处？"一个苍老的声音从第一个岛屿中传来，却见那第五个岛屿上依旧空空如也了无生气。

"回大魂主，第五魂主连安至今没有回应。"第六个岛屿中传来了白夜的声音。

"魂国天眼已溘然长逝，连安恐怕也是凶多吉少。"一个稍年轻的声音从第二个岛屿中传来。

"事关重大，我们等不了第五魂主了。"又一个声音从第三个岛屿中传来，"第六魂主白夜已经将首席剑术师与观灵师遇害之事告知诸位。不知诸位有何想法？"

"观灵师之死，难以置信。"一个孩童的声音从第七个岛屿中传来。

"第七魂主槐有何看法？"大魂主问。

"观灵师有通天彻地的本事，能将自己藏在时间的夹缝中，让时光倒流几秒。若是遭人暗杀，他必然会发动时光逆转之术回到受伤之前，然后发动空间之术躲开攻击。想必，在座的各位也都知道我与白夜合力发动的青白双神弑。"

"不错，如痴之死，甚为蹊跷。据首席灵术师之言，凶手并未留下任何灵力残留。"大魂主道。

"莫非，是'它'？"第七魂主槐小声说。

天机之中忽然安静了下来，六位魂主像得了哑疾一般没有了声音。

过了良久，大魂主说道："魂国天眼已死，现而今，我灵魂之渊已然变成了寸步难行的瞎子。诸位有何看法？"

二魂主道："是否应该选出假魂主暂时代替连安的位置？"

六座岛屿同时发出了一阵光芒。大魂主道："既然诸位意见一致，那是否有合适的人选？"

"据悉，灵魂之渊中有人练就了屠灵式。"第三魂主道。

"你道是那神器持有者易辰？"大魂主问。

"正是。"第三魂主的声音。

"诸位有何看法？"大魂主又问。

"易辰的刀灵墨炎是魂国少有的清澈之灵，但即便如此，没有百年的修行便能练就屠灵式着实令人意外。"第七魂主槐说道。

"据说，易辰身体之中有三龙之力。"白夜说。

"易辰本身就是白金虚空。"一直沉默的第四魂主曲狂说出了此次大会的第一句话，"只是有黄金虚空之劫在先，我们或不便将假魂主之位交予他。"

"第四魂主此言差矣，"第二魂主道，"易辰自身乃白金虚空，身怀三龙之力，又有千年刀灵相助练就了屠灵之式。就实力本身已够资格成为假魂主。而第四魂主所虑实乃杞人忧天也。"

"难道，第二魂主想看见黄金虚空之劫重演吗？"曲狂问。

"那第四魂主还有更好的人选吗？"第二魂主反问道。曲狂一时语塞，说不出话来。良久，曲狂叹道："易辰太年轻了。即使他有胜任魂主的武力，他有胜任魂主的智谋和品性吗？轮资格，轮得到他吗？让他当魂主，能服众吗？"

曲狂的话语咄咄逼人，而第二魂主依旧是不紧不慢："现而今天浊蔽月在即，我们当以武力为主要标准。然而假魂主并非魂主，只是在连安失踪之际假而代之。至于智谋和品性，本尊相信易辰。"

"第三魂主，你有何看法？"大魂主问。

"本尊同意第二魂主。"第三魂主说道。

大魂主苍老的声音在天机中回荡："我三尊决定，将假魂主之位授予易辰，从今往后，易辰除了不能窥探天机，权力等同于第五魂主，就此决定！"

天空是明镜一般的蓝色，那条血色的河流如红色的雾霭在天际弥漫。

易辰站在灵魂之渊中央的高台上迎风而立，高远的上方是茂密的灵魂之树，身后是碧绿的洗魂池。他铂色的头发反射着光芒，他明媚的瞳孔平静而坚毅。高台之下，站满了神之猎魂者。

易辰身披第五魂主的华丽灵袍走过两侧身着金衣的司仪，走过两侧跪拜的魂国队长。无数的神之猎魂者仰望着这个魂国历史上最年轻的魂主。

"太年轻了。"神猎在高台之下小声交谈着。

"难以置信。"一个声音。

"三尊是不是疯了？"又一个声音。

"让我们两百多岁的给他一个二十多岁的行魂主之礼，真是岂有此理……"一个又一个声音。

"请魂主大人饮用洗魂池水行继任大礼。"柳红尘跪在易辰身前，举着一个北兽形状的青铜觥，那觥中装着的是洗魂池中碧绿的池水。

易辰接过那觥，尔后将当中的绿水一饮而尽，将那觥一摔，说道："今日我易辰继任代理魂主，资历低微，不求服众。但求诸位以魂国兴衰与凡世存亡为先，功名利禄与富贵荣宠为后，与我一同抓出杀害剑术师与观灵师的凶手，与我一同和司马印成决一死战！"

魂国内鬼

在那荒凉的戈壁滩上，舜夏痛苦地支起身子，他的虎皮大袄已被炸烂，他的皮肤在那强大的灵力中被烧成了泥土一般的砖红色。

"城主大人，您终于醒了。"小沐睁着蓝色的眼睛静静地站在舜夏身边。

舜夏吃力地倚着一棵小树："连安还活着吗？"

"那个年轻的神猎将他救走了。"小沐说。

舜夏吃力地站了起来，他扯下了身上的破布，露出了砖红色的傲人肌肉。他高大的身子晃了一下，嘴里吐出一个字："追！"

"城主大人，我想不必了。"小沐缓缓拿出一张羊皮纸，"线人让猎鹰送来情报。灵蝶三伤阵已破，让我们立即返回风城。"

舜夏的嘴角微微上扬："看来，施展灵蝶三伤阵的其实是连安的刀灵。他的刀灵死了，阵法就被破了。"

舜夏将小沐扛上肩头，往风城走去。血色河流之下，是夕阳中高大的剪影。

祭天之日，舜夏身着妖王战甲孤傲地站在风城内城的城墙上，线人和小沐站在他的两侧。风城里的男女老幼无不跪拜叩首。舜夏一挥披风，手臂之上就发出了赤色的妖气。

他嘹亮的声音从城墙上传送开去："今日，我赤妖王成为风城之主，不会让汝等失望。待到挥师北上，一举攻下灵魂之渊，我们深渊者就能翻身做主，走出风城。我们要用魂主的血来抚慰千年的屈辱，我们要用魂主的头来祭奠死去的族人！我们要将神之猎魂者诛杀殆尽，踏着他们的尸骸走向光明的明天！战斗吧，保受屈辱的族人！战斗吧，不愿受奴役的人们！战斗吧，双手沾满血腥的深渊者！"

风城之下的人们大呼道："赤妖王万岁万岁万万岁！"这声音排山倒海，直上云霄。

"城主大人，天浊蔽月之日将近。此时我们挥师北上正是时机。"线人说道。

"杀！"舜夏大喝一声。这充满杀气的声音从风城高高的城墙上钻入的每一个人的耳膜。

"杀！杀！杀！"风城之下杀声震天。凡是有战斗力的深渊者，无论男女老幼都是一身戎装。他们知道，民族已到了存亡关头，此次成败决定了深渊者千年的命运。

祭天礼毕，舜夏身着妖王战甲来到寒玉宫中和胡凤儿惜别。

"舜夏，你要走了吗？"凤儿问道。

舜夏认真地看着凤儿，说道："不要叫我舜夏，我是赤妖王，是风城的主人。"

"这很重要吗？"凤儿看着舜夏被烧伤后赤色的面庞，"无论你变成什么样，无论你变成什么，你都是我的舜夏。"

舜夏的眼眶微微发红，他一把抱过胡凤儿："凤儿，一定要等我。我一定会回来的。"

说完这句话，舜夏决然地转身走去，他的背影消失在寒玉宫的大门之外。凤儿的视线模糊了，她只看见舜夏高大的背影和他身后随风而动的赤色披风。凤儿追出寒玉宫外，捂着嘴泪流满面。她多么想朝着舜夏的背影喊上一句："舜夏，不要走！"

可凤儿知道，如今的舜夏已不是当年的舜夏。如今的他是那威风八面的赤妖王，是那万人之上的风城之主。舜夏，已经不是凤儿一个人的舜夏了。他是他们的王，是风城最后的希望。

当舜夏领着二十万人马浩浩荡荡往灵魂之渊进发。凤儿就如丢了魂似的在那风城之中游荡。他一袭金色广袖百花衣和这肃杀的风城是那样格格不入。她头上的寒玉冰花步摇是姜寒的遗物。

凤儿在那内城城墙的护城河边见到了一个穿着褐色粗布袍子的佝偻老妇。这妇人弯下腰用半个葫芦瓢去取那护城河中浑浊的河水。她干皱的手腕如那深秋的树皮。她吃力地舀起半瓢水，放在了嘴边。

"老婆婆，这水这么脏，不能喝的。"胡凤儿说道。

那老妇喝了一口水，行了一个礼："老身参见皇后娘娘。"

"老婆婆，不必多礼。"胡凤儿说。

那老妇将那小半瓢水倒回护城河中说道："启禀娘娘，风城内的井水不多了。将士们出征前，我们将井里的水都舀了出来，装在羊皮袋子里让他们路上饮用。现而今，我们只能喝这护城河里的水了。"

胡凤儿看着这佝偻的老妇，忽然想起了自己已经去世的祖母。凤儿说道："老婆婆，你能带我在风城里转转吗？"

"老身遵命。"那老妇人说着就领着胡凤儿往风城外城的大街上走去。她瘦小而佝偻的身躯蹒跚地走在寂寞的街道上。风卷黄沙，老木窗子上下颠簸。

"娘娘，你知道我们深渊者是怎么来的吗？"老妇人问道。

"不知道。"胡凤儿回答。

"多年前我们还是人类，但因为擅自夺取他人寿命，灵魂劣化，失去了所有意识变成了杀人不眨眼的魂妖。在那之后我们杀人无数，猎取了万年的寿命恢复意识变回了人形。这就是我们深渊者。所以，这风城里的每一个人都曾是杀人不眨眼的恶魔，包括我。"那老妇缓缓说道，"但当我们恢复了意识，多半是悔不当初，想要洗心革面重新做人弥补犯下了滔天大错。可魂国却一直纠结于我们的过往，对我们苦苦相逼，将我们囚禁在这贫瘠的风城之内。"

"深渊者都有一些特殊的能力吗？"胡凤儿问道。

"是的，但这能力，需要自己慢慢发现。"那老妇咳嗽了一声说道，"老身的能力是'听'。我可以听到百里之外的风吹草动。我的大儿子继承了我的能力，所以他随着赤妖王大人出征，而老身则只能留在风城之内恭候佳音。"

"可我听说，深渊者所生的孩子，是人类呀。"胡凤儿说。

"没有错，"那老妇人笑了笑，"所以，风邪大人开发了蛇灵丸。只要有了蛇灵丸，我们的孩子就能成为和我们一样的深渊者，能有万年寿命和我们一同生活下去。可是，并不是所有人都愿意让孩子吃下这蛇灵丸。因为一旦成为深渊者，就意味着一辈子被神猎追杀，一辈子出不了风城，一辈子惶惶不可终日。"

"我曾被舜天逼着吃下了一粒，又被线人劝着吃下了第二颗蛇灵丸，可是，我并没有感到什么变化。"胡凤儿说道。

那老妇人仔细看了看胡凤儿说道："第一粒蛇灵丸可以让凡人成为通灵人，第二粒蛇灵丸则能让凡人摆脱灵魂之树的控制成为深渊者。至于这深渊者的能力，还需要开发。你看。"顺着老妇人手指的方向，就见一中年男人坐在一块石头上抚摸着一本书。

那老妇人说道："他是我的二儿子，他的能力只是能够用手读文识字。这种平庸的能力实在不能用于战斗，所以，他就不必随军出征了。"

"原来并不是所有深渊者都有很强的能力啊。"胡凤儿说道。

"没有错，"老妇说，"有些深渊者的能力甚至只是力气大了一些，视力好了一些，腿脚灵便一些，记忆力强一些，而老身也只不过是听力好了一些罢了。但无论我们的身形样貌和人类多么相似，我们的身上始终流淌着深渊者的血，始终散发着深渊者的气息。这是改变不了的事实。我们的气息对于凡人来说是恶魔，对于神猎而言是猎物，在这天地之间只有风城这一方土地可以立足。"

凤儿望着舜夏离去的方向强撑着笑了笑："今后不会了。"

北面吹来苍凉的风。风城的铁蹄已经奔向了遥远的深渊，天浊星发出银色的光辉，一口一口吃掉那天边的月。

灵魂之渊的结界开始减弱，笼罩着整个深渊的绿光像是一张被风吹动的大网开始晃动。千百年来，正是这坚不可摧的结界保护了灵魂之树不被妖魔侵袭，也不知有多少不知好歹的妖魔鬼怪被这神力焚为了灰烬。

可现而今，天浊星即将遮蔽月光，灵魂之树的叶片开始泛黄，结界已如一个发光的巨大气泡吹弹可破。

八贤堂外，易辰身着魂主灵袍立于石铸的八阵台上。八贤堂的入口如石铸的古墓一般幽深而黑暗。八贤堂内住着灵魂之渊从古至今最具智慧的八位贤者，他们接到了三尊的命令协助易辰查出这魂国的内鬼。

易辰杵在堂口之外良久，忽听得一阵木轮滚动的声音从那幽暗的洞口中传出来。

阴影之中，一位身着粗布长衫的老者坐在木质轮椅上。在这浓重的阴影之中，他的样貌并不分明。

"第一贤者见过第五魂主。"那老者幽幽开口，声音苍老而清亮。

"八贤者是否已经查出了凶手？"易辰问道。

"第五魂主见笑了，我八贤者不得踏出八贤堂一步，何来查出？"那老者淡淡说道。

易辰顿了顿又问："那不知八位贤者对剑术师和观灵师之死有何

看法？"

那老者缓缓说："吾夜观星象，此次天浊蔽月乃旷世浩劫。剑术师与观灵师之死只是这一切的开始。只是这所有的一切，都是'它'的安排。"

"它？怎么又是它？它到底是什么？"易辰不禁问道，"你们这些人，一天到晚它它它的没完，倒是把事情说明白。"

那老者笑了笑："易辰，汝乃第五魂主，怎可如此失仪？"

易辰被那老者教训了一句，也感觉自己身为魂主，自己方才的言语的确不够稳重。

易辰抚了抚自己的魂主灵袍，又道："让贤者见笑了。我刚当上代理魂主，有些地方还要贤者多多指点。可是，那个'它'究竟是什么？"

"它，就是它。"老者的声音从阴影中传来，"它在我们这个世界的名号为魂国之王，然，它并非王，乃真神也。神若要杀人，是不会自己动手的。"

"不动手怎么去杀一个人？"易辰问。

"靠的是神谕。"老者回答。

"神谕？"易辰又问。

"老朽请教第五魂主。用你们今人的思维，一个成年人要去教训一个小孩子，除了自己动手，还能怎么做？"老者问。

易辰想了想："他可以教唆另一个小孩去打他。"

"正是，"那老者笑了笑，"即使这一切是'它'的安排，也必然有一个冥冥之中的刽子手。这个'它'可能并不是一个个体。它，有可能是一种力量，一种逻辑，或者是一种称为命运的高次元产物。它不是刽子手的主人，这刽子手也不是它的奴仆。它将这刽子手当作一粒棋子，而这刽子手却全然不觉。这一切的一切将会有无懈可击的逻辑、合情合理的动机、精心缜密的布局。在这巨大布局当中的将会是一个个真实的个体。他们各司其职，各行其是，他们纠缠着推动历史更迭，世事变迁。这世间之人皆为傀儡，全都处在一种半生不死的状态。我们八贤者直到1955年才站在了宇宙洪荒的高度上觉察出了它的存在。"

"讲得这么玄乎，怎么听着像爱因斯坦的那一套。"易辰说。

那老者轻轻笑了笑："第八贤者就在里面，只是他不方便见你。"

"什么？"易辰惊道。

"吾八贤者乃古今中外最具智慧的八人。你方才口中之人位列八贤，名正言顺。"

"可是你扯了半天，这一切的一切还是人为的。那个杀死剑术师和观灵师的凶手是看得见摸得着的啊。"易辰说。

老者的声音略带愠怒："现而今汝乃第五魂主，汝不应仅知其然而不知其所以然。查出刽子手是其一，知道这刽子手为何会存在是其二。吾八贤者虽无法踏出八贤堂一步，但却桃李满门，可为魂主推荐几位得力的干将。"

"你有合适的人可以助我查出凶手？"易辰问。

"正是。"那老者说道，"前首席灵械师宁无乃第八贤者的学生。她知识广博，理论精深，人称小爱因斯坦。"

易辰一听这话虽心中不屑，但口里却说："宁无的确不错，那日在兰山教堂也是多亏了她才抓出了杀死神父的凶手。"

"除了宁无，还有一人。"那老者继续说道，"灵械部队的松下凉子队长乃老朽的弟子。她心思缜密，神机妙算，上知天文，下知地理。让她助你必能事半功倍。"

易辰一听这名字，心说：松下凉子……听着像是岛国某爱情动作片演员。易辰在心中吐槽了一遍，随后优雅地整理了一下自己的魂主灵袍摆出了无懈可击的笑容："既然是第一贤者的弟子，想必凉子小姐一定有过人的本领了。如果她真能神机妙算，那可真是诸葛亮在世了。无论如何，多谢了。"

"为魂国尽心乃老朽分内之事，"那老者笑了笑，转过轮椅往回移动，"顺便道一句，老朽弟子的名号为，今世女诸葛。"

那老者摇了摇手中的鹅毛扇，消失在了黑暗之中。

灵魂之渊的靶场在一个极为偏僻的角落，这里远离深渊的中心又紧临山壁。那些不能使用灵术进行战斗的神之猎魂者就会在这里操练枪械以御外敌。

　　靶场之外是一白色平房。一个身着蓝色和服的女人正坐在这平房的餐厅内优雅地喝着咖啡。她跷着二郎腿，头上戴着一朵蓝色的曼珠沙华。她纤细的手指如葱削一般，大大的眼睛闪烁着智慧的光芒，长长的睫毛忽闪忽闪的。

　　王龙披着蓝色的风衣从门外走进来。他的护目镜被撩到了头上，他的眼神刚毅而深邃，短发显得格外精神。

　　王龙见着了这喝咖啡的女人便坐到了她的对面。

　　"凉子小姐，今晚有空吗？"王龙问道。

　　"王队长，我说了多少次了。咱们灵魂之渊没有晚上。之所以天会黑是受到了天浊蔽月的影响。您可不要把这儿和凡世弄混了。既然咱们在魂国，可不能像在凡世那么随便。"凉子小姐又开始了碎碎念。

　　"是是是。"王龙低着头摩擦着双手。半晌，他又抬头看了她一眼，"凉子小姐，我对你的心意你是知道的。"王龙低头，脸一红。

　　"唉，你们这些男人，都是下半身思考的动物。"说罢，凉子小姐把自己的和服一拉便露出了粉嫩的香肩。

　　"不不不……"王龙忙摆手示意她将和服拉回去。

　　"怎么？不想要吗？"凉子小姐轻佻地问道，"你若是不要，我可走了。"凉子小姐拉回和服，狐媚地看了一眼王龙起身就要走。

　　"不不不，我不是那个意思。"王龙站起来，道，"二虎，你去外面看看那些小兵的训练情况。"

　　说罢，一个身着绿色军装的战士就从王龙的猎魂刃中飘了出来。

　　"是。"二虎应了一声，挺着腰杆出了门。

　　"真是的。刀灵都是自家人，还害什么臊呀？"凉子小姐说着，又扒下了和服的一角，"现在，可以了吧？"

　　"不不不，"王龙红着脸摆手道，"凉子小姐，小岛君还在你的刀里呢。"

　　凉子小姐将衣服一穿："小岛，你去外面把风，别让人进来了。"

话音刚落，就见一个留着小胡子的日本兵从凉子小姐的猎魂刃中飘了出来。

"はい（是）！"那日本兵应了一句，便也出了门。

"现在，总可以了吧。"凉子小姐又扒下了自己和服的一角。王龙咽了一口口水，一下脱下了自己的外衣。他们正打算一番云雨却听得一声咳嗽从他们身后传来。

"妈呀！"王龙的惊讶之后就是凉子小姐的惊叫。

他们慌乱地整理着衣服才看见坐在他们不远处的易辰正在悠闲地喝着咖啡。

"魂主大人，这都是我的错。你要罚就罚我吧。"王龙慌乱地说道。

"不，魂主大人，这都是我的错。"凉子小姐低声啜泣了起来。

易辰抿了一口咖啡，淡淡说道："今天，我终于知道为什么有些女人会被称为三八了。原来这'八'是扒衣服的扒。"

凉子小姐听了这话不羞不怒，反倒狐媚地笑了笑："如果魂主大人能替我们保受秘密，小女子愿意扒第四次。"说着，凉子小姐魅惑地看着易辰又一次扒下了自己的和服。

"你来灵魂之渊前该不会是做那种行当的吧？"易辰问。

"那种，是哪种？"凉子小姐一脸的娇羞。

"见过随便的，还没见过这么随便的。你敢说你不是做那种生意的？"易辰问。

"魂主大人这说的是哪般。小女子来深渊之前可是出了名的交际花。简而言之，就是做特勤工作的。"凉子小姐说道。

"怪不得，原来是个特务。"易辰说着，又看了看她身边的王龙，"你就是灵械二组的组长？"

"是是是。"王龙被易辰抓了个现行，只能低着头唯唯诺诺。

"一组的组长和二组的组长竟然在工作场所搞不正当男女关系，这成何体统？"易辰说道。

"魂主大人，小的知错了。"王龙说。

"你之前是做什么的？"易辰又问。

"小的以前是杀鬼子的。"王龙回道。

"嗯？"凉子小姐瞪了王龙一眼。王龙感觉自己失言，刚要解释就听得易辰轻喝一声："这里没你事了，出去。"

王龙看了凉子小姐一眼，只得红着脸，悻悻地退出了餐厅。他刚打开屋门，却见屋外的空地上一个解放军战士和一个日本兵扭打在了一起。

那战士将那日本兵按在地上一边暴打，一边喊着"打到日本帝国主义"的嘹亮口号。

易辰摇了摇头，对凉子叹道："你的刀灵不会使用灵术，这搏击的技法也是捉襟见肘。这一点长处都没有，你怎会收了他？"

"长处？那，肯定是有的。"凉子小姐意味深长地一笑示意王龙关门。易辰也不再管那屋外的动静，转眼问那凉子小姐："你就是第一贤者的学生？"

"小女子惭愧，第一贤者的确是我的老师。只不过小女子资质愚钝，不及老师十分之一。"凉子起身行了一个礼，似乎对刚才自己三次扒下和服的行径毫无羞愧之心。

易辰的眼珠转了一转："要我留你们的小命也可以，但你们必须老实听话，努力为我办事。"

"努力？办事？"凉子小姐一听这话，佯装恍然大悟地捂住了嘴，"莫非，魂主大人想看我和王队长……"凉子小姐话语至此不禁娇嗔一句，"人家可是良家妇女，光天化日之下可做不出那事。"

易辰不想这凉子小姐当真是这般毫无廉耻之心，只得抹了一把额上的汗喝道："你够了！"他这一喝，凉子小姐才恢复了常态。

"首席剑术师和观灵师的事听说了吗？"易辰问。

"听说了。"凉子小姐答道。

"我现在给你和王龙一次机会。你们要是全力协助我抓出杀害剑术师和观灵师的凶手，我就当今天什么也没有看见。"

易辰这话一说，凉子小姐的眼神就变了。她站起来行了一个礼，一挥手打开了手上的蓝色小折扇："抓凶手是吗？交给小女子便是。"

她说这话时，却有一种说不出的果断和干练。

　　明舟阁的密室重重关上，断魂铁将这里的一切和外界隔绝开来。密室中央是一石制圆桌，桌上点着一盏幽暗的灯。

　　易辰坐在桌上望了望其余的四人。他们分别是唐馨、宁无、凉子和南骁。

　　"我先来说说为什么我会选中你们四人吧，"易辰率先开口，"我和馨同那司马印成有不共戴天之仇，自然不会是他的人。宁无和南骁是三尊选中的人，因此值得信任。而松下凉子是由第一贤者推荐的学生，也值得相信。今天我们在这密室里就是要想办法抓出魂国内鬼。"

　　凉子小姐打开蓝色的折扇轻笑一声："魂主大人此言差矣，您方才列举的种种证据并不足以排除我们五人的嫌疑。"

　　"哦？"易辰疑道。

　　"小女子已经收集了好些情报，魂主大人和唐谷主的确值得信赖。但至于这二位嘛……"凉子欲言又止。

　　"有话直说，不要吞吞吐吐。"宁无扶了扶朱红色眼镜说道。

　　"谁知道宁无和南骁在凡世是不是收了那司马印成的贿赂？"凉子小姐轻笑道。

　　易辰回答："第一，宁无和南骁被流放之事间接上就是由司马印成造成的。第二，司马印成不会料想到他俩的归来，因此不会有意拉拢。"

　　"倒是你？"宁无指着凉子，"你是哪儿冒出来的？"

　　"早就听说第八贤者有位颇为刚烈的女学生，真是久仰久仰。"凉子说着便起身行了一个礼，"小女子松下凉子，乃第一贤者的关门弟子。"

　　"原来就是你？真是百闻不如一见呀。"宁无冷笑一声，"你要我们如何信任你？"

　　"首先，小女子不会使用任何灵术。不要说是剑术师和观灵师，在座的各位只要动一动手指就能杀了我。其次，小女子年纪尚小，八贤者对小女子的来历与出身了如指掌。若是我有问题，断然逃不过这世上最具智慧的八位贤者的法眼。难道，你要怀疑八贤的智慧吗？"凉子把扇子一合，指向了宁无。

宁无说道："既然如此，我们在座的五人就是自家人了。我们必须要彼此信任，才能抓出凶手。"

易辰将一张宣纸摊在了桌子中央，说到："这是观灵师死前让我们看到的信息。"

"卯时鬼？"凉子轻念道。

"对，就是卯时鬼。魂国是否有这么一个人？"易辰问。

"绝对没有。"凉子肯定地说道。

"你查都不查，怎么知道没有？"宁无问。

凉子用扇子指了指自己的脑袋："灵魂之渊前五百年所有在职的、殉职的、革职的神猎信息都在我的脑子里。绝对没有卯时鬼这个人。"

"凉子小姐，你真的记住了每一个名字吗？"唐馨的表情有一些讶异。

"不单是名字，我还能准确报出每一个人的档案。包括生辰、奖惩、重要事迹等等。"凉子说。

"那在这些名字中，有和卯时鬼相关的吗？"易辰又问。

凉子打开手中的折扇顿了顿："我认为卯时鬼可能只是一个代号，而不是真实的名字。毕竟这怎么看也不像是一个姓名。若要将这三个字拆开了看，在灵魂之渊中卯时出生的人可是三天三夜都说不完。"

"卯还是一个方位。"一直沉默着的南骁低低说道。

"不错，卯代表东方。而东方则是舟幽阁上明镜台的所在。"凉子说。

"那这么说来，是不是可以怀疑凶手是观灵师身边的人？"宁无问。

"不，观灵师一向独来独往，身边没有人。"南骁低低说。

"卯还有兔子的意思。"宁无又道。

"灵魂之渊里有人和兔子有关系吗？"易辰又看向了凉子。

"这个，必须有。"凉子的嘴角微微扬起了一丝弧线。

"快说。"

"你们可知七魂主当中的一位就和这兔子有莫大的关联。"

"谁？"易辰问。

"第六魂主白夜的本名乃白兔。你们若是细心一些，就会发现这'夜'字和'兔'字的笔画是一样的，都是八画，而且两个字都有一点。不仅如此，白夜的空间阵法便是由三只兔子互相追逐构成的三兔图。"

"能杀死观灵师和剑术师的至少要有魂主级别的实力，这一切，都把矛头指向了白夜。"宁无说。

"不错，单看这条线索，白夜的确很可疑。无论如何，让我们再来看一看下一条线索，"易辰用手肘撑着桌子，将下巴放在了手上，"剑术师在临终之前，指了指远处的桃花。就这个举动，你们怎么看？"

"这个猜测就很多了，"宁无扶了扶眼镜，"比如，凶手喜欢看桃花，吃桃子，又或者凶手的名字里有个桃字。"

"桃？"易辰忽然说道，"莫非剑术师是让我们逃！"

"大祸将至，让我们逃命吗？可我们又能逃去哪里？"凉子的额上渗出了细密的汗珠，她拿着那蓝色的小扇子不停地扇着。密室里的空气开始变得厚重而浑浊，桌上的灯光在这浓重的黑暗中变得越发渺小。

"又或者，他是想说，桃李满天下。"宁无扶了扶眼镜，缓缓说道。

"桃李？那是学生的意思。我记得剑术师门下有一女弟子名叫柳红尘，她的能力正是隐藏气息伺机偷袭。"凉子的脸冷得像一把刀，"杀了人而不留一丝气息，我魂国上下也只有她一人能办得到。"

"她和观灵师以及剑术师私交甚好，完全可以趁人不备一招儿击碎元神。"宁无补充道。

"等等，"易辰捂着额头，"红尘她是王老师的弟子。她怎么会去杀自己的师父呢？这说不通……"易辰摇了摇头。

"如果她从一开始就是司马印成的人，那这一切就讲得通了，"

凉子的声音冷冷的，"不仅如此，柳红尘其人的来历也是疑点重重。"

"这怎么说？"易辰问。

"她原是蛊灵谷人，尔后为了自己的养父而走上了猎魂之路。尔后因为天赋异禀由白夜选中成了神猎。据我所知，蛊灵谷曾是司马印成的老巢。说不定，这柳红尘从一开始就是受了司马印成的指使而混入魂国的！"凉子用扇子挡住了火红的嘴唇眼神冰冷。

易辰想说些什么，却发现似乎自己说什么都会显得苍白而无力。

"柳红尘没那个实力。"火光映照着南骁深邃的轮廓，"说她隐藏气息偷袭剑术师倒是合情合理。毕竟剑术师目不能视耳不能闻，只要没了气息便会丧失判断力。但是，她绝对没有那个实力杀死耳聪目明的观灵师。"

"说不定是观灵师耗费了太多功力在明镜台上才让她有机可乘。"唐馨低着头说道。

"馨，你也怀疑红尘？"易辰问。

唐馨转过脸来，看着易辰，吐出了几个字："你为什么祖护她？"

你为什么祖护她？短短几个字却像是一团面粉噎住了易辰的喉咙，他竟说不出半个字。

"我……我不是祖护她……"易辰说出这句话时，连自己都觉得这话是那样苍白而无力，"我只是觉得……"

"你觉得什么？"唐馨问。

"我只是一下不能接受。"易辰道。

"难道，你心里还想着她？"唐馨问。

"馨，你不要误会……"易辰想起那日柳红尘和自己在那槐树林中缠绵，雾气氤氲，阳光慵懒。她想起柳红尘欲拒还迎的目光和他头发上的桃花香。不，桃花香，为什么会是桃花香……

易辰用手将头发往后捋去，慢慢地，从前往后捋去。当他将头发捋到最后，便叹了口气望向了南骁，他铂色的眼神里掠过一丝难以觉察的遗憾："若她真是内鬼，你来动手吧。"

南骁的脸上看不出表情，只是漠然说道："动手之前，我们需要确认。"

"怎么确认？"易辰又捋了捋铂色的头发。

"小女子倒是有一计。"凉子说。

"且说来听听。"宁无道。

"在这之前，我想问问，司马印成为什么派自己的眼线去刺杀观灵师和剑术师？"凉子问。

"一来，司马印成需要在天浊蔽月之前尽可能地削弱魂国的战斗力；二来，大概是私仇吧。"易辰低低的声音。

"那你们说，下一个受害者会是谁？"凉子又问。

"谁都有可能。都到这种时候了，于他而言应该是杀一个算一个。"易辰道。

"既然如此，何不让我假扮白夜去试探柳红尘。"凉子说，"若柳红尘动手了，既证明了她是凶手，也证明了白夜的清白；若是她没有动手，我便将计就计以白夜的身份去套她的话。"

"英雄所见略同。"宁无说道，"只不过，你灵力低微，这风险是极大的。"

凉子的眼里毫无惧色："灵魂之渊到了存亡关头，吾等定当奋不顾身。正因为小女子灵力低微，才能以易容之术假扮白夜而不让人觉察。"

宁无说："我会用灵械模仿出白夜的气息，只要你戴着它便能以假乱真。并且，我会让你穿上防护铠甲。她必定无法一招取你性命。"

凉子小姐顿了顿，说道："宁无师傅，小女子的元神在胸口右侧，并非如常人一般在胸口左侧。贼人必然无法将我一击杀死。既然宁师傅准备了灵甲，那就恭敬不如从命了。"凉子小姐站起来微笑着行了一个礼又望向了唐馨，"唐谷主，您与白夜魂主私交甚好，在计划进行的时候，你一定要千方百计拖住她。"

"好的。"唐馨小声说。

凉子一下打开了蓝色的折扇。紧身和服华美端庄，白面红唇窈窕多姿。她朱唇轻启道："大幕已拉开，只等把戏唱！"

一封诱敌的书信以白夜的名义发出。这书信就如一块甜腻的奶酪，等待黑暗中的硕鼠自投罗网。

灵官红尘：

吾因施术移动蚕灵谷身体抱恙功力大减，如今更是灵力全失功力全无。然蚕灵谷中琐事不断，谷主明空力邀本座前往商议。是故本座命汝护卫一二以防不测。

手此奉复。

白夜

面如凝脂，身段婀娜，举手投足里是不食人间烟火的冷，一颦一笑间是普度众生的暖。一个活脱脱的白夜在凉子的妙手之中出现在众人面前。

"唐谷主，你先行前往第六商铺拖住白夜。"凉子说完，唐馨便匆匆离去。

"第五魂主，黄金神猎，你们二人远远跟着我，一定要待她出手再抓她个现行。"凉子说罢，走到了宁无面前，"第八贤者的学生果然名不虚传。这伪造气息的灵械果真好用。只是白夜在那商铺之内不会发觉在深渊的某处还有另一个自己吗？"

宁无扶了扶眼镜道："凉子小姐不必多虑。并不是深渊中的每一个人都有如观灵师和剑术师那般敏锐的嗅觉。只要唐谷主将真的白夜留在商铺之内，她定然无法感知。"

宁无说罢，便拿出了两个黑色的手镯分别递给了易辰和南骁。

"这是扰乱气息感知的黑环。只要佩戴这个跟着凉子队长，你们的气息便会减弱十倍。若有人感知，你们便会被判断为于十倍之远的地方。"

"我倒是用不着，我已经有这个了。"易辰说着，便掏出了别星辰。

"凉子队长，我给你的铠甲穿上了吗？"宁无又问。

"多谢宁师傅关心，小女子已然穿上。"凉子笑了笑以白夜的身形走出了黑暗的明舟阁。

她走过灵魂之树巨大的树影，银丝桐木鞋底在粗糙的石制铺路上踢踏作响。她周身的九层白纱让清风吹起，仿佛她那宽大的衣服里有数只白鸽在兀自扑腾着。走过街道两旁白森森的壁垒往灵魂之渊出口的方向走去，过路的神猎无不向她行礼。

待凉子走上山壁来到深渊结界的出口处，柳红尘已经等在了那里。

柳红尘行了一个礼说道："魂主大人，今日怎么没有使用空间阵法，反倒亲自步行于此？"

凉子笑了笑："红尘，今日吾身体抱恙，恐不便使用灵术。蛊灵谷就在不远处，你我速去速回。"

凉子一挥手，看门的神猎一同施术，那门中的结界便消失不见。

柳红尘随着凉子假扮的白夜走过青青的草地，走进了茂密的树林。待二人走远，易辰以魂主的身份命令看门人打开结界，便带着南骁不远不近地跟着。

"凉子果然考虑周到，从深渊到蛊灵谷的路上皆是可以躲藏的地方。"易辰躲在一棵粗壮的大树后低低对南骁说。

南骁点了点头，没有答话。

凉子与柳红尘二人在这没有人烟的树林里慢慢走着。

"白夜大人，您此前进出蛊灵谷用的都是空间阵法，这一次却改为了步行。莫非……"柳红尘欲言又止。

"红尘，你是自家人，本座不瞒你。本座早间被司马印成打伤，又冒险驱动灵力在云牙谷中救出你和青丝，更在不久前将蛊灵谷整个移动到了深渊边上，现而今功力耗损过大已经无法施展空间之术了。"凉子用白夜的语气沉重地说道，这话语里带了五分真诚、三分无奈和两分的惋惜。

"白夜大人，此事可千万不能让其他人知道。如今天浊蔽月之日就在眼前，可不能乱了军心。"柳红尘说。

凉子顺势接道："是啊，红尘，你一定要为本座保守这个秘密。"说罢，凉子话锋一转，"话说前段时日，连安给深渊发来了求救信号。你为何没有前往？"

柳红尘顿了顿，略带迟疑："不瞒白夜大人，前段日子，红尘受了不小的打击，所以实在是……"

"是什么样的打击竟能让我魂国灵官如此这般呢？"凉子笑了笑，用白夜的口气说道，"让本座猜一猜。魂国中总有些风言风语，有人说你和代理魂主易辰似乎有些说不清道不明的瓜葛。"

柳红尘脸一红，说道："请白夜大人明鉴，红尘和易辰，没有关系。他贵为魂主，而我只是一介低贱的灵官。红尘怎敢有所奢望？"

"红尘，本座来给你讲讲咱们魂国的故事吧。"凉子款款道来，"五百年前，我魂国的神猎只遵天道，而无人欲。神猎们清心寡欲一心只想着除魔卫道，一旦被发现有儿女私情，便会被三尊处以极刑严加改造。直到五百年前的一天，出现了一位名叫易枫的神之猎魂者，他恋上了一位名叫茉芳的女神猎。从此郎情妾意，鸾凤和鸣。可他们的关系很快就被魂主觉察。如意料中的一样，易枫被剥去了神猎的外衣打入灵船沦为了魂奴，每天过着生不如死的卑贱生活。灵船在盲水之中穿行，唯有将灵魂倾倒入洗魂池的时候才会经过灵魂之渊上空。自此，魂国里多了一个长年呆坐在树下的女子日日以泪洗面。每当灵船的汽笛声在头顶响起，她都会抬头张望。一年又一年，她那满头黑发竟然变成了花白。易枫不忍看到茉芳如此憔悴，便在灵船接近时撕下身上的布条，血书四字——'安好，易枫'，然后让有灵性的白鹤衔着这布条送给茉芳。每当茉芳见到了这布条，眼神中都会闪现出对生活的希望。可是日复一日，年复一年，易枫因为不停地撕下身上的布条已是衣不蔽体一丝不挂。当灵船又一次接近灵魂之渊时他已经没有可以书写的布条了。他偷偷望见树下的茉芳声嘶力竭地哭喊起来，她以为他已经死了。易枫伏在船舷上大喊着茉芳的名字却只迎来了身后无情的皮鞭，他的声音在灵船巨大的轰鸣中被吞噬。眼看着灵船要掉头离去，易枫一咬牙，在手臂上血书四字，然后一口撕下了手臂上的皮肉丢给了空中的白鹤。三尊听闻此事大为感动，决定赦免易枫。可茉芳相思成疾已是朝不保夕。三尊问易枫，茉芳将逝，花容不再。汝心依依，可有悔过？易枫淡然答道，待到来年花开时，茉芳常在；待到海枯石烂日，吾心方悔。至此，三尊思量了十年，终于承认了情爱。所以，只要不产生子嗣，魂国已经默许了男女之情。"

柳红尘小声说道："为何，我之前从未听说过这些？"

"这是魂国的潜规则，是不能轻易说出口的逆鳞。"凉子说。

柳红尘小声说道："只可惜，落花有意，流水无情，易辰已经心有所属。我于他而言，只是一个可有可无的替代品，一个自作多情的影子。"

"红尘，子非鱼安知鱼之乐？"凉子说罢，朝前走去。

柳红尘顿了顿，声音凄凉："海鸟和鱼，注定无法相爱。"

下一个瞬间，凉子只感觉后心一痛，一口鲜血从喉咙里翻滚上来。

"白夜大人，对不起。我是内鬼。"柳红尘立在凉子身后，她的猎魂刃准确地贯穿了凉子的心脏。

凉子忽然笑起来，大口大口的鲜血沾满了她的白衣。下一个瞬间，易辰如天降一般出现，他的手中绽放出橙色的烈焰。柳红尘只感到后背一痛，她一个灵虚瞬动逃出几十米。南骁追出几步，猎魂刃化为了一根金色的棍子朝着柳红尘的头顶轰了下去。

柳红尘飞身躲闪，她所站立的地面被这棍子砸得如地震一般裂开。

"易辰，刚才那一剑，你为什么不杀了我？"柳红尘站在远处脸色惨白，她冷冷地看着一脸冷峻的易辰。

易辰举起剑："你不要以为我是手下留情，我只是有话要问你。"

南骁将铁棍横在身前低声说道："她之前一直在隐藏实力。一般人根本不可能躲过我的那一击。"

柳红尘望了一眼易辰，眼神里满是复杂的感情。她的眼角淌下两滴泪水飞也似的往后逃去了。

"易辰，我追不上她，只能靠你。我在这里照顾凉子。"南骁说着，就走到了奄奄一息的凉子身边。

易辰深吸了一口气，收起橙色的灵剑追着柳红尘去了。

南骁来到凉子身边，哀伤地望着她："你为什么没有穿铠甲？"

凉子闭着眼睛已说不出半个字。她的身体在阳光中渐渐消失。

"南骁。"一个声音在南骁身后响起，南骁一转身，却见一个十岁左右的孩童悬浮在半空。他褐色的头发在空气中浮动，黑色小西装透着英伦绅士风。

"魂主大人，您怎么来了？"南骁问。

那小男孩一脸凝重："我从探查司马印成巢穴的任务中返回，感知到白夜与柳红尘的气息也并没有在意。真是万万没有想到这柳红尘竟会做出这等大逆不道之事！"

槐来到凉子身边查探了一番："一招儿击碎元神。看来柳红尘就是这魂国的内鬼。只是……"槐低头看了一眼凉子，"她似乎并非魂主白夜。"

南骁说道："她是灵械队长松下凉子，本来我们相约让她乔装打扮穿着铠甲诱敌，可我不知道为什么……"

槐沉思了片刻，说道："我听闻易辰是那柳红尘的师弟，我怕他下手时犹豫不定。为今之计，你前去助他，我立即返回深渊向三尊禀明此事。"

"了解。"南骁说完便随着易辰追赶的方向去了。

柳红尘像是一只受伤的仙鹤在树林的枝丫间绝望地飞舞扑腾，一路都落下她的鲜血。易辰睁着铂色的眼睛如一只蓝色的猎鹰紧紧追赶。柳红尘的鲜血随风飘到易辰的脸上，易辰忽然感到一阵莫名的酸楚。

"红尘，放弃吧……"易辰的声音。

柳红尘回身一剑和易辰拉开距离，她一头钻出茂密的树林，脚下踩到了坚硬的岩石，身后出现的是那无底的黑风崖。易辰的手上绽放出橙色的烈焰，那火焰凝聚成了剑的形状。

"红尘，王老师是你杀的吗？"易辰的声音冷地像一把匕首。

柳红尘握着剑颤抖着，鲜血从她的后背淌落在黑色的岩石上。

"不错，是我杀了师父。"

"为什么？"易辰的声音还是那个语调。

"因为，这是司马大人的命令。"

"你竟然为了一个大魔头杀了待你如亲生骨肉一般的师父。你怎么下得了手？"易辰的眼眶湿润了，而柳红尘也已是泪流满面。

"易辰，假若我柳红尘还有第二条路可选，即使那是一条死路，我也不会将手中的剑刺入师父的胸膛。你知不知道，当我听见那血肉模糊的声音我有多么恨我自己。我柳红尘是想死而不能，想死而不能啊！！"

"红尘，跟我回去。"易辰道。

柳红尘一步一步退向了黑风崖，崖底涌上的大风将她的红色发带吹起。

"我回深渊，就是死路一条。你想看着我死吗？"柳红尘的头发被风吹动，半遮着她落满泪水的脸。

"易辰，你有没有爱过我？"柳红尘细弱的声音，"哪怕一秒钟，哪怕只有一点点。"

易辰吸了吸鼻子，望了望天不说话。半晌，易辰咽了咽口水，问道："卯时鬼是谁？"

柳红尘含泪笑了笑："我就是卯时鬼，卯时鬼就是我。"说完，她身后的黑风崖底涌上一阵狂风。柳红尘一跃便与风拥抱在了一起。无数黑色的羽毛翻滚上来。黑羽姬立于黑风舸上，这黑色羽毛拼成的飞船载着柳红尘消失在了遥远的天际。

南骁从易辰身后飞奔而来，望着叱风而起的黑风舸不说话。远处的天浊星已经半遮着月亮，在这变幻莫测的血色长河尽头是那样让人毛骨悚然。

第三辑

到处都是人。他们在看我们。

看我们哭，看我们笑，看我们吃饭，看我们睡觉，看我们猜测命运，看我们探寻未来。

他们存在于另一个世界。那世界中一个普通人写了一本书。书的名字，叫"宇宙"。

复灵现世

　　大风吹起布帐，老木窗子嘎嘎直响。风卷黄沙掠过空旷的街道，几个竹筐被风吹动兀自翻滚。如今的风城已如死城一般，冷清而寂寥。

　　呜呜的风中，胡凤儿行走于空旷的街道，寂寞的城池里只有她孤单的身影。凤儿不自觉走出了风城，独自来到了风城边的绿洲里。他看见绿洲水洼中自己清澈的倒影喃喃道："我终于发现了自己的能力。前些天，我抓住了孙婆婆的手，便听见了十里外的声音。我将手搭在了孙二哥的肩头，便有了用手指阅读的能力。如果我带上你，我们，便能去找舜夏了。你听到了吗，云牙姐姐？"

　　而在千里之外，舜夏带领着风城大军已经蛰伏在了深渊南面的丛林里。在这里，可以看见天边即将被天浊星覆盖的月和灵魂之渊岌岌可危的防护结界。

　　舜夏身着妖王战甲在军帐中将半壶酒一饮而尽。

　　"城主大人，"线人掀开绿色的帐子伫立在舜夏身旁，"左将军沐鲁托已经施术遮蔽了我军的气息。据探子来报，魂国首席观灵师已死，而魂国天眼被大人击毙。现而今，魂国应该没有能力发觉我们的存在。依小人愚见，我军大可蛰伏在此，待司马印成的大军攻破深渊就可坐享渔翁之利。"

　　线人话音刚落门外便闯进一小卒大喊一声："报！乌托堡主，圣裁者司马印成求见！"

　　线人身体一颤，大声道："这不可能。我们才刚到这里驻扎，司马印成怎可能知道得这么快？"

　　舜夏的脸上毫无惊讶之色，他仰头将酒壶最后的几滴酒倒空，便把酒壶往那朱漆大案上一拍，说道："司马印成是什么货色，我比你要清楚。"舜夏转头对那小卒道，"传。"

不一会儿，帐前士兵让开了一条道。那帐外便走进了一男子。他面容清癯，富贵逼人。细细一看，却又是鬓如刀裁，眉如墨画，唇红齿白，不怒自威，一撮短髭却添了沧桑。他头戴玉冠，脚踏金靴，一身镶金灵袍在儒雅中隐含着霸气。

"在下司马印成，参见城主。多日不见，城主越发威严了。"司马印成拱手道，他的声音却是与他儒雅外表不符的暗哑。"在下对老城主渊帝风邪之事非常遗憾。昔日老城主与在下曾是并肩作战的伙伴，本想着要去风城吊唁一番，可如今大战在即，吾等须以大事为重。"

舜夏懒懒坐在黑金宝座之上没有起身回礼的意思，只是冷冷道："别给我来你们古人那套。说吧，你来的目的是什么？"

"城主果然直爽，那我司马某人就有话直说了。"司马印成也不等舜夏邀请，便坐在了舜夏侧面的木椅子上。

"今日在下前来是和城主商讨结盟之事的。"司马印成认真地说道，他的双眼炯炯有神，似是燃烧着一团火。

"结盟？"舜夏看了司马印成一眼，眼中充满了杀气，"你倒是说说，怎么个结法？"

"城主莫着急。在此之前，司马某人且问一句，城主此次出兵的目的是什么？"

舜夏的嘴角微微上扬，脸上浮现出一丝乖戾之气："那你倒是说说，你的目的又是什么？"

司马印成淡然一笑："想必，城主应该还记得当年封灵台一别吧。我司马某人当年已把事情说得非常明了。这世界已然千疮百孔，这世上的人心早已不比从前。我司马某人毕生的愿望就是毁掉这个肮脏的世界，创造一个充满善意的乌托邦。"

"简而言之，你就是想要统治世界了？"舜夏的话语咄咄逼人。

"非也，非也，"司马印成摇了摇头，"若我司马某人想要统治世界，那我依旧是欲望的奴仆。吾历经千年沧桑，功名利禄于已如过眼云烟。吾并非要成为这世界的主人，而是要成为这世界的导师。"

"废话少说，本王问你三个问题。"舜夏说。

"城主请讲。"司马印成儒雅地回道。

"第一问，"舜夏竖起一根手指，用充满鄙夷地看着司马印成，"你打算不打算推翻灵魂之树？"

"于我司马某人而言，有两种选择。第一，推翻这棵肮脏的老树，让洗魂池再创造一个干净的树苗；第二，攻入灵魂之树，杀死树中不再纯洁的神，让洗魂池创造一个新的神。而届时我会走哪条路，就看这场战能打到什么程度了。"司马印成话语诚恳。

"好的。本王再问你，你打算杀光神猎吗？"舜夏又问。

"吾会除去所有妨碍计划之人。若他们愿意替我管理新的世界，我很乐意留他们性命。"司马印成答道。

"最后一问，与你合作，本王能得到什么好处？"

"在乌托邦中，众生平等。深渊者将可以坦然地活在阳光之下，而不必在那贫瘠的风城中寂寞老去。"司马印成似乎早就吃透了舜夏的心思，每一句话都如一把焦糖做成的甜蜜匕首刺入舜夏的心窝。

"你我或许可以结盟。"舜夏道，"但我大军不打头阵。"

司马印成淡淡一笑："我司马某人对城主已是知无不言言无不尽。我也要问问，城主的目的又是什么？"

舜夏顿了顿，赤色的眸子闪动了一下："于公，本王要让深渊者过上常人的日子，有地可耕，有衣可穿，有肉可食，有家可归；于私，我要替我死去的父母兄弟报仇雪恨，让杀死他们的凶手血债血偿！"舜夏的话语毫不掩饰。

"和城主交谈果然爽快，"司马印成道，"既然城主如此直爽，那我司马某人也就不拐弯抹角了。我给城主三条承诺。第一，我司马某人的部队来打头阵；第二，事成之后，灵魂之渊由我管辖，而异界由城主管辖；第三，杀死你母亲与弟弟的凶手柳红尘现在就在我的手上。事成之后，我自然会将她交由你处置。而杀死你父亲的第七魂主，吾会亲自助你报仇。"

舜夏万万没有想到司马印成竟然是如此爽快的一个人，一时竟不知该说什么。他端起另一个酒壶喝了一口，问道："说吧，你有什么条件？”

司马印成露出洁白的牙齿：“城主果然是聪明人。在下的确有三个小小的条件。第一，城主要将一半的兵力混入我的魂煞部队听由我的调遣。我保证不让他们打头阵。”

舜夏的眉头蹙了一下，缓缓问道：“那第二呢？”

“第二，你我分工明确。吾负责攻破三尊的神之三才阵，而另外四位魂主以及深渊里其他的高手就要交由风城来牵制。不过城主放心，我自会派出乌托堡的高手来助你。”

“还有呢？”舜夏继续问。

“第三，城主的部队在事成之后必须全部撤离灵魂之渊。异界里大片的绿洲是你们的天地。自此我们两邦友好往来互不干涉。”

舜夏仰头又喝了小半壶酒，抹了一把嘴，看了看司马印成：“你提了三个条件，那本王也得提一个。”

“城主请讲。”

“至此我深渊者可以自由出入凡世。”舜夏道。

“只要深渊者循规蹈矩不破坏规则秩序，莫要说是凡世，就算是灵魂之渊也可来去自如。”司马印成说。

“我们自会制定法律条文加以约束。”舜夏道。

“好，我就给你这个承诺。”司马印成一口答应。

舜夏又喝了一口酒，说道：“你所做出的承诺和开的条件本王都记下了，本王三思后便会给你答复。你且到偏帐中稍做小憩回避片刻。”

待司马印成出帐回避，舜夏便召来了沐鲁托以及风城四卿。四位须发皆白的老者在帐中拱手而立。

舜夏将自己与司马印成的谈判转述了一遍，众人听罢陷入了沉思。

“说说吧，本王听着呢。”舜夏说完，便自顾自喝起了酒。

“这司马印成好生厉害。”伯卿率先开口。

仲卿说道：“依老臣愚见，将一半兵力交由外人掌管是大大的不妥。”

叔卿说道："老臣赞同仲卿的看法，这司马印成做出的承诺和开出的条件尚可接受。只是这交兵权一事还有待商榷。"

季卿说道："这场战役关乎世界格局，我们在此定下的所有盟约都只是一纸空文。老臣只怕这司马印成心肠歹毒，到时候过河拆桥将我们深渊者赶尽杀绝也未可知啊。"

伯卿道："莫不然，我们在此按兵不动，见机行事。若那司马印成形势大好，我们便帮上一把；若那司马印成兵败如山倒，咱们便撤回风城，权当没来过这里。"

线人说道："据我对司马印成的了解，若不与他结盟坚持按兵不动，他必然会将我们埋伏的兵力与地点泄露给魂国。到时候魂国极有可能主动出击来个先发制人，而他则可以乘着魂国老巢空虚之时大军突进。我们风城将会沦为他分散魂国注意力的一枚棋子。"

"末将并不认为魂国会主动出击。"沐鲁托道，"毕竟天浊闭月只有短短数天，只要魂国撑过这几天，结界就会恢复。魂国没有必要冒险出击。"

线人反驳道："战略上，魂国的确没有必要主动出击，但在战术上，魂国或许会赶在我们行动之前先发制人。外加司马印成从中挑唆，我们必然讨不到好处。"

四卿一听这话，不禁同时抚了抚长长的白须，叹了口气。

"看来，这司马印成是铁了心要将我们拉下水。这渔翁之利，是讨不到了。"舜夏低低道。

"那城主的意思是？"线人问。

舜夏没有回答，反问道："众卿该不会认为灵魂之渊已是我们的囊中物了吧？"

四卿，沐鲁托和线人都不说话。舜夏冷哼了一声："那司马印成好大的口气！他言语间仿佛攻下深渊如探囊取物，也未免太自欺欺人了！魂国的实力深不可测，就凭他乌托堡和我风城不说攻下深渊，能不能全身而退都是个未知数。他竟和我讨论起了事成之后何去何从？呵，简直就是痴人说梦。"

"城主，依老臣愚见，司马印成绝非等闲之辈。我们深渊者之后千百年的命运都系于此一役。我们不得不和他合作。"伯卿拱了拱手。

"此话不假。如今之计与他合作才有最大的胜算。"舜夏说罢，又与几人讨论了片刻。

不知过了多久，舜夏心意一定便遣散了身边众人。司马印成翩翩然走入大帐。他行了一个礼，坐在了舜夏身边的椅子上。

"不知城主考虑得如何？"司马印成问。

"本王决定，与你结盟。"舜夏说罢却见司马印成一脸坦然自若，仿佛早就猜到了结果。

"本王可以将一半兵力混入你的部队。但这一切将在你对灵魂之渊发动攻击之后。"舜夏说。

司马印成的眼睛灿若星斗。他淡淡说道："看来城主还是不相信我司马某人。既然如此，本人有一小小提议。"

"说。"

"天浊闭月之日，我们可从青龙、白虎、朱雀、玄武四个方位向灵魂之渊发动围攻。但灵魂之渊地界广袤延绵两千多平方公里。世人往往被灵魂之树的巨大尺度所欺骗而误以为灵魂之渊只是一个小小的花园。若深渊中没有空间传送的阵法，从深渊的一端走到另一端至少需要两天。"司马印成道，"如此广袤的地界，光靠司马某人的部队是无法完成这四个方向的围攻的。换言之，若没有风城相助，这场战斗必败无疑。"

"你的提议是？"舜夏问。

"在此生死关头，我们应不分彼此才能博得一线生机。望城主能将风城大军与我的大军一同布置在深渊的四个方位。待我打响头阵，我们便一鼓作气一同发兵直捣灵魂之树。"

"那我们为何不将所有力量集中于一处，从一个方位单刀直入？"舜夏问。

司马印成道："魂国迟早会探查到你我部队的存在。若我们将所有力量集中一处强行突击魂国必定有所防备。到时他们做阵布局引君入瓮我们将全军覆没。不仅如此，我们必须分开七魂主以及魂国当中的其他高手，若不然以他们千年积攒的默契，届时互相援助攻防回护我们将没有胜算。"

舜夏看着司马印成炯炯的目光，听着他滴水不漏的分析，不由得从心底里升起一丝敬佩："司马先生果然好见识。我们何不一人攻两路，你攻东西，我攻南北？"

司马印成脸上复杂的表情转瞬即逝："恕司马某人直言，你风城的谋臣似乎并不信任本人。似乎唯恐我司马印成届时按兵不动等着风城的部队先去送死。在此互不信任的时刻，唯有将你我绑在一起共同进退才是上策。"

帐中你来我往数回合，添酒回灯近黄昏。良久，司马印成和舜夏走出军帐，刺目的夕阳从树叶的罅隙中打落下来。他们走上营中驻台。一个面如红土，眼若火炭，身着战甲，威武雄壮；一个面如冠玉，目若星斗，灵袍披身，贵气逼人。

他们手持青铜觥，将觥中的血酒一饮而尽。

今日我风城之主舜夏，我乌托堡主司马印成歃血为盟。今日起，风城与乌托堡摒弃前嫌，合二为一，同心同德，生死与共！誓要将魂国匪军碾为齑粉！

红河天边淌，日月当空挂。迢迢天浊星，皓月盘中唉。神祇入梦酣，落木萧萧下。万千枯骨寒，凭栏空嗟叹。

时间，到了。

血色长河蜿蜒流转，肆意蔓延将整个天空染成了血一般的红色，整个世界也被笼罩了一层红光。灵魂之树的叶片一夜之间变成了金黄，如那深秋死去的蝴蝶翩翩飘落。

司马印成立于北方玄武之位的高台之上目光如炬，他华丽的镶金灵袍和长发随风而动。他就像一个高高在上的出世仙人俯瞰众生。他的眼下，魂妖、魂煞整军待发，密密麻麻攒攒而动。那些妖力高强的深渊者凝聚力量眼放青光，他们驱风驭雪，驱雷策电，蠢蠢欲动。那些奇形怪状的魂煞摩拳擦掌，磨牙砺爪。他们如狼似虎，如鹰似蛇，上天入地各显神通。

"崩坏吧，旧的牢笼！"司马印成剑指深渊。血色红芒映照他的侧脸却是有出尘之意。他举剑指天，眼神笃定："降临吧，新的世界！"一道白色的雷电划开了血染的天空。进军的号角骤然吹响。

嗡嗡的轰鸣之声如天边的闷雷由远及近，滚滚而来。空中似是有无数黑压压的大雁从四面八方朝着灵魂之渊盘旋而去。

那些黑色的"大雁"吐出红色的火舌，投下了密密麻麻的炸弹。灵魂之渊上空霎时火光冲天，巨响连绵。

司马印成望着远处翻滚的火海轻笑一声："魂国如何想得到，两百年后的今天，科技已是如此发达。今日，将是科技对灵术的颠覆，将是新世界对旧世界的无情摧毁！去吧，我司马印成的空中部队，你们要像那翱翔苍穹的猎鹰撕开灵魂之渊丑陋的外壳！"

无数的轰炸机和战斗机在灵魂之渊上空盘旋，投射下如鸟一般的影子。一些深渊中生于古代的神之猎魂者被这空中的怪鸟吓得不知所措。

"是我们出手的时候了。"深渊之内，王龙丢掉烟蒂踏了一脚，望了一眼身边整装待发的小猫。

一声令下，深渊四周的空地上，一排排防御空袭的炮塔破土而出。红色的火舌打向了空中疯狂的怪鸟。无数的战斗机被王龙安排的炮塔打落，那些飞机的残骸冒着黑烟一接触到灵魂之渊的绿色结界就被烧成了灰烬。

"看来，灵魂之渊果然是人才辈出。"司马印成淡淡一笑。他举剑指天，一道雷电信号随即发出。只见从玄武之位飞出一架红色大飞机，这飞机破空入云快得仿佛一道红色的闪电，弹指的工夫就到了灵魂之渊。

司马印成两道雷电指天，其余的战斗机便成掎角之势将这红色飞机保护在了当中。

王龙看出了猫腻，高射炮全数指向了这红色大飞机。无数的灰色飞机将这红色飞机包围起来，一架飞机被击落，便有另一架飞机补上。待这红色飞机突袭到了灵魂之树上空，其余的战斗机也已在王龙和小猫带领的灵械部队之下所剩无几。

司马印成念道："我的老朋友，你如今位列八贤，恐怕怎么也想不到，你在凡世留下的伟大杰作将会成为毁灭深渊的法宝吧！"

一道白雷指天，一枚红色的肥硕炸弹从那飞机的肚子中掉落。这炸弹就如死神的礼物一般直直下坠，只是那深渊中的神猎却多是不明所以。

"有人以为，世界崩坏的声音该如玻璃碎裂般啪啪作响，"司马印成嘴角上扬，眼神冰冷，"可我要告诉你，世界崩坏的声音，不是啪，而是咚！"

红色炸弹砸落到了结界之上。霎时仿佛天崩地裂，末日降临。全世界的声音都消失了，全世界的色彩也消失了。神猎们左右倾倒不知所措，只有那震耳欲聋的巨响和那能将双眼刺瞎的火热白光如死神的拳头和怒吼将深渊震裂。

巨大的蘑菇云蒸腾而起，灵魂之渊的绿色结界痛苦地扭曲着，最终化为绿色的粉尘消失不见。金黄色的灵魂之树和深渊中高高低低的白色建筑就如一个个没穿衣服的女人裸露在了血染的天空之下。

"天哪，这是，这是核弹吗？这，这……"小猫被吓得抹起了眼泪。

"好在深渊有防护结界。这核弹只炸破了结界，没有伤到大树。天上的飞机不多了，我们一鼓作气把他们全都收拾掉。"王龙戴着护目镜，但他依旧感觉双耳刺痛，头脑发昏。

深渊中的神猎正要重整旗鼓进入战斗。司马印成的浅笑在北方玄武位的高台上浮现出来。

"那，第二枚呢？"

红色的飞机盘旋着投下了第二枚核弹。那红色的肥硕物体直直坠落，眼看着就要落到灵魂之树的顶端。

"完了！"王龙的瞳孔猛地放大，小猫恢复视力看清这一切时已经吓得瘫倒在地。难道这屹立千年的灵魂之树，这数代神之猎魂者建立的宏伟帝国就要在这一枚小小的核弹之下化为尘土了吗？

深渊中的神猎有的呆呆站着，有的已经瘫倒在地仿佛末日将至。

"旧的世界就将灭亡，新的纪元即将开始。来吧，让我们共同见证这伟大的壮丽瞬间！"司马印成仰天大笑。

可下一个瞬间，司马印成的笑容就变得干枯而僵硬。只见一道灵光闪过，三只发光兔子将半空中的红色核弹包围了起来。又是一阵灵光，这枚核弹竟然横空出现在了司马印成的头顶上方。

司马印成仰天大笑之际，正好看见了这枚红色的核弹如死神一般横空而出，直直地朝着自己的脑门正正砸落下来！

"不好！"司马印成大吼一声，飞身跃下高台。

"狂风，黑鸦舞！"黑羽姬猛地挥起一扇子，这扇子带起的飓风一下就将那枚核弹从司马印成的头顶上空往远处吹去。

"鲲之灵。"白鲲鹏双手妖印翻动，一道水流做成的屏障就将司马印成几人包裹在了当中。一声冲天的巨响带起天崩地裂的震动，巨大的蘑菇云在不远处升腾而上，炙热的光芒让人睁不开眼睛，狂乱的大风将周围的树木连根拔起。

白夜立于环绕着灵魂之树的第六商铺之上喃喃念道："这红色的炸弹不带一丝灵力竟有这般的威力。早知如此，本座便不会让第一枚炸弹落在我灵魂之树上空。"

玄武营里，核弹的冲击过后，白鲲鹏捂着胸口吐出一口鲜血。司马印成往周围看去，只见得一地焦黑，余火未散，自己驻扎的玄武部队几近全灭。

司马印成黑着脸，转身怒喝道："白夜不是被你杀了吗？"他冷冷看向了身旁的柳红尘。

"我当日的确亲手击碎了白夜的元神，可我不知道为什么……"柳红尘百口莫辩。

司马印成一个耳光就将柳红尘打飞了出去："废物，枉费老夫如此信任你。你竟敢背叛我！"

司马印成无心理会晕厥的柳红尘，举剑朝天发出了进攻的信号。

联合大军阵型已成：北方玄武位主将白鲲鹏，副将为黑羽姬；南方朱雀位主将是舜夏，副将是小沐；西方白虎位主将是尸鬼，副将为虹儿；东方青龙位主将是沐鲁托，副将为线人。

乌托堡的指挥官为司马印成，风城的指挥官为风城四卿。他们分别位于南北大营之中。待司马印成发出雷电信号，风城四卿便也命人发出了进攻的狼烟。那白色的雷电和红色的狼烟交相呼应，联合大军从四个方向同时挥师进发。

司马印成的坦克部队在前开路，主将与副将带领大队人马紧随其后。不一会儿，联合军便发现深渊周围环绕了一层绿色的毒雾。这雾气中还埋伏着许许多多剧毒的眼镜蛇。

这雾气对视线干扰极大，坦克也只能盲目地往这雾气中胡乱射击。

"看来，这是灵魂之渊设下的屏障。真是不堪。"北方的黑羽姬挥动扇子吹开一截雾气，将藏在雾中的蛇切成了肉酱。

西方的尸鬼大口一张一下将那毒雾吸入了身体之中，又用尸毒将眼镜蛇尽数毒死。

而南方的舜夏队伍和东方的沐鲁托似乎没有这么幸运。在这毒雾之中，许多士兵都被毒蛇咬死。

待坦克开到深渊边缘，便环绕着深渊一字排开，居高临下展开远距离的炮火轰击。耀眼的炮弹拖着黑色的烟雾砸向白色的建筑，炮火的威力却被这白色的屏障挡在了外面。

炮火连天之时，却见绿色的萤火虫从东方青龙门前纷飞而出。这些萤火虫飞上崖顶，钻入了坦克之中。霎时，这些威武的坦克便成了哑巴，仿佛一堆堆毫无生气的废铜烂铁瘫在深渊边缘。

首席灵械师简笛穿着脏兮兮的白大褂立于东方的青龙门前。她的手上拿着一个银色的匣子。那些绿色的萤火虫便是从这匣子中飞出的。

"以为，这样就完了吗？"简笛扶了扶眼镜轻笑一声，那些坦克纷纷僵硬地调转炮口，朝着飞奔而来的联合部队吐出了火舌。这些坦克已经完全被简笛的灵械控制，一举一动都要依照简笛的指挥。

待坦克中的机师将坦克强行熄火，简笛扣起手指，让萤火虫点燃了坦克的油箱。这些匍匐在深渊周围的坦克就如一枚枚炸弹炸裂成熊熊的烈火围绕在深渊崖顶。

那些被司马印成的符咒所控制的魂煞和风城的士兵滑入深渊。他们望着青龙门前的简笛说道："大家一起上，对方只有一个人！"

"是吗？"简笛扶了扶眼镜打开了手中的另一个木匣子。绿色的发光液体倾泻而出，汇聚成一个又一个人的形体。弹指的工夫，简笛的无相泥人便和联合军战成了一团。

简笛身后的不远处，宁无带着十队神之猎魂者已经恭候多时。

南方朱雀之位的联合军也被毒雾逼得早早发动了进攻。舜夏用羊皮布兜将小沐背在身后带领着联合军杀入了深渊。

他们在缓冲的空地上突袭了不一会儿，那地底下便伸出了蓝色锁链将前进的士兵一个又一个绊住。

不远处的朱雀门前，唐云翼挥动手杖喝道："到此为止了！"说完，他手中结起法印，那锁链上便绽放出了蓝色的火焰。那些被捆住的士兵在这蓝焰中痛苦地挣扎，一会儿就化为了灰烬。

更多的士兵被这锁链捆住，舜夏的部队眼看着就要变为一片火海。危急关头，小沐汇聚妖力在舜夏背后扣起手指，轻念道："解。"

那些蓝色的锁链便如被抽干了力气，只扭动了几下便断裂开来。唐云翼老目微眸，手杖上凝聚起白色的光芒。他的身后，南骁带着十队人马剑拔弩张。

与此同时，北方玄武之位的黑羽姬吹散毒雾之后却是不慌不忙。虽然北方大军已因核弹死伤无数，但在白鲲鹏和黑羽姬的身后依旧是黑压压的一大片。白鲲鹏立于大军之前。他身着青色铠甲，左右护腕一鱼一鸟。他剑眉紧蹙，死死地望着玄武门之后黑压压的魂国大军。

"杀！"一声令下，那些空中飞的，地上跑的魂妖、魂煞便如离弦之箭一般朝着玄武门风驰电掣而去。

唐馨一袭天女之衣立于玄武门前，面对潮水般汹涌的联合大军毫无惧色。

"大家一起上，对方只有一个女人！"联合军中传出一个声音。

唐馨手中法印翻动，口中咒语呢喃。她洁白的天女之衣发出圣洁的光芒，她眼中的梅花印记开始飞速转动。唐馨的身后，十株发着蓝光的梅花树拔节而出开枝散叶。每一株都是亭亭玉立，风姿绰约，恍若十位仙子歌舞蹁跹，或卧或坐。

十梅傲雪，花雨纷飞。无数蓝色的梅花瓣如星星点点的火种朝着密密麻麻的联合大军蜂拥而去。

一枚火种便能绽放出一朵蓝炎，一朵蓝炎便能焚烧一只魂煞。这无数的火种随风而去，却是将那血染的天空洗濯成了耀眼的湛蓝。

唐馨双手紧扣法诀翻飞，却又见狂风大作。风助火势绵延而起，颇有当年陆伯言火烧连营七百里，周公瑾火烧赤壁万千舟的恢宏气势。

唐馨只凭一人之力，就将那司马印成的北方大军瓦解了大半。

白鲲鹏与黑羽姬一看大军成溃败之势急忙施展术法。黑羽姬御风而起，黑衣黑裙布满黑羽。她挥动扇子，那些黑色的羽毛便如蝗虫一般和那些幽蓝的火种对撞到一起。

白鲲鹏双手向前结起妖印，便用妖力召唤出了一场大雨试图扑灭这熊熊的灵火。

白鲲鹏双臂一抖，手臂上的肌肉陡然崩出了青色的血丝。他左手凝出一张水做的盾，右手凝出一把水做的大背刀朝着唐馨御风飞了过来。他刚近前几步，橙色的烈焰便将他逼了回去。他的面前，易辰手握灵剑傲然而立。他铂色的瞳孔散发着深邃的光芒，橙色的灵力覆盖着他的全身。

"有我在，你休想靠近一步！"易辰的话语铿锵有力。

白鲲鹏眼放青光，白皙的脸颊上竟然浮现出了几瓣细小的鳞片。一只黄鹂鸟盘旋在他的周围，如那黑色天空中的黄色精灵寂寞地游荡。

"口出狂言，你可要知道，在你面前的可是司马大人手下的第一高手！"说罢，白鲲鹏举刀朝易辰劈了过来。

话分两头，在那茂密的树林里，在那离灵魂之渊不远处的风城南方大本营之中，一道灵光合着三只发光的兔子闪过。红黄蓝三个身影杀入了风城大营。那身着红袍的中年男子一脸络腮胡双手藏于袖中，他正是蛊灵谷戒律长老丹休；那身着蓝色民族服饰的男子脸色苍白手持一鞭一笛，正是蛊灵谷传功长老之蓝鹰；那身着黄褐布衣的男人魁梧壮硕握着一人高的狼牙杖，正是蛊灵谷执法长老之封弦鸣。

此时风城的南方大营倾巢出动，守营的兵士所剩无几。三位长老身怀绝技，更因白夜的阵法突然袭击打得风城大营措手不及。大营里光芒闪动，丹休的飞针、蓝鹰的魔笛、封弦鸣的狼牙杖将一波又一波风城士兵击溃。才一会儿的工夫，这风城大营便被蛊灵谷三长老击破。

"狼烟就是从这里发出的。"蓝鹰手握长鞭指了指地上的余火。

"魂主白夜的空间之术果然了得，我们赶紧找到指挥官断其首脑！"丹休正说着，就见远处的绿色营帐中走出四位须发皆白的老者。他们穿着黑金相间的宽大袍子拱手而立，宽大的袖子垂落到了膝间。他们分别戴着青黄紫白四色高冠，衣着也因青黄紫白四色收边而略显不同。

"你们几个老头还不乖乖束手就擒。反抗只会让你们死得更加痛苦！"丹休喝道。

那四位老者抚了抚胡须互相望了望。

伯卿说道："虽我风城四卿乃一介谋臣。可我风城到了存亡关头，就如我等垂老之人也当拼死一战。既然诸位有胆闯我风城大营，老夫就叫你有来无回！"

说罢，伯卿从背后解下一张铜琵琶欣然弹奏。霎时天色骤暗妖力弥散，琵琶之声恍若铁骑突出刀枪鸣，银瓶乍破水浆迸。三长老只觉得身上的每一个细胞都在痛苦地鸣叫，体内的血管近乎炸裂开来。

蓝鹰稳住气息牧笛横吹。牧笛声起若天边明月伴潮升，池边黄鹂鸣翠柳。笛声和琵琶之声互相争鸣，声声入骨。蓝鹰的灵力和伯卿的妖力在这血染的林中打得难舍难分。

仲卿一捋胡须上前一步从袖中祭出法器。只见一黑一白两个镶金棋盒悬浮在半空。仲卿伸手入盒抓出黑白二子往三长老掷来。丹休怒目圆睁，两根灵力汇聚而成的飞针和那黑白二子撞在了一起发生清脆的声响。伯卿伸手入盒，快若残影，每一次都是八子连发，连绵不绝的棋子无穷无尽地朝着三长老飞撒过来。丹休广袖轻舞，虽体态臃肿，但蓝色的飞针从他的袖中连绵不绝地飞出，和那棋子撞在一起恍若烟花绽放，钟鼓齐鸣。

叔卿广袖一挥脚底生风迂回着朝蓝鹰和丹休包抄过来。他从袖中滑出一卷铁制书简杀气逼人。封弦鸣迎面而上，狼牙杖往叔卿面门击去。那叔卿将卷轴打开身子一斜竟用卷轴兜住了狼牙杖卸去了封弦鸣的大力一击。

　　叔卿回身从左袖抽出另一卷书简，一挥手，那展开的书卷就如锋利的刀片一下割破了封弦鸣的外衣。叔卿左右开弓各握一柄卷轴急速旋转，就如一个锋利的陀螺将封弦鸣逼退了三四步。封弦鸣运起灵力一跺脚，翻滚的岩土让叔卿失去了重心。说时迟那时快，狼牙杖一照就击碎了叔卿的左臂。

　　叔卿捂着左臂退开几步，就见远处的季卿拿出一支龙头笔。他大笔一挥，叔卿的手臂竟然恢复了原样。虽然单打独斗叔卿不敌封弦鸣，但依旧凭借着季卿的瞬间治疗术和封弦鸣战成了平手。

　　风城四卿和蛮灵三杰在南方的大营中打得难舍难分。谁人知道，这风城四卿虽年老体衰，不比当年，但毕竟是风城的开城元老。蛮灵三杰以凡人之身与之相抗数十回合而不露败象已是难能可贵。

　　与此同时，在北方的玄武大营里，司马印成却是被逼入了绝境。

　　空间阵法闪过，司马印成的面前出现了三个熟悉的身影。站在当中的男人头绑七星带身背青铜像，巨大的身影如一座小山，他正是第四魂主曲狂；左边的女子手握黑镰刀身穿九重衣，白纱飞舞身姿丰腴，那正是第六魂主白夜；右边的小男孩有着褐色的短发，身着黑西装腰缠紫缎带，那正是第七魂主槐。

　　司马印成握着金色的短剑面对三位魂主笑容僵硬："真想不到，我司马某人竟然配让三位魂主同时出马。"

　　"司马印成，你作恶多端，逆天而行。今天，就是你的死期！"曲狂的声音如一口洪钟。

　　白夜举着镰刀："司马狗贼，你多行不义，竟召唤邪灵妄图推翻灵魂之树。还不乖乖束手就擒！"

　　"束手就擒？呵呵，"司马印成的脸上毫不慌张，"你觉得，你能胜过我吗？"

　　"你觉得，你能同时战胜三位魂主吗？"白夜冷声问道，白衣飘动，凝脂一般的脸上如冰似霜。

　　司马印成的嘴角浮现出了一丝不易觉察的笑容："真的是，以一敌三吗？"

　　曲狂发觉情况异常可为时已晚。他惨叫一声，紫色的时尘之雾绕满了他的左臂。他刚回过神，他身后的第七魂主已经举起紫色的雾气朝他的面门打了下来。

　　"不好！"白夜惊呼一声转动镰刀。法阵闪过，槐扑了个空，曲狂和白夜随着空间法阵移动到了十步开外。豆大的汗珠从曲狂扭曲的脸上滚落下来，他浑身的肌肉痛苦地收缩着。紫色的雾气像是致命的蚂蚁啃噬着曲狂的手臂。曲狂解下头上的七星头带咬在口中，从身后拔出一把短剑，一下就斩下了自己的左臂。

　　血液喷涌如柱，白夜赶紧施术为他止血治疗。

　　"槐，为什么？！"白夜眼泛泪光声嘶力竭地吼道，而曲狂已是面色惨白说不出一句话。

　　槐缓缓飘到司马印成身边，冷冷说道："你问我为什么？可笑！这世上哪有那么多为什么？我只不过听从了心中的声音，追随了我认为正确的真理。"

　　柳红尘从司马印成身后走出，她的手中牵着一个小男孩。槐转动手中的骷髅戒指望着曲狂和白夜淡淡说道："你以为，就凭柳红尘一个人，能杀得了神一般的观灵师吗？"

　　"难道……"白夜的呼吸开始急促。

　　"不错，"槐的表情满是冷漠，稚嫩的面庞上，满是和面容不符的沧桑和阴冷，"柳红尘身后之人便是我。当柳红尘隐藏气息用剑刺入观灵师的身体，他便发动了时光逆转之术。只可惜，我也是时间操纵者。观灵师的时间逆转之术正是被我的术法抵消才没有起作用。"

　　司马印成清癯俊逸的脸庞上浮现出一丝冷笑，他狠狠说道："现在，是三对二。"说完，司马印成指了指曲狂斩下的已经被雾气啃成白骨的左臂，更正道，"不，是三对一点五。"

　　司马印成步步逼来。白夜银牙轻咬，扶起曲狂一挥镰刀便消失在空间阵法中。

　　"若论逃跑，谁比得过兔子呢？"司马印成看了看槐，"你说是吗，路易斯公爵？"

司马印成说完，一下拉过了柳红尘身边的小男孩一刀割破了他的手指。他不顾那小孩声嘶力竭的哭喊，将他的血滴在了身后的法阵中央，又从怀中掏出一个陶制小瓶，将瓶中的血液挥洒上去。

"血云翻涌，蛊灵现世。渺渺苍生，皆为蝼蚁！"

连绵不绝的黑色煞气从血云邪阵中汹涌而出，蛊灵巨大的身躯从那沉沉的黑雾中苏醒。

一时间天色骤暗，日月无光。这条连接天地的巨大蜈蚣从那邪恶的法阵中拔节而出。一条腿，又一条腿；一截身体，又一截身体。从下而上的大风呼呼作响，冲天的腿脚和身体密密麻麻闪动如光。

蛊灵的头颅直入云霄，邪恶的眼睛如明亮的红色灯塔。它吞吐着煞气朝着灵魂之树蠕动而来。那千万条布满煞气的腿踩碎地上的沙石，搅动半空的云雾，天空竟变成了巨大的黑色海洋。那些黑色的波涛夹杂着雷霆般的轰鸣怒吼着、嘶叫着覆盖了血红的天空。

深渊混战

天空如海，狂风如墨，黑色的煞气滚滚而来。易辰和唐馨看见了北方直入云霄的蛊灵和那巨浪般的黑色煞气不禁心头一紧。

无数的魂煞在那黑气中张牙舞爪，和不远处的魂国大军对撞在了一起。远处厮杀声、爆裂声、惨叫声声声骇人。

黑羽姬的羽毛和白鲲鹏的水刃并没有给易辰和唐馨停顿的机会。白鲲鹏以水为盾挡下易辰的烈焰，挥手一刀便斩裂了他的灵甲。易辰身体一震退开几步，墨炎的声音从他脑海中传来："不要忘了我们的修行。他既能改变水的形态，我们何不使用三龙之力改变火的形态与之一搏？"

易辰心领神会，凝聚灵力，霎时火光大放，灵甲恢复如初。

"屠灵式！"易辰话音刚落，他的背后竟张开了一双烈焰织成的翅膀。他振翅一挥，腾空而起。耀眼的橙色光芒在那压顶一般的黑色海洋之下是那样耀眼，那样夺目。他就如那散发能量的烈焰天使，又如那对抗黑暗的救世神灵。

"燃烧吧！"这烈焰做成的翅膀骤然变大一倍，橙色光芒越发强烈。无数火种就像一支支烈焰做成的箭朝着白鲲鹏和远处的魂煞大军如流星火雨一般挥洒而下。

易辰心念一动，手中灵剑忽地幻化为一张发光的弓。他掣肘拉弓，那弓上便出现了三支烈焰神箭。

"去吧！"易辰喝道。三支灵箭破风而出，如三道橙光疾驰而下。白鲲鹏躲闪不及只得祭出水盾勉强抵挡。三声响动之后，白鲲鹏虽用水盾挡住了攻击，但也是面若金纸，嘴角发甜。

"岂有此理！"白鲲鹏怒目圆睁，那瞳孔竟放出了幽幽的绿光。

"奔腾吧，鲲之灵！"白鲲鹏双手向前，从那双掌之中召唤出一道白色的水浪。这水浪在空中变换形态，仿佛没有重量一般慢慢升起。这距离越近，声势越是浩大。最后竟幻化为一只巨大的妖兽灵鱼朝着易辰所在的高空奔腾而来。

"落星，屠灵式！"易辰驱动灵力，滚滚天火从那双羽翼中挥洒而出和那飞奔而来的水浪对撞在一起。一时间巨响连连，水雾蒸腾。那水中的鲲之灵大口一张，水势骤然变大数倍，那滚滚巨浪一个接着一个打过来，近乎要将易辰的烈焰吞吃殆尽。

煞气压顶，巨浪冲天，远处是远古邪灵，近处是上古灵兽。易辰眼中铂色光芒闪动，挥动烈焰之翼往后急退而去。那鲲之灵大口一张，竟从那口中射出密密麻麻的水箭。这水箭锐利无比，霎时就将易辰的烈焰之翼撕为了碎片。

易辰凝神聚气，眼光流转之处尽是夺命水箭。他驱动烈焰化出一双短翼在那水箭的罅隙中急速穿梭。鲲之灵一面吐着水箭，一边随着滔天巨浪跳跃着在空中朝易辰追去，试图将他生吞活剥。

远远看去，黑色的天空下，白色的巨浪里，一条发光的蓝色大鱼正在追逐着一个发着橙色光芒的萤火虫。再这么下去，易辰不是被巨浪淹死，便是被水箭射死，抑或被那上古灵兽吞入腹中。

易辰一咬牙，周身灵力流转，火光大放。他一蹬腿踏云而起，飞上了高高的黑色天空。

"哪里跑！"白鲲鹏大喝一声踏浪而上。他妖印紧握，一脚便跃上了鲲之灵的脊背。他乘着这巨大的灵兽朝着空中的易辰追杀过来，口中冷哼道："往下是灵兽之口，往上是黑色煞气，看你往哪里跑！"说罢，白鲲鹏手中妖印翻动，身后水流骤然增大，一时间妖力弥漫巨浪冲天。

这巨大的水流顺着深渊外侧的空旷之地朝着高处的玄武门逆冲而上。黑羽姬羽扇一挥御风而起。唐馨法诀轻念，竟也白衣如云，凌空而立。脚下原本坚硬的石地，现在已成了一片汪洋。这大水逆流而上，从玄武方向涌入灵魂之渊。那些裹着白色屏障的建筑恍若海中一块块白色的礁石屹。

"受死吧！"白鲲鹏于鲲之灵上大喝一声。易辰神情肃然双手相叠，就见那手间火光闪过，一道巨大的烈焰之网从易辰的手底编织而出，铺天盖地笼罩开来。

白鲲鹏暗道不好，无奈鲲灵速度太快已来不及掉头。这条大鱼便一头扎进了易辰编织的渔网之中。

"这不可能，都说这第五魂主修为尚浅，可竟有如此雄厚的灵力具象化出此等规模的网……"白鲲鹏心念至此已被困于网中。

"可是，你也别太小看我了！"说罢，这鲲之灵在那橙色的网中剧烈地扑腾起来，眼看着就要将那网撞破。

易辰立于高空念道："原来，屠灵式和三龙之力竟可到达这个境界。捕鱼，单有渔网是不够的！"易辰伸手向前，烈焰汇聚起来，聚成了一把巨大的鱼叉，对准了渔网中的鲲之灵就要直插下去。

白鲲鹏眼见易辰化焰为叉心底浮现出一丝绝望。他剑眉紧蹙，拳头紧攥，嘴角竟咬出了血："我白鲲鹏绝不能死在这里！"

橙色的鱼叉转眼即至。

"飞舞吧，鹏之灵！"白鲲鹏大喝一声，嘴角却也是淌下了血。那一瞬间，半空中妖风阵阵如鬼哭神嚎，这妖风化为了一只半透明的巨大怪鸟悬浮在空中。这大鸟体若山川，翼如垂天之云，只略略一挥，就将易辰的鱼叉吹得偏离了方向，擦着鲲之灵的身体散成了一道火光。

鲲之灵猛然一挣，易辰所织的渔网便也碎裂成了星星点点的火种被大水扑灭。

"战斗吧，鲲鹏之灵！"白鲲鹏口吐鲜血怒吼道。

"白鲲鹏，你疯了！"只见，那只发光的黄鹂鸟盘旋着飞到了白鲲鹏身旁，"鲲鹏本为一体。你若是将鲲之灵和鹏之灵同时祭出，便没有妖力去维持自身的妖魄。你快收起鲲之灵，先让鹏之灵战斗！"

"小鹂，没事的，"白鲲鹏道，"只消一会儿，鲲鹏之灵便会将对手碾为齑粉！"

"白鲲鹏，本姑娘才不管那么多。你要是有个三长两短，我也不活了。"那黄鹂鸟的声音里满是悲伤。

白鲲鹏转眼看向那黄鹂鸟，忽然说道："你们凡世的笔记本电脑不是不插电源也能工作几个小时吗？"

"都什么时候了，你还开玩笑……"黄鹂鸟一面伤心着，却又是被白鲲鹏这不合时宜的一句话弄得哭笑不得。

"小鹂，相信我。"白鲲鹏朝着那黄鹂鸟笑了笑，笑容真诚如同幼童，竟连他那嘴角的鲜血都如孩童贪食残留的果酱。在这黑天白浪中、血雨腥风里，在这旷世天劫、生死关头，这温暖纯净的笑容竟会出自一个本该杀人如麻的深渊者。黑色天空之下，这笑容，竟似乎定格成了永恒。

大风吹起，黄鹂鸟逡巡着往远处飞去，白鲲鹏的神情却又充满了肃杀之意。他在手中结起妖印驱动妖力，就见鲲之灵御水而进，鹏之灵御风而下，狂风卷白浪，声势不可挡。

"切"。易辰小骂一声化为一道火光往后退去。

"那个术，为何和司马大人的神之雷光术那么像……若我刚才没有因核弹受伤，应该还能……"白鲲鹏看着远处化为火光的易辰气喘吁吁。

"用了神之火光术竟还是摆脱不了这两个怪物。这深渊者到底是么来头？"易辰化为火光一边躲避鲲鹏之灵的联合攻击心中暗想。他开启窥之力看了一眼，却见唐馨和黑羽姬也在不远处斗法。

黑羽姬立于黑风舸上，面如霜雪，眸如皓月，身披黑羽，檀发成鬏。那无数的黑色羽毛由扇中飞出如一枚又一枚夺命的飞刀朝唐馨射来。

唐馨悬于玄武门上，天衣似雪，青丝如墨，杏眼红唇，美若天仙。那夺命的黑色羽毛转眼即至，却尽数被唐馨周身的灵力防护结界所阻挡。

"六合独尊，尸鬼封尽！"唐馨轻喝一声。空中忽然蓝光大放，六条蓝色的锁链如长蛇一般朝着空中的黑风舸扑去。黑羽姬御风躲闪，唐馨忽地扣起另一只手念道："十梅傲雪，草木皆兵。"就见那十株漂在水上的梅花树忽地飞到了空中，像是活了一样如十个仙女朝着黑羽姬蹁跹飞来。所过之处，皆是灵火。不消一会儿工夫，黑羽姬便被这十株梅花树逼到了远处。

唐馨手中法印流转，那在空中的六条锁链急急改变了方向伸向了不远处的鲲之灵。白鲲鹏猝不及防，这六条锁链只一瞬间就缠住了鲲之灵的身体。

二兽少了一只，易辰得以喘息，便用烈焰化为弓箭朝着空中的鹏之灵发起了还击。

二人焦灼之际，却见白光一闪，法阵乍现。一阵蓝光从那鲲之灵上空斩下，声势之大气吞山河。只见那被锁链束缚的鲲之灵哀嚎了一声便散为了无数发光的萤火虫飘向了鹏之灵上的白鲲鹏。

又是一道白光闪过，一个巨大的白色月牙形光环从鹏之灵身上横切而过。那鹏之灵哀嚎了一声也化为了蓝色的光点。

这一切发生得太快，待易辰和唐馨反应过来，就只见到第四魂主曲狂身背神像手握大刀落于浪上，第六魂主白夜身披白袍立于空中。

那原本在鹏之灵身上的白鲲鹏像是被抽干了所有的力气，如一具死尸一般直挺挺地坠落到了水面之上。随着鲲之灵的消失，深渊中的水竟也以不可思议的速度退去了。

北方的联合大军很快就被魂国压制，只是那远处的蚩灵依旧在向着深渊缓缓蠕动。白鲲鹏直挺挺地躺在湿漉漉的石质地面上一动不动。易辰、唐馨、曲狂、白夜慢慢走到了他的身边。

远处空中的黑羽姬破除了唐馨的十梅傲雪，却只见大军溃败，连白鲲鹏都落入敌阵，只得咬牙撤退。

　　曲狂用仅有的一只手握着刀来到白鲲鹏面前喝道："妖孽，受死吧！"说罢，便高高举起了刀。

　　"不要杀他！"一个稚嫩的女孩声音。只见那只黄鹂鸟扑腾着挡在了曲狂面前，幻化出了人形。只见那是一个年纪不大的少女，眼眸清澈，皮肤白皙。她穿着现代装束，一袭淡黄色连衣裙整洁大方。

　　"你是人类的英灵，为何为妖物说情？"白夜问。

　　那女孩看着曲狂凶恶的目光和手中的刀禁不住浑身颤抖："你要杀他，就因为他是妖怪吗？"那少女泪光点点。

　　"不关她的事……"白鲲鹏吃力地支起身子又吐出一口血，"她是人类，这一切都不关她的事。"白鲲鹏顿了顿，忽然说道，"她，她是被我挟持的，我，我根本就不认识她。所有的事，都是我做的，你们快杀了我吧！"

　　曲狂举刀就要砍去。那黄衣少女忽然一下扑到白鲲鹏身上哭喊道："你们要杀，就连我一起杀！要是鲲鹏哥哥死了，我也不活了！"

　　白鲲鹏奋力推开那黄衣女孩："你快走。我，我不认识你……"

　　"冤孽啊……"白夜叹了口气，摇了摇头。

　　曲狂一下掐住了白鲲鹏的喉咙，将他当空提了起来。白鲲鹏绝望地看着黑色的天空，曲狂的利刃悬浮在半空，对准了他的心脏。

　　"不要！"那黄衣女孩哭喊着往前挣扎。白夜一挥手，一道光芒闪过，那黄衣女孩便失去了意识。

　　"魂主大人，您这么做，未免过于残忍了。"唐馨来到曲狂身边说道，"这深渊者与这女孩情真意切，您在她面前将她的心上人杀死，岂不是与妖类无异？"

　　曲狂冷声道："明空谷主，妇人之仁只会因小失大。你身为凡人，依旧被七情六欲所牵绊。我身为魂主，事事当以魂国存亡，天下苍生为重。这深渊者妖力高强。我们杀了他，司马印成折一大将，必将声势大减，军心大乱。此时不动手，更待何时？"

　　"魂国存亡，天下苍生是吗？"易辰淡淡说道，"你看这深渊者都已经这副模样，还怎么危害魂国？我看杀了他，倒不如捉回去关起来好好审问，说不定还能问出一些有用的情报。"

"第五魂主所言不差，只是大敌当前，时间紧迫，待我们审出个一二三，这天浊蔽月之劫恐怕也接近尾声了。"曲狂道。

"不瞒第四魂主，本谷主有一套秘术可读取记忆，来去不过半分钟的时间。且让我取了这深渊者和那女孩的记忆传给诸位，我们再做定夺，如何？"唐馨问。

白夜望了望远处的蛊灵，说道："想不到明空谷主竟有如同魂使一般的读心能力。时间紧迫，请尽快。"曲狂将白鲲鹏放在黄衣女孩身边，唐馨便将左手放在了白鲲鹏的额头，右手放在了黄衣女孩的额上。蓝色的光芒在唐馨手中闪动。不消半分钟，她便扣起手指，将读取到的记忆幻化为了三个发光的小球，飘入了易辰三人的脑海。

白鲲鹏与女孩的记忆重叠拼凑在几人的脑海中浮现出来。

原来这白鲲鹏乃上古妖兽，修炼千年化为人形。因其气息与深渊者相近，屡次遭到神猎追杀。

时光到了现代，白鲲鹏被神猎追杀后遍体鳞伤逃亡凡世，奄奄一息之时候被一个名叫张丽的女学生所救。他于凡世避难之时，便和张丽互生情愫，开启了一段孽缘。二人交往一年，白鲲鹏便道出了实情。他告知张丽自己并非人类，并展示了自己身上的鳞片和青色的瞳孔。

张丽大惊之下夺路而逃，穿过马路时险些被大货车撞死，幸亏白鲲鹏运起妖力将她推开才幸免于难，而白鲲鹏自己却被那货车撞出几十米身受重伤。张丽大为感动，自此，便全心全意地接纳了身为妖兽的白鲲鹏。

两年之后，张丽怀孕，白鲲鹏打算隐居凡世，陪张丽度过此生。但当他想安定下来的时候，却突然遭到了第七魂主槐，和其手下的残忍追杀。

白鲲鹏见求饶不得，只得抱着怀孕中的妻子奋起抵抗，终于杀出一条血路逃出生天。可张丽乃凡人之身，在那残酷的战斗之中被神猎误伤，奄奄一息眼看着就要一尸两命。

白鲲鹏悲痛欲绝之时，司马印成出现在了他的面前。司马印成见张丽已经无力回天，便施术将其魂魄引渡到一只黄鹂鸟上，赐名"小鹂"。司马印成趁机拉拢两人，并承诺给其报仇雪恨的机会。于是，白鲲鹏便加入了司马印成的乌托堡，成了他手中最锋利的爪牙。

易辰、唐馨、曲狂、白夜四人看完白鲲鹏的记忆都是唏嘘不已。

白鲲鹏虚弱地卧在那里，吃力地说道："我今天的所作所为，都是你魂国苦苦相逼。如果当初，不是第七魂主不辨善恶，我依旧在那异界的深潭中长眠；如果不是第七魂主赶紧杀绝，我和小鹂的孩子就不会死，我们便能在凡世共度此生。这都是你们逼的！你们逼的！"白鲲鹏大骂一声，呕出一口血。

"你自己看看吧。"白夜将方才第七魂主槐露出凶相的瞬间，以及曲狂忍痛断臂的经过制作成了三个发光的小球传送给了白鲲鹏，以及易辰和唐馨。

易辰和唐馨看了槐叛变的经过仿佛被雷击中一般怔怔地站在那里。

"槐，竟然是内奸……这，这怎么会……"易辰捂着额头依然不敢相信他所看见的一切。他想起当年自己进入灵魂商铺和槐的交易，正是槐让自己、唐馨和舜夏去蛊灵谷封印蛊灵。

难道，这一切都是阴谋？这一切从一开始就是一场阴谋！

难道从第一天，司马印成欺骗自己进入灵魂商铺和槐接触起，这场阴谋就已经拉开了序幕？没错，细细想来，司马印成怎会让神器持有者落入一个外人手里？魂国人才济济，当年哪能轮得到三个凡人去蛊灵谷封印这远古邪灵？当年槐只是用了一个魂国人手不足、亟须用人的借口，开出了区区十年寿命的报酬便将自己三人推上了这条绝望痛苦的不归路。

易辰咬着牙，懊恼地捶打着自己的脑袋：我竟然到现在才发觉！

不对，有一个地方不对……

易辰忽然看向了白夜："当年在蛊灵谷里，我们三人已被司马印成捉住，他的阴谋就要得逞，槐和你在危急关头赶到才救了我们。如果他是内奸，他大可以当面倒戈，那我们就都活不到现在了。"

白夜苍白的脸上满是憔悴，她低声叹道："我们被骗了！都被他骗了！"白夜狠狠一甩袖子，"当年，风邪担心司马印成得到完全体的蛊灵日后不好对付，于是，便把司马印成召唤蛊灵的阴谋透露给了魂国。三尊决定立刻发动天机杀死你们三人以阻止血祭，唯有第七魂主竭力反对并主动请战来蛊灵谷营救你们。现在细细想来，这从头至尾都是一场披着慈悲外衣的残忍大戏。他的目的只不过是要给司马印成留下祭出蛊灵的后路。至于他和司马印成在那蛊灵谷里演的一出苦肉戏，大抵是要继续潜伏在魂国窃取情报，并在天浊蔽月之日给我们以致命一击！"白夜看了一眼曲狂的断臂，叹了一声，继续说道，"我和槐一人操纵时间，一人操纵空间。我二人合力发动的青白双神弑名震魂国。若不是槐将我二人阵法的罩门告知了司马印成，当年他怎知道斩断我们的时空灵丝将我打成重伤。现在细细想来，其实他早就已是破绽百出了，只不过，我们都被他正义凛然的虚伪话语和他那自导自演的苦肉大戏给生生蒙蔽了！"

"那他……他……"白鲲鹏卧在地上剧烈咳嗽了起来。小鹂渐渐苏醒，拍打着白鲲鹏的后背。

"小鹂，我们被骗了……我们被骗了……"白鲲鹏说这话时近乎带着哭腔，"原来，司马大人，不，那姓司马的和那第七魂主打一开始就是狼狈为奸，沆瀣一气。当年他们定是串通好了，先让第七魂主追杀你我，将所有的仇恨引向魂国，然后，那姓司马的再假惺惺地过来猫哭耗子伺机拉拢。这设局追杀我们的是他，设局救我们的还是他。亏得我给他当牛做马这么些年，到头来竟是被他卖了还在为他数钱！"

白鲲鹏气得喷出一口血，随后一头埋在小鹂的胸口哭了起来。

小鹂听了这一切也是花容失色嘴角颤抖。她忍住落下的眼泪，对怀里的白鲲鹏说道："这下好了，被自己蠢哭了吧。你说，我们该怎么办？"

"让我死了吧，这世界满满的都是恶意，活着太累了……"白鲲鹏道。

"白鲲鹏，你个蠢货到底是有多懒？你要是死了叫我怎么办？"小鹂道。

"第四魂主，我有一个问题想要问你，"唐馨上前一步对曲狂说，"深渊者杀人如麻，罪不容诛，可这上古妖兽出生纯净，魂国也要将他赶尽杀绝吗？"

曲狂慢慢放下手，那悬浮在空中的刀便落了地。半晌，他开口说道："我和白夜已经毁了他的千年修为，就权当是对他是非不分、助纣为虐的惩罚吧。"说完，他看了看远方慢慢逼近的蛊灵，和白夜一同消失在了一道白色的空间法阵中。

易辰和唐馨慢慢来到了白鲲鹏身边，小鹂警惕地看着他们："你，你们想干什么？"

唐馨在手中结了一个法印，一道治愈的绿光便在白鲲鹏的胸口绽放开来。

"你们走吧，走得越远越好。"易辰说道。

白鲲鹏由小鹂搀扶着缓缓站起来抹去嘴角的血，对易辰说道："我记得我们在那石林迷阵中见过一面。那时你修为尚浅，而今日，我却在你体内感知到了强大的力量。如今，我妖魄受损、功力尽失，能不能求你一件事。"

"说。"易辰道。

"帮我杀了第七魂主和那个姓司马的，替我和小鹂，还有我们的孩子报仇！"白鲲鹏的眼中闪现出几丝光芒，这光芒像是萤火虫一般缓缓将易辰环绕了起来，"千年前，我取得水龙之力，今天，我就将这力量托付给你。这既是我给你的武器，也是我给你的报答。"

易辰感觉丝丝清凉之力渗透进来，和自己体内的三龙之力融合到了一起。四龙在他体内交错盘旋呼之欲出，他将手一挥，一道熔岩凝聚而成的利剑便被他握在了手中。他凝聚灵力，周身竟覆盖起了熔岩铠甲，金色的裂纹在那铠甲之上闪动。这灼热的温度蒸发了脚边的水分，却因木龙的隔绝之力没有伤到自己分毫。

白鲲鹏看着烈焰修罗一般的易辰惊叹道："我活了上千年，还是第一次见到如此威武的屠灵之势。易辰，一切就拜托你了。"说罢，白鲲鹏抱起小鹂，御风往深渊之外飞去。

易辰卸去灵力铠甲，才见到唐馨从不远处走来。

"馨，蛊灵的情况怎么样？"易辰问。

"曲狂和白夜正在想方设法拖住蚩灵的脚步为三尊争取时间。现在，我需要施术将第七魂主叛变之事告知尽可能多的人，以免再有人遭他暗算。"说罢，唐馨做起法印，祭出法阵，无数发光的蓝色萤火虫载着重要情报从那法阵之中飞往深渊的各个方向。

话分两头，青龙门前，宁无和简笛的队伍正在与联合大军交战。她们在队伍的最后运筹帷幄。沐鲁托与线人指挥着大军，却迟迟无法突破。

"报告大人！"一个年轻的神猎来到简笛身后。

"什么事和宁无老师说，没见到我正忙着吗？"简笛聚精会神，手中法印不断。

那神猎见着了宁无，忽地面露喜色来到宁无面前："报告大人，前第五魂主连安，以及顾青丝顾小左姐弟回来了。"

"他们情况如何？"宁无一边把弄着灵械一边问。

"灵械部队在深渊不远处发现了动弹不得的他们，连安大人和青丝灵官身受重伤，小左灵官为了将他俩背到深渊附近，灵力使用过度昏过去了。"那神猎拿出一个卷轴，说道，"这是连安大人在昏迷之前嘱咐在下交给您的。他说，这是他使用灵蝶之术逼迫风邪写下的。"

"给我的？"宁无问。

"连安大人说，您是八贤的学生，定能看出些端倪。"这神猎话刚说完，就听见一个稚嫩声音，合着老成的语调从不远处传来："宁无副将，战况如何？"

宁无眼光一瞥，这说话之人不是那第七魂主还能是谁。只见他身材矮小，身着英伦绅士西装，腰缠紫色鎏金带，稚嫩的面容上满是和外表不符的老成。

"启禀魂主，风城和司马印成的叛军已经被我军压制，您无须多虑。"宁无说着，便展开了手中的卷轴。

这柄风邪所书的卷轴两端扣以檀木把柄，绣以镶金绢帛，上书三字正是"卯时鬼"。

宁无轻轻一笑："请问三尊的神之三才阵准备得如何了？"

"三尊已经就绪，一旦任何一个方位失守，便会启动神之三才阵。"

"如此甚好，请问第七魂主为何没与第六魂主一起，如此一来，该如何发动青白双神弒？"宁无问道。

"现在战况焦灼，我们第四、第五、第六、第七魂主分别支援一个方位以退敌军。而我，正是前来这青龙方位帮助汝等的。"

"是吗？"宁无话音刚落，忽然扣起法印。只见九只发着蓝光的长手从地底伸出，将矮小的槐结结实实缠绕在了中间。

"宁无，你这是做什么？"槐的表情满是阴冷和杀意。

"你终于露出狐狸尾巴了，卯，时，鬼！"宁无的手重重一合，那蓝手光芒大放，如九条蟒蛇般蠕动起来，看那架势是要将这第七魂主挤为肉酱。

槐的嘴角浮现出一丝冷笑。他周身灵力流转，紫烟弥漫，这蓝色的长手不一会儿便分崩离析在空气之中。

宁无口念法诀，蓝色的长手如竹子一般从地里拔节而出朝着槐风驰电掣般抓过去。槐身子一偏，却是御风而起，凌空而立，眼神里满是冰冷与不屑。

"宁无副将，我想你我之间是否有些误会？"槐淡淡问道。

"事到如今，你就不要装了！"宁无扶了扶朱红色的眼镜指着空中的槐，"在这大战之际，青白双神怎可能擅自分开。况且，"宁无将手中卷轴一挥，"风邪在死前，已经把一切都告诉我们了。"

"哦？"槐看了一眼那卷轴，问道："就凭这'卯时鬼'三字能说明什么？吾听闻连安此前传回这三字，而三尊八贤均不得解。你何以认定是我？"

宁无指了指这卷轴两侧的木质把柄道："单凭这三个字的确不能推断出什么。但这卷轴以木为柄，这'卯时鬼'加上这双'木'，合在一起不是你'柳时槐'还能是谁！"

"呵呵，"槐转了转手中的骷髅戒指道，"风邪为了逃过连安这测谎灵蝶可谓是绞尽脑汁啊。"

宁无继续说道："在这魂国之中，以单字为名的多半不是汉人。你本名路易斯怀恩，人们称你为'槐'，只是这'怀恩'的音译；而这'路易斯'，便被音译成了'柳时'。所以，你是姓柳时，而名槐。要是我早些见到这卷轴也容不得你放肆到现在！"

"好大的口气！"槐立于半空中淡然地转动着自己的骷髅戒指："要不是你穿戴了后眼和灵甲，我岂会容你有开口说话的机会？"槐看着一脸傲慢的宁无，嘴角浮现出一丝笑意。他慢慢从怀里掏出一封信，淡淡说道："看看你这不可一世的样子。你以为自己很聪明吗？既然你如此自负，本座就大发慈悲地让你知道自己其实是多么愚不可及！"

槐说着，就将手中的信掷下。那封信盘旋着飞到了宁无的手中。只见那信上是这么写的：

当你们见到这封信时，吾已驾鹤西去，但也已证明我魂国内鬼正是第七魂主柳时槐。吾的元神在胸口右侧，并非如常人一般在胸口左侧。若柳红尘一击击碎我的元神，说明她至少尝试了两次。柳红尘一击未中，柳时槐便施展时光逆转之术回到她出招儿之前，让其能再刺出一剑。柳红尘经过多次尝试和调整，直到刺出足以致命的一剑，柳时槐才让时间往前，让这一剑成为现实。这也就是为什么，所有人都是被一击毙命的。这柳红尘无论刺出多少剑，在外人看来，都只会是一剑，那千挑万选反复琢磨之后最为精准的一剑。宁无师傅，吾感谢您的灵甲。只是这柳时槐身怀时光逆转之术，若我穿戴灵甲，那柳红尘有所察觉知我有备而来，定会施术回到出手之前改变偷袭的决定。如此一来，吾等不但抓不出凶手，还会对魂主白夜平添怀疑。请原谅小女子隐瞒这个决定，若我将此事告知诸位，诸位必定百般劝阻平添纷扰。吾的灵魂已经陨灭，但吾的意志与你们同在。魂国到了存亡关头，吾等定当奋不顾身。请诸位继承魂之意志，将魂国内鬼绳之以法，守护深渊，以慰吾在天之灵！——松下凉子绝笔。

宁无看完这信已是双手颤抖，眼眶通红。她咬牙喝道："说，为什么这信会在你手里？"

槐冷笑一声："当日松下凉子就要死去，她倒在地上只有南骁一人看护。我略施小计便将南骁支开，随后从那松下凉子身上搜出了这绝笔信。你知道松下凉子最后是怎么死的吗？"槐的脸上满是阴毒的笑容。

"你……"宁无颤抖地指着他。

"她的元神被击碎，已经说不出半个字。她死前看见我时那绝望的表情真是令人难忘啊……呵呵。"

"受死吧！"宁无大喝一声，无数蓝色的长手往空中伸去。

"该死的是你！"槐冷喝一声挥动双手。霎时见紫光大放，紫雾蒸腾，那只骷髅戒指忽然变成了一把锋利的拳刃套在了他的手上。槐在身旁凝聚起六团紫雾朝着宁无直直轰了下来。

与此同时，在宁无和槐焦灼之际，南面朱雀方位魂军却是陷入了苦战。

朱雀门前，唐云翼法杖挥舞术法连连，南骁手握长棍在敌阵中冲杀。可联合大军依旧不断往深渊内部推进。

舜夏一身妖王战甲将小沐背在背后，赤色妖瞳透着冰冷的杀意。红色的妖气缠绕着他的双臂。他就像是一只嗜血的猛兽，又像是一个孤傲的君王。他手握父亲舜天留下的石骨剑，所过之处，灵血横飞。

舜夏大吼一声，变拳为掌击打在坚硬的岩石地面上。只见四面八方妖气蒸腾，血雾弥漫，无数妖气形成的半透明妖爪破土而出，将那四周的神之猎魂者撕为了碎片。

"死吧！"舜夏大喝一声，两个巨大的妖爪从朱雀门下破土而出，成合掌之势要将唐云翼抱在当中。

"八门遁甲！"唐云翼老目微睁，硬是在身边撑开了灵力防护结界将这两只妖爪生生撑开了一道缝。舜夏嘴角扬起一丝冷笑，他凝聚妖力，红色妖气大盛近乎要将唐云翼发出的白色光芒淹没。

"破！"小沐在舜夏身后轻念一声，那唐云翼的防御结界上竟生生出现了数道裂痕。

"那小孩竟然能破老夫的术。"唐云翼忽感妖力入体，忍不住口吐鲜血，眼看着就要被那妖爪捏为肉酱。

南骁一看唐云翼有难，便不顾一切地朝着舜夏冲了过去。

舜夏将手离开地面，运起石骨剑和南骁展开近战。而那远处的唐云翼痛苦地捂着胸口不禁倒在地上口吐鲜血。

南骁手握金色长棍身法敏捷进退自如，舜夏手握石骨剑每一剑都是开山裂石惊天动地。舜夏怒吼一声，攻势猛然加大，南骁一瞬间便被死死压制，任凭手中金铭棍如何飞舞都只有招架的份儿了。

远处唐云翼支起身体，手中法杖挥舞，一道又一道灵力攻击朝着舜夏飘过来。小沐扣起手指——化解。那唐云翼出了几招儿只感到灵力不济头晕眼花，禁不住又倒在了地上。

舜夏石骨剑横握，怒吼一声斩在了南骁的兵刃之上，竟一口气将他推飞了出去。南骁在空中翻了个跟头，直直立在了朱雀门的立面之上。南骁眼神凝重，金色瞳孔闪烁着光芒，他金发一抖，双脚一蹬，合着他金色的战甲就像是一道金色的光芒朝着舜夏射了过来。

金铭棍挥舞之间，大地震裂。舜夏躲过一击，飞起一腿朝着南骁胸口扫去。要是常人受了这神力一腿必然是内脏横飞，骨肉分离。而此时此刻，南骁的嘴角却浮现出了一丝笑意。

舜夏这神力一脚带着呼呼的劲风重重砸在了南骁的胸口。南骁身子一颤，大喝一声："纳！"舜夏只感觉一股巨大的力量从自己脚上传来，而自己健硕的身躯竟然像是一个轻飘飘的稻草人被重重击飞出近百米。舜夏的身体在地上翻滚着，他凝聚妖力，用妖爪摩擦着坚硬的地面稳住飘飞的身体。

他感觉腿上传来生生的疼痛，碎裂的骨头正在慢慢复原。

"城主大人，小心，这神猎的能力好生古怪。"小沐刚说完，就见南骁手握金铭棍迎面冲了过来。舜夏挥起石骨剑招架，却感觉一股不亚于自己的巨大力量从那剑中传递过来。舜夏虎口一震，石骨剑险些脱手。

南骁面无表情，攻势更盛，金铭棍连连挥出硬是将舜夏逼退了三四步。

"若论力量，这世间怎可能有人胜过妖王大人？"小沐低声说着，便扣起手指仔细感知。

"不好，"小沐蓝色的瞳孔微微放大，"城主大人，不要再和他交战了。这深渊者能在你的每一次攻击之中吸收力量，然后转化成自己的力量进行反击和反震。"

舜夏一听这话脸上表情一变。他退开几步，手中红色妖气升起，一只半透明的妖爪便朝着南骁迎面抓了过来。南骁身子一晃躲过妖爪，如一道金色的闪电朝着舜夏逼过去。

舜夏挥剑格挡，南骁大喝一声，那金色棍忽然发出光芒。一击之下竟将舜夏又推出了百米。舜夏的身体翻滚着重重砸在了深渊的山壁之上。他感觉嘴里一甜，不禁吐出一口血。

南骁没有给舜夏喘息的机会，他抡起棍子风一般地朝着舜夏扑了过来。

"城主大人！"小沐一下跳出了那羊皮布兜挡在了舜夏身前。南骁的金铭棍近在咫尺，小沐双手向前凝出一张妖力防护网。可这防护网接触到那金铭棍就像纸被针刺破一般不堪一击。

防护网破裂，南骁被力量反震得退开几步，而小沐身子一震被打飞到了空中。她口吐鲜血，褐色袍子在空中滑落，如一个破掉的洋娃娃从高空落下。随着一阵身体在沙石地上滚打的闷响，小沐便躺着不动了。

"小沐！"舜夏大吼一声站起身来。他的双手变成了红色的妖爪朝着南骁猛扑过去。南骁用金铭棍格挡住舜夏的妖爪，大喝一声，这力量就将舜夏的手臂反震得骨头断裂。

南骁挥起一棍，舜夏躲闪不及只得回手格挡。这一棍又将舜夏另一只手臂打得骨头碎裂。舜夏双臂齐断，眼看着要成为南骁刀俎之下的鱼肉。南骁面无表情，如那地狱修罗一般抡起一棍子就朝着舜夏的头顶击打下来。

"乱！"小沐趴在地上奄奄一息，她口吐鲜血颤抖着指向抡起棍子的南骁。南骁只感觉身子不听使唤，这一棍子的力气霎时被卸掉了。南骁牙关紧咬从指间摸出一枚硬币，电光火石一般朝着小沐弹射过去。

"小沐！"舜夏大喊道。可那硬币却像是子弹一样没入小沐的额头。她的小手无力地垂下了，鲜红的血液从她的身下铺张开来，和其他死去深渊者的血液混合到了一起。

"南骁！老子要宰了你！"舜夏眼放青光大吼一声，他飞起一腿踢在了南骁的小腹之上。

南骁金色瞳仁闪过，舜夏这一腿的力量竟又被反震到了自己身上。舜夏惨叫一声，身体飞了出去，又一次被打入了深渊的山壁。

"死吧！"南骁面无表情，挥起棍子朝着舜夏扑了过来。舜夏口吐鲜血，双臂骨骼尽数断裂已经没有了招架的力气。眼看着，就要死在这黄金神猎的乱棍之下。

南骁的身影近在咫尺，舜夏的胸口忽然闪现出了一道蓝色的光芒。这光芒清澈明亮，充满寒意。光芒过处竟是风雪飘摇，冰晶四起。舜夏胸口红色锦囊中的那粒莲子腾空而起蓝光大放。这冰雪越积越厚，凝聚为一张风雪的壁垒挡在了舜夏身前。

南骁虽见情况古怪，但箭在弦上不得不发。他抡起一棍狠狠砸在这冰雪之壁上。轰隆一声，只见冰雪飞溅，天地间白茫茫一片。这绵绵之力一下便卸去了南骁的刚猛之力。

那莲子所在的地方浮现出了一个半透明的女人身影。这女子面容清澈，却双目失明，满头白发，青色薄纱如仙如幻。她手中妖印做起，那冰雪之盾忽然裂开，变成了漫天的冰箭朝着南骁射了过去。

南骁连忙舞动金铭棍。无奈这一切发生地太过突然，南骁虽拼尽全力也是身中数箭，血流不止。

风雪之中，那个半透明的身影慢慢转过脸来，对着舜夏笑了笑，灰色的瞳仁里满是慈爱。这人不是姜寒还能是谁？

她慢慢走到舜夏面前，用自己的手抚摸着舜夏带血的脸颊，瞳孔里闪烁着灰色的光芒。

"你……"舜夏赤色的瞳仁闪烁着。他动了动受伤的手臂，想要说些什么，却哽咽地说不出半个字。

风雪之中，姜寒开口道："舜夏，好孩子，你果然一直保存着为娘给你的这粒护身莲子。"

舜夏的眼神闪烁着，心中百感交集可依旧说不出一个字。

"儿子，想不到今日，你已是风城之主，深渊妖王。你是我这辈子最大的骄傲。但你要记住，无论这世界对你如何残忍，无论这天道如何无情，这世上，总会有牵挂你和值得你牵挂的人。永别了，我的孩子，这粒莲子绽放光芒之时便是你我诀别之日。只希望你不要怨为娘将你带来这个世界。"姜寒的身影发出一道光芒，渐渐消失。

"不……"舜夏一把抱过姜寒，"不要，不要走……妈。"

姜寒的脸上淌下两行清泪："此生能听你叫一声娘，我死而无憾。为娘何尝不想像其他母亲一样，给你关怀，给你希望，给你一个家。可为娘尽力了，已经尽力了……"姜寒的眼泪像大雪一样簌簌而下，"永别了，我的孩子，想不到真到了这一刻，我竟是如此心痛，如此留恋，如此舍不得……"

姜寒用手擦去舜夏脸上的血迹，眼神里满是温柔和不舍。合着光芒和飘摇的风雪，姜寒的身影碎裂成了无数细小的光线。那枚莲子渐渐变得焦黑而干枯，毫无生气地掉落在了冰封的地面上。姜寒的气息，便也随之而散。

舜夏想要抓住那些裂开的光线，可那些光芒却在一瞬间暗淡下去，在他的怀中熄灭。

"这世上，总会有牵挂我和值得我牵挂的人……"舜夏喃喃念道。

风雪散去，舜夏抬眼只望见不远处一个年轻女人的背影。白衣如云，身姿婀娜，轻纱曼拢，手握长剑。

"云牙！"舜夏失声喊道。

"老公，云牙来晚了。"云牙绝美的脸庞在漆黑天空中的血色光晕下是那样地迷人，那样地令人心醉。如白云出岫，雾起岚山。舜夏怔怔地看着云牙，恍如隔世。

"老公，云牙从未想过此生还能见到你。"

舜夏赤色瞳孔中光芒闪动，视线渐渐模糊。云牙温柔地看了一眼舜夏，随后冷冷地望着不远处的南骁。

"伤害我老公的人，拿命来吧！"云牙一转身便幻化出赤橙黄绿青蓝紫七色分身朝着南骁飞驰而去。

南骁受了姜寒一击，灵力大减，他牙关紧咬挥动金铭棍和云牙的七个分身战到一起。南骁被这七色分身环绕，不多时便落了下风。

他心道：这女子的力道并不如自己，金铭棍无法吸纳她们的力量。而她们速度和准度极佳，自己毫无优势。

云牙出剑如风，转眼间南骁就已是遍体鳞伤，身上黄金铠甲如血染一般。南骁挥起一棍，这一棍金光闪耀力道非凡。他将云牙的分身逼退，如一道金色的光芒揽起唐云翼就往灵魂之树的方向退去。唐云翼弥留之际召来一阵怪风，风卷尘埃，遮蔽了视线。

待尘埃落定，南骁已经带着唐云翼消失不见。联合大军士气大振，拼杀凶猛，魂军因主将撤退军心大减节节败退。

朱雀门被攻破了。

此时西面的白虎位，王龙与小猫带领灵械部队占尽了优势。尸鬼和虹儿所带领的联合大军在灌满符文的灵械攻击之下死伤无数。

那些连天的炮火将一只又一只魂煞炸为血浆，小猫更是驾驶着一架直升机与刀灵麦克一起居高临下展开猛烈的炮火攻击。炮火碾压过处生灵涂炭，硝烟弥漫。

王龙带领刀灵二虎将一道道符文子弹射入一个又一个深渊者的妖魄。枪林弹雨之中，他们区别于使用古代灵术的奇人异士，而是以现代枪械拯救深渊于水火。

小猫的直升机将王龙与二虎搭上之后继续起飞。那些长着白毛的僵尸在地面上一蹦一跳，在那黑色的煞气中格外瘆人。

忽然之间，一团黑色的凶煞之气腾空而起，朝着这直升机追了过来。王龙拿起望远镜一看，却见那黑气之中藏着一具干枯的黑色人体。

"小猫，后面！"王龙道。

"看到了。你们抓紧。"小猫说着便操纵直升机盘旋而上，几道火舌从直升机上射入那团黑气。麦克的火箭炮和王龙的符文枪也应声而发。

那团黑气只停顿了一下，便落到了地面之上。

"你们看！"王龙示意众人往下看去。却只见一地焦黑，就连那雄伟瑰丽的白虎门也已被炮火炸毁。那干枯地面上原本行走着的白色僵尸竟都消失不见了。取而代之的则是一个又一个坑洞。这些洞密密麻麻，如地鼠打出的逃生之洞。

"糟了……"王龙摘下护目镜惊道。

"怎么了？"小猫问。

"那些僵尸看来是钻到地底下了。看样子，他们自知敌不过我们，所以就想从地底下钻过去直取灵魂之树。"

"现在怎么办？"小猫问。

"我们在这儿消灭残余的魂煞和深渊者，尔后将行尸遁地之事通报给魂主。"王龙话音刚落，直升机猛然一晃。

"妈呀，这是什么啊！"小猫怪叫一声。

众人往空中看去，只见无数的黑色蝙蝠不知从什么地方飞出，将这直升机团团围住。

王龙和二虎赶紧掏枪驱赶蝙蝠，小猫稳住直升机急忙降落在了一片安全的空地之上。这黑色蝙蝠密密麻麻遮天蔽日，咚咚地撞击着直升机的四壁。

直升机螺旋桨掀起的大风竟对这些蝙蝠毫无作用。王龙几人开枪射击这些蝙蝠却又见霞光一闪，这蝙蝠忽地又幻化为了密密麻麻的黑色小虫涌入了室内。这小虫极小极多，枪炮根本发挥不了作用。

王龙和小猫几人被这小虫咬得失声大喊，近乎昏死过去。这小虫钻入他们的眼耳口鼻仿佛在啃食他们的五脏六腑。

千钧一发之际，又见四周绿烟闪过，那些小虫便在一瞬间消失不见了。几人连滚带爬跌出直升机，一个个瘫倒在地只剩下了最后一口气。

他们的面前，鸨手握青色长剑话音冰冷："区区幻术，就将你们几人折腾成这副模样。保卫深渊的重任果然不能交给你们这群不懂灵术的家伙。"

鸨侧过身子，却见到远处一单薄少女身着七色霓裳裙，面若石膏，眼神空洞。她长发如虹，鬼魅若幽灵。

"你是什么人？"鸨冷声问道。

"我叫虹儿。初次见面，请多多关照。"她的声音机械而平淡。

"你是司马印成的人？"鸩看了一眼依然在地上喘息的王龙儿人，随后冷冷盯着虹儿。

"我奉司马大人之命，攻破白虎门。"还是那样机械的声音。

"小丫头口气还不小，接招儿吧！"鸩举起长剑念道，"雾失楼台，月迷津渡。"话音刚落，那剑中便喷涌出了剧毒的绿色烟雾。

虹儿抱着泰迪熊的手猛然捏紧，如机器人一般开口道："幻术，百重身。"

话音刚落，虹儿的身边便幻化出了一百个虹儿的影像。这些影像有些站着，有些坐着，有些飘浮在空中，有些倒立着飞舞。只是他们七彩的头发往空中飘去，越来越长，将这黑色的天空渲染成了彩虹的颜色。

"那尔，放蛇。"鸩刚说出这话，就见他身后走出一个埃及法老打扮的黝黑男子。这男子将手中布袋一倒，成群结队的眼镜蛇便从那布袋中急急冲出，朝着那一百个虹儿的幻术分身咬过去。

"幻术，霓虹。"那一百个虹儿同生念道，声音缥缈怪异，如浪潮一般涌过来。伴随着这诡异的声音，那黑色天空中却是霞光万道，亮如极昼。待几人恢复视力，这虹儿以及那些残余的深渊者都已经通过了白虎门的所在。

尸鬼与虹儿巧妙地使用术法绕过了王龙和鸩的部队。白虎门被攻破了。

然而，此时此刻，东方青龙门前战斗也越发惨烈。

青龙门前，宁无和槐在激烈斗法，一旁的简笛分神之际却是给联合大军的沐鲁托和线人有了机会。线人黑袍低垂，手中黑线摆动，他急速向前杀出一条血路直直朝着简笛突袭过来。

简笛眉头紧锁，挥手祭起无相泥人挡下了线人的攻击。绿色泥人由简笛操纵和线人展开激烈搏斗。线人身法诡异，黑线在那无相泥人身上来回切割。却见那无相泥人无形无相，绿色液体变换着形状，任凭线人如何切割都不露一丝破绽。

"有意思，"线人的声音沉闷如雷，"那这招儿如何？"线人的丝线卷起了地上的十把兵刃连连朝着无相泥人砍去。一时间电光石火，琼浆乍迸，无相泥人被打得支离破碎。

"死吧！"线人在无相泥人涣散之时卷起一把刀朝着简笛远远抽了过来。

简笛飞身跳开一步，无相泥人随即分为两份，变成了两只绿色的恶狼朝线人反扑回去。线人驱动丝线反击，只一下就将那两只恶狼当空卷住。这绿色的液体一散，又变成了无数绿色的小虫朝着线人飞扑过来。

"无相泥无形无相变化万千，岂是你区区深渊者能够破解的？"简笛话音刚落，就听远处沐鲁托身着将军战袍大喝一声："解！"

那些绿色液体凝聚成的小虫霎时如被喷洒了杀虫剂，纷纷从空中坠落下来。绿色的液体渗入地面消失不见，仿佛不曾存在过一般。

简笛在脏兮兮的白大褂上擦了擦手，望了望远方，却见远处的无相泥人也已被沐鲁托的术法化解。简笛扶了扶黑框眼镜，淡然说道："真没想到，深渊者之中，竟有人能破除我的无相泥。"

沐鲁托走到线人身边朝着魂军阵中的简笛说道："你和你的傀儡之间必定会有灵丝联系，只要斩断这灵丝，你的傀儡也只是死物一团。"

"死物一团？斩断灵丝？不错，无相泥人富含灵性，需要大量灵力驱动，故而灵丝又粗又脆。可若是普通傀儡，不要说是斩断，量你连灵丝都感知不到。"简笛说完，从背后抽出一张金色卷轴。

"既然如此，那我就让你见识见识我首席灵械师的收藏吧！"简笛将那卷轴当空一掷，大喝一声："起！"那卷轴竟像没有重力一般飘浮在空中慢慢摊开。她手中法印做起就见那卷轴无风自动，熠熠生辉。

"机关术，四大金刚！"简笛话音刚落，就见那卷轴之中飘出了四个机关傀儡。他们身着四色玄武甲，每一个都是威武雄壮，器宇轩昂。四个机关人分别持剑琴伞龙四样法器立于简笛身旁。简笛立于四大金刚当中泰然自若，她扶了扶眼镜冷冷地看着线人和沐鲁托。

"呵，早就听闻这名震魂国的机关术——四大金刚。只是没想到，用这机关术的竟是一个乳臭未干的小丫头。"线人黑袍低垂低声叹道。

"师父已将毕生心血传给了我。今天，我就让你尝尝这四大金刚的厉害！"简笛双手舞动，四大金刚怒目圆睁朝着线人和沐鲁托飞驰而来。

"这机关木偶果然名不虚传。如此看来，不拿出点看家本领是要被小瞧了呢！"线人凝聚妖力，他黑色的袖子中黑气涌动。他双袖齐张，低喝一声："深渊秘法，死亡行军！"

只见无数黑线从那黑色袖子中喷射而出，如那密密麻麻的蜘蛛丝线扎入一具又一具尸体的脊椎。那些原本死去的深渊者竟然像被注入了灵魂一般一个个站了起来，如行尸走肉一般围向了简笛的四大金刚。

"将妖力通过黑绳注入死者的脊椎从而控制他们的行动。呵呵，真是恶心的招数。"简笛手指转动间，那持剑金刚一剑便斩断数条黑绳，那手持龙形长鞭的金刚一挥鞭子，便也扫断了一片黑绳。

"你的黑绳乃是实体，实在容易斩断。这便是你术法的致命弱点！"简笛扶了扶眼镜冷声道。

"是吗？"线人冷哼一声，却见那些被斩断黑线的尸体竟然没有停止行动，依然如行尸走肉一般朝着四大金刚扑过来。

"黑绳只是一根导管，妖力只是一把钥匙，只要下达进攻的命令，这黑绳便失去了作用。"线人黑袖一挥，密密麻麻的尸体立了起来。那些尸体血肉模糊，衣衫褴褛，有一些甚至已经肢体破碎，面目全非了。

简笛眼神凝重，额头上渗出了细密的汗："你方才落于下风而迟迟不发动这个术，原来，你是在等待有足够的尸体为你所用……既然如此，那我便先将你击破！"简笛双手合十大喝一声："金刚之力！"

那四大金刚身上忽然光芒大闪。那持伞金刚转动灵伞，招来一阵大风吹开一条血路，那持剑金刚与持鞭金刚便朝线人所在的方向突袭过来。

沐鲁托手持将军剑，往简笛方向一指，大喝道："解！"简笛身后那持琴金刚五指微动，便将沐鲁托发动的术法化为了空气。

"四大金刚果然名不虚传，持剑金刚主近战，持鞭金刚主中远战，持伞金刚主灵术，持琴金刚主防护。"线人黑袖一挥道，"但是，说到底，傀儡就是傀儡！"

线人袖中黑线涌动，喷薄而出的黑线将那持剑金刚和持鞭金刚缠绕地严严实实。

"深渊秘法，万线缝杀！"线人一发力，那黑绳就像是锋利的钢丝锯，只一招儿就将两个金刚切为了碎片。

"合！"简笛在远处轻喝一声。持琴金刚五指一动，前阵两个金刚的零部件竟如有生命一般重新排列组合，修复成了原来的模样。线人应付那持龙金刚之时，那持剑金刚挥剑刺向了线人的后背。

"线大人，小心！"沐鲁托一剑挡住了持剑金刚的利剑和线人背靠着背，无数的尸体由线人操纵朝着简笛的方向拥过去，持伞金刚正在艰难地使用灵术召唤出风雷水火击退步步逼近的死尸。密密麻麻的尸体从简笛身后包抄过来。

魂军原本和联合大军势均力敌，但线人这招儿"死亡行军"一出，魂军便露出了溃败之相。大量的死尸晃晃悠悠站起来，它们有的面目狰狞，有的内脏横流，有的肢体残破，有的甚至只剩下了半截身体。它们跑着跳着、飞着爬着一步步将简笛逼入了绝境。

空中煞气汹涌，周遭血腥弥漫。简笛聚精会神，十指翻飞。沐鲁托和线人在两个金刚的攻击之下疲于招架。虽有死尸做挡箭牌，但两个金刚声势过于凶猛，那些死尸在他们的攻击之下就如豆腐渣子一般不堪一击。

"看来，这场战斗便是看谁先杀死谁了！我倒要看看，究竟是我的四大金刚先杀死你，还是你的死尸先杀死我。"简笛看着汹涌而来的尸体大军，手中灵丝抽动，脸上面色沉重。

就在此刻，宁无和槐也正在不远处激烈斗法。槐双手合十，一团又一团紫色的时尘之雾从他的手中飘出。

这时尘之雾实则乃一时间场。在这时尘之雾中的所有事物都会以千万倍的速度衰败凋亡。就如那初春的鲜花在这雾中，弹指的工夫就能到达令其凋敝的寒冬。初生的婴儿在这雾气中，几秒的工夫就会垂垂老去腐败为白骨。

"蓝灵，万佛手！"宁无手中法印翻动，口中念念有词。无数蓝色的半透明长手就如苏醒的藤条往空中伸去。这些手盘旋着，交错着抓向槐。而槐的脸上却露出了一丝不屑。只见他双手微动，紫雾蒸腾。这些蓝手只要一接触到这紫雾便立刻失去色彩，消失不见。

"宁无，你还不明白你我之间的差距吗？"槐扣起手指，轻念一声，"奥义，时光乱流。"

宁无的瞳孔猛然放大，只见槐化为了一道紫光，那邪邪的笑魇和锋利的拳刃不知何时已经逼近了自己的胸口。

"不好！"宁无大惊之下连忙躲闪。只听铮的一声，宁无胸前灵力铠甲一闪。巨大的冲击将她打出几十米。宁无召唤长手稳住重心，心中暗暗思忖道：这柳时槐方才还在几十米外的空中，只一眨眼的工夫，竟然就俯冲到了自己的面前。莫非……

"想不到，这灵力铠甲竟然如此结实。本想刚才那一击便了结你。"槐挥了挥手中的拳刃淡淡说道。

"我明白了。你将自己融入一个可以加快时间流动的时间场中，因此，你只要让这个时间场跟随着自己，就能缩短每个动作所消耗的时间。在外人看来，便是成倍提升了速度。"

"果然是八贤的学生，这就是第八贤者的相对论吗？"槐晃了晃手上的拳刃，"可是，要是我在同样的位置再来一击呢？"

宁无捂着胸口一步步向后退去。她的大脑飞速运转着。她知道，自己的实力和第七魂主乃天壤之别，若不是自己身怀十八般灵械，已经不知死了多少回。现如今，若想博得一线生机只能智取，强攻是万万不可能的。

槐一步步逼向宁无，说道："无论你想出什么计谋，都是没有用的。"

宁无捂着胸口，一步一步向后退去。她扶了扶朱红色眼镜道：

"你能让时光倒流几秒，只要一旦发觉中计，便能依靠时光逆转之术回到中计之前改变自己的行动。对吗？"

"你要知道，在这世间，无论英雄还是狗熊，到头来都是冢中枯骨，黄土一抔。古往今来，有人能抵挡天崩地陷，抵挡江河倒流，可唯独没有人能够抵挡时间的洪流！"槐的手里又聚集起了紫色的雾气。

宁无一步步向后退去，她心想：这柳时槐无论是击技还是灵术都不如剑术师和灵术师，只是凭借这时光逆转之术独步魂国。看来，唯有直接击破他的术法才有一线生机。

宁无心想着便退到了一块大石旁。"白绫遁走，灵门深开。"她轻念一声，便一头扎进了那巨石上用白色粉笔画出的门框。

"空间笔吗？这种小孩子玩的玩具也敢放上台面？"槐的身体化为一道紫光追着宁无一头扎进了那白色粉笔画出的方框。

待冲出那混沌的空间，却见天色暗淡，煞气弥漫。蛊灵巨大的身体在不远处往深渊慢慢蠕动。原来这空间笔画出的方框连接的不是别处，正是北方玄武门的所在。

在那黑色的天空之中，槐凌空而立，冷冷地看着不远处的宁无。而宁无早已是满身污垢，气喘吁吁。灵力铠甲的光芒越发微弱，看来已经支撑不了多久。

"我当你会逃去哪里。逃到这里，你还有命吗？"槐冷声问道。

宁无吃力地笑了笑："在下灵力低微自然不配做第七魂主的对手。魂主，自当应由魂主来处决。"

宁无话音刚落，只见五把发光的利刃从槐的下方直插上来。

槐矫健地一翻身子，卷起紫雾如轮。那刀刃沾染雾气，便被腐蚀出了缺口。

宁无的身后，一个高大的人影显现出来。

"我当是谁呢？这不是断了手的第四魂主吗？宁无副将，本座当真是低估了你。"槐邪邪一笑，"千里传音羽，你宁无的独门灵械，我怎么就给忘了呢？也亏你能在与我交战之时有如此的布置。"

"柳时槐！真想不到，你竟会弃魂国存亡于不顾转而投靠那司马妖邪！今天，本王定要将你碎尸万段，叫你死无葬身之地！"曲狂怒吼道。

"呵呵，古巴比伦王好大的脾气。这断了一只手还是如此不安分，要不要让本公爵将你的四肢尽数斩下，然后再用这时尘之雾一点一点将你折磨到死？"槐把玩着手中的紫雾，目光冷酷。

"黄口小儿，不知天高地厚。看招儿！"曲狂挥手将背后的神像甩向空中，那五把刀凭借着神像的神力仿佛有了意识一般朝着槐飞砍过来，速度之快令人咋舌。

"奥义，明镜止水！"槐双手合十，周围紫色光芒放大数倍。这五把刀刃进入到了紫光的范围之内，竟然如静止了一般一动不动。

"他撑开了一个时间场，在他紫光范围之内，时间便会停止流动。"宁无来到曲狂身边说道。

"古巴比伦王，这是你我第一次交手。看来，你的成名绝技神皇五刃也不过如此。"槐冷哼一声，一挥手，那五刃竟然在紫雾中开始被腐蚀。

"这是双重时间场。第七魂主的实力竟然已经到了这个地步。"宁无转脸一看，却见身旁的曲狂已是汗流浃背。

"第四魂主，我有一计……"宁无靠到曲狂身边耳语了起来。曲狂心领神会，宁无便转身退开。

曲狂凝聚力量大吼一声，便见他周身灵力横流，蓝光四溢。他的神猎灵袍被这巨大的灵力撕碎，那条七星头带随风飘扬。他傲人的肌肉在蓝色的光芒中轮廓分明，金色的楔形铭文在他的身躯之上显现出来。

空中的神像光芒大放飞速旋转。曲狂口中大念咒语，字字铿锵皆是晦涩的古巴比伦文。

宁无已经退到了很远的地方，看着那空中的神像旋转着变成了一个大黑洞。翻腾的煞气合着成吨的碎石尘土被吸入洞中消失不见。一时间天旋地转，仿佛地狱之门轰然打开。

"久违了，这就是传说中的古巴比伦大葬。"伴随着巨大的轰鸣，槐的衣发在黑洞吸引造成的狂风中上下翻飞。他淡然说道："只是这古巴比伦大葬多用作攻城拔寨消灭杂鱼。如此广大的范围，你迟早要油尽灯枯。"槐说着，便驭起灵力抵御吸力。

"你我都为魂主，灵力相差不大。你想将我吸入你的古巴比伦大葬未免太天真了吧！"槐话音刚落却感觉胸腔一痛，尔后就是第二下、第三下、第四下、第五下。

"怎，怎么可能……"槐的瞳孔近乎爆裂开来。

只见在那黑洞带起的狂风中，曲狂的神皇五刃从五个方位凌厉地插入了槐的身体。

"我的……我的明镜止水。不可能，这不可能……"槐的口中喷涌出大量的鲜血，随着大风往黑洞的方向飘去。

宁无扶了扶眼镜，说道："第四魂主的能力是引力，而你第七魂主的能力是弯曲时间。根据老师的理论，能改变时间弯曲，破除时间之术唯有引力的拉扯。"

"呵呵，哈哈哈，"槐大笑着，血液从他矮小的身体中喷涌出来，"真想不到，我竟会因为八贤当年的一个空想而落到如此地步。当真是一语成谶，一语成谶啊！"

"结束了，路易斯公爵。"宁无扶了扶眼镜冷声说道。

"结束？天真！"槐的眼眶里躺下了血，大喝一声，"时光逆转，万物归零！"

话音刚落，就见槐的身影在那五刃之中消失不见。

"小心，他用了时间禁术。"曲狂说着便将五刃召唤到身旁。一阵光芒闪过，一个模糊的人影便在不远处显现出来。

"曲狂，宁无，你们未免也太小看本公爵了。"槐的声音虚弱无力，"我只要将时光逆转，便能回到被五刃击中之前。我已立于不败之地，尔等还不快快投降！"

"这可真是奇怪，若这世界的时间都逆转了，我怎么依然记得你被五刃击中这件事呢？若是时光当真逆转，那便相当于这事从未发生过，可我为什么会记得呢？"宁无冷冷问道。

"你闭嘴！只要有这个术在，我便立于不败之地。该死的，终将是你们！"槐咬牙切齿地喝道。

"真的吗？你和柳红尘设计陷害剑术师、观灵师以及凉子队长的时候，可不是这样的。"宁无看了看不远处的槐，"你何不看看自己现在的样子？"

　　槐站在不远处，无力地伸着手。此时的他，已经从一个十岁的孩童变成了一个两三岁的幼童。那黑色西装就如宽大的戏袍子一般披在了他的身上。

　　"本座三岁的功力，就已足够了结你们！"槐怒声喝道，可他的声音幼齿含糊，就如孩童的牙牙学语。

　　"玩弄时间的人，必将受到时间的诅咒。"宁无说道，"当年，你是一个桀骜孤高的公爵，只因要救那名叫霰的叛徒逆转了时光而变成了十岁孩童。今日，你重蹈覆辙，必然已经料到了后果。"

　　"你闭嘴！就凭你，也配对霰说三道四？"槐的手中聚集起了紫色的雾气。

　　"五刃！"曲狂大手一挥，五刃随着引力朝着槐飞扑过来。只听几声血肉模糊的脆响，槐小小的身体被巨大的五刃贯穿而过，已经分不清哪是胳膊哪是腿。他就如一摊肉泥一般被压碎在五刃的缝隙之间。

　　"时光……逆转，万物……归零……"虚弱的声音从那摊肉泥中传出，槐支离破碎的身体便消失不见。

　　"宁无，他在哪里？"曲狂驱动五刃回到身旁。

　　"在这里。"宁无拾起了不远处一套空荡荡的残破西装。

　　"这是？"曲狂道。

　　"他已经从这世界上消失了。或者说，这叫柳时槐的小鬼还没出生。"宁无扶了扶眼镜，冷声说道，"通俗来讲，就是被打回娘胎了。"

执子之手

　　在曲狂和宁无联手击败柳时槐之际，青龙门前的血战也到了尾声。简笛操纵的四大金刚步步压向线人和沐鲁托，线人所操纵的死尸也已将简笛团团围住。

"到此为止了！"简笛大喝一声手中法印做起，那持剑金刚浑身一抖，一剑便刺穿了线人的胸口。

"线大人！"沐鲁托将军剑一挥便斩下了持剑金刚的头颅。

线人低着头，大口的鲜血从他面前的黑纱中涌出来。

"死吧……"线人低声喝道。

"什么……"简笛还未回过神来，就感觉无数锋利的细线从自己身上切割而过。那细密的黑线从她站立的地面之下喷涌上来，合着飞溅的血液在空中放肆生长。线人双袖低垂，黑色的细线直入地底。

"竟然，从地下……"简笛身上的灵力铠甲碎裂。她无力地倒下，在她倒下去的时候，四大金刚也停止了行动变为了四个木偶。

线人身子一歪，也倒在了远处的乱尸堆中。那些原本行动着的死尸因失去控制纷纷歪倒。

"简笛！"宁无嘶哑地呼喊。她颤抖着抱过简笛，回身一头扎进了白色的光芒中。

借由空间笔，宁无穿梭于东方青龙门与北方玄武门之间。在那北方黑色的天空之下，宁无抱着简笛，任由她的鲜血染红自己的白大褂。

"师父……"简笛轻声道。

"师父在，师父在这儿呢。"宁无抱着简笛强忍着泪水。她想起那一年，简笛拜入自己门下，青涩懵懂，不谙世事。可不知何时，简笛却已如当年的自己那般，穿起了脏兮兮的白大褂，戴起了眼镜。当年那青涩的女孩，现在就静静地躺在自己怀里，仿佛历经岁月的少女终又洗尽铅华。

"师父……"简笛的声音虚弱无力。

"简笛，你说……"

"师父，我问你，"简笛的声音越发微弱，"当年黄金神猎之劫，你解了南骁的灵徽，放了他一条生路，真是出于怜悯吗？"

"简笛，别说话了。师父这就想办法救你，想办法救你……"宁无哽咽道。

"师父，我已灵脉尽断，元神破损，命不久矣了。"简笛吃力地转过眼睛，看着宁无，"师父，你告诉我，你喜欢南骁，对吗？"

宁无的手猛地一颤，却只是看着简笛，眼神中光芒闪动却说不出半个字。

"你不否认，便是承认了。"简笛忽然笑起来，鲜血顺着她的嘴角一滴一滴落到她破旧的白大褂上。她慢慢伸出手，在宁无的手上比画了几下。

"师父，一定要幸福。一定要……"

简笛的样子定格为带血的微笑。她黑色的眼镜掉落在坚硬的地面上碎裂开去。她的手紧紧地抓着宁无的衣角，便像是一个孩子一般在她怀中永远地睡去了。

宁无茫然地望着黑色的天空，右手轻轻拍着简笛的后背。

"简笛，对不起……"这黑色的天空中电闪雷鸣，仿佛大雨将至。沉闷的雷声如遥远天际传过来的鼓点，由远及近，又如那隆隆的列车从头顶轰然开过。

远方，蛊灵的来路之上，白夜已将空间扭曲。大大小小的空间旋涡在那来路上徘徊，任何物体只要进入这空间旋涡，就会被扭曲折断。

蛊灵所过之处煞气涌动，它巨大的身体在那旋涡之中跌跌撞撞，那些被折断的腿脚像是巨大的枯木从天而降。可是，只要有一条腿被折断，那断裂的地方便会长出一条新的腿。

白夜绕到蛊灵的侧面，在煞气稀薄的远方凝神作法。这招儿空间涡流虽无法杀死蛊灵，但着实减缓了蛊灵的前进速度，消耗了蛊灵的再生之力。

蛊灵周围黑色的煞气让第四魂主曲狂难以前进，他摸索到白夜身边，在蛊灵的必经之路上祭出了古巴比伦大葬。泥土合着煞气纷纷被吸入这远古的巨大黑洞之中。可无论这黑洞如何巨大，在这擎天之柱一般的蛊灵面前，都如那孩童玩耍的皮球一般微不足道。

蛊灵蠕动着身体穿过这深不见底的黑洞，它的身体在一瞬间被这巨大的引力折为了两段。可下一个瞬间，蛊灵的两截身体却又似幽灵般愈合到了一起，仿佛它的身体是云雾化作的一般。再看那古巴比伦大葬，却是已被甩到了身后。

曲狂叹了口气，不禁坐倒在冰冷的地面上。只能任凭身后的蛊灵，一步又一步向灵魂之树放肆地爬去。

"若不是本王身受重伤，消耗了太多灵力，多少也能再拖延一会儿。"曲狂抬头望着黑色天空中若隐若现的天浊星，心里念道：这司马印成并未等到神力结界破碎才发动进攻，而是在天浊蔽月之前主动击破了结界。狼子野心！竟企图赶在神之三才阵发动之前偷取深渊！

曲狂那只仅有的左手紧紧攥着，心里默念道：三尊啊三尊，你们若是再不出手，这魂国，可就不复存在了！

忽然，曲狂感受到了一丝熟悉的气息。他抬头望去，就见那司马印成立于高空，他的脚下，是一只闪着雷光的白色凤凰。

"第四魂主，你的命，可真是硬啊。"司马印成话语间带了几丝戏谑。

"司马狗贼，拿命来！"曲狂大手一挥，五刃便冲向了空中的司马印成。

司马印成驾着雷鸣之凤笑声爽朗："哈哈哈，第四魂主，好大的脾气啊。可惜吾有要事要办，就先失陪了。"说罢，他手指当空一画，召唤几道白雷推开五刃，便消失在了黑色的煞气之中。

"第六魂主，"曲狂走到白夜身旁，问道，"你的空间涡流还能坚持多久？"

白夜盘腿而坐，手中法诀光芒闪动。她的脸颊苍白如纸，轻声说道："不瞒第四魂主，空间涡流范围广大，本座不得不消耗巨大的灵力支撑术法。无奈这蛊灵的回复之力旷古未见，空间涡流只是缓兵之计。想要击溃蛊灵，只能仰仗三尊。"

曲狂吃力地倚靠在身后的神像上吐出了一口气，他脸上亚麻色的须发污浊不堪，他的眼神深邃而浑浊："第六魂主，只怕不等三尊发动神之三才阵，这灵魂之树就已被蛊灵攻陷。魂国已到存亡关头，是时候使用最后的神之术了。"

"是啊，"白夜闭着眼睛，她的九重白衣在风中飘动，她脸色苍白，近乎和她的白衣融为了一体，"只不过，无论是本座的神之万瞬斩，还是魂主的神之门都需要长时间聚灵。"

"神之术百年中只可发动一次，机会也只有一次。"曲狂紧紧握着拳头，狠狠说道，"只可惜，老五不在。若不然，连安定能为你我争取时间。"

白夜艰难地笑了笑，说道："你说第五魂主？不是在那儿吗？"

曲狂咳出一口带血的痰，说话时带着喉咙摩擦的声音："你说，那小子？"

白夜道："可不是，现而今，他便是第五魂主，也是你我唯一能指望的人。"

曲狂望了一眼天空，叹道："就算无数神猎以生命为代价也未必能阻挡蛋灵的脚步。我想，易辰，应该已有了必死的觉悟。"

二人谈话之间，易辰和唐馨已将玄武门前的联合军彻底击溃，玄武门前一片深蓝，猎魂刃舞动之间光芒闪动。神之猎魂者们站在易辰和唐馨身后，他们仰头望着眼前直入云霄的庞然大物一动不动。

蛋灵每往前挪动一步，那大地便会颤上三颤。那些被白夜空间涡流折断的腿脚如轰然断裂的摩天大厦在空中翻滚着消失不见。若这些腿脚是实体，单一条腿的坠落就足以杀死上百的生灵。

神猎们神情肃穆，可即便面对这凶煞之气足以毁天灭地的远古邪灵也没有一丝一毫的退却。

蛋灵近了，又近了，它的头颅隐藏在目力所不能及的高远天空中。它的身体黑中带紫，紫中泛红，红中藏绿，隐隐闪动着凶煞之光。它周身绕满煞气，如一根擎天之柱，又如一条鲜活的巨大荆棘连接着浩渺的天与地。它摆动褐色的腿脚，搅动黑色的煞气，扭曲着、咆哮着朝深渊逼过来。玄武门前深蓝色的神猎身影与那蛋灵相较，就如蝼蚁之于人，河鱼之于蓝鲸。

轰隆隆，轰隆隆……仿佛末日的倒计时。

隆隆声中，易辰手握橙色烈焰，对身后的神猎们大声说道："众神猎听令！我以魂主之名下令，所有人回撤灵魂之树，不要做无谓的牺牲！"

易辰的声音随风散开，队伍前头的一个队长单膝下跪，拱手道："魂主大人，我辈岂是贪生怕死之徒。远古邪灵近在眼前，请容我辈以吾之鲜血，为灵魂之渊争取时间！"

　　"请吾以吾之鲜血捍卫魂国！"众人纷纷响应。

　　易辰抬起剑指着他们，他铂色的瞳孔中光芒闪动："我不想重复，这是命令！"

　　队长和众神猎们低着头，直到那隆隆之声又逼近了几步才猛然抬眼望向了易辰。他们目光如炬，眼神中闪现出的，尽是崇敬与决绝。

　　"是，魂主大人。"队长们行了魂国中最为隆重的大礼，站起身来。那些年轻的神猎也纷纷起身，随着队长往后退去。

　　他们退到了深蓝色的玄武门后，忽然转过身来，肃穆地望向易辰和唐馨，他们孤单的背影之后是那翻滚如滔天巨浪的黑色煞气。神猎们单膝下跪，拱手为礼，霎时蓝衣浮动，如一片翻滚的海洋。

　　"魂主保重！"

　　"谷主保重！"

　　慷慨决然的送别如另一个方向擂响的战鼓，又如深渊中悲凉的挽歌。神猎和那蛊灵谷中的勇士们眼含热泪，慷慨之色令天地动容。

　　看着众人的身影模糊在玄武门的另一侧，易辰和唐馨转过身去面朝北方。魂主灵袍橙光闪动，天女之衣白光灿烂，这光芒在黑风之中撕开了一道明亮的裂口。

　　易辰靠近唐馨，轻轻将她揽到怀里将嘴凑近了她的耳畔，小声说道："馨，你也走吧……孩子，需要妈妈。"

　　唐馨慢慢抬起头，她看见易辰的眼睛埋在头发投射下的阴影里。那一瞬间，她似乎明白了什么，忽然鼻子一酸，不禁落下两行清泪。

　　"你这说的什么话……念馨她，她也需要爸爸的……"唐馨哽咽道。

　　"馨，没有时间了。快走！"易辰搭着唐馨的肩膀，将她转过身去，推向了灵魂之树的方向。

　　唐馨被推开几步忽然回过头来泪眼婆娑地望着他。

　　"走啊！"易辰转过脸来大声喝道，随后决然地扭回头去。唐馨擦干泪水一步一步走向了易辰的背影。她伸出手，慢慢环住了易辰的身体。她将头枕上易辰结实的脊背，小声说道："易辰，我已经不是那个没用的、软弱的、只能躲在你身后的唐馨了。你曾在蛊灵谷中对我说过，你易辰，愿和我唐馨同生共死。当初许下的誓言，你忘了吗？"

易辰忽然眼前模糊，不禁想起当日在蛊灵谷擂台上，唐馨为了将自己遣往灵魂之渊保全性命，不惜以死相逼，抹去了自己的记忆。两人不知经历了多少爱恨折磨，才走到了今天这一步。

易辰一把将唐馨紧紧搂在怀里，大声说道："我没忘!当初的誓言我没忘! 我永远也不会忘记!"

唐馨看着易辰的眼睛认真地说道："无论命运流转，生死祸福，我们永远都不要分开，好吗？"

汹涌的煞气已如冲天的海浪向玄武之门侵袭过来。易辰牵起唐馨的手，两人笃定地面朝末日死神一般的蛊灵迈出了步伐。

黑色的煞气中，两朵光芒如风中残烛逆流而上。

易辰牵着唐馨的手，一步又一步，在这末日邪神面前，在这黑色煞气之中，从容，而笃定。他们走过的地方，都绽放出了白色的火焰，就如那天国道路上开满的白莲花。

"馨，执子之手，与子偕老。我多么想就这么一直牵着你，一直走，一直走到世界尽头，走到时间尽头，走到生命尽头。只可惜……可惜……我还没有娶你为妻。"

他刚说完最后一个字，却已是泪流满面。

奔雷五百里，煞气九重天。金身接天水，千足翻玄云。

末世邪灵怒，深渊万骨寒。琴瑟声声哑，共誓不相离。

易辰和唐馨携手而进，他们的灵力互相交融在这黑色煞气中绽放为一朵白色的莲花。

这烈焰光芒极盛，在这奔腾如决堤之水的黑色煞气之中撕开了一道白色裂口。

"馨，你感受到了吗？"易辰轻声问道。

唐馨微微点头。

"那就让这燎原之火尽情燃烧吧！"易辰话音刚落，他和唐馨的手猛然握紧，这白色光芒放大了数倍，在一瞬间竟将周身煞气逼开百丈之远。那巨大的蛊灵似是被这光芒吸引，庞大身躯如一条巨大的皮鞭往光芒的方向抽打过来，速度之快竟让那巨大形骸变成了一道幻影。

蛊灵压顶之际，只听易辰喝道："苍炎神兵，将一切焚为灰烬！"

一声刺耳如金石相撞的巨响，那白光骤然变大数百倍。随着蛊灵抽落的巨大力量，那平地上竟生生出现了一道狭长的深谷，巍峨壮丽的玄武门也在这一瞬间灰飞烟灭。飞溅而起的石头如一座座悬空的岛屿，一颗颗猛烈的炮火，一枚枚尖锐的子弹在高空炸裂、翻转、飞溅、粉碎。

易辰和唐馨在那如流星之雨一般的碎石中凌空而立。他们面前的白色火焰亮如极昼，凡是深渊中看向这个方向的神猎在那一瞬间都失去了视力。

白光中，一个巨大的身影挥剑而起，那骇人的蛊灵竟被这光芒拦腰斩为了两段。蛊灵的怒吼如山崩海啸，它的身体扭曲着、纠缠着，竟又融合到了一起。

白光之中，只见一英俊武者高如山川。他身披白金甲，手握苍炎剑。威武雄壮，器宇轩昂。这人不是墨炎还能是谁？他左手握缰，右手持剑，胯下骑的不是那彪悍战马，却是一只角挂铃铛的九色神鹿。这鹿的腿脚如高耸的巨塔，脊背如连绵的山脉。可即便如此，墨炎和神鹿的高度也只及那蛊灵十分之一。

"杀！"墨炎怒吼一声，这声音如九天惊雷振聋发聩。那九色神鹿凌空扬起前蹄，朝着蛊灵刚愈合的身体奔驰而去。神鹿踏云而上，御风而起，所过之处，尽是苍炎。

呼啸的风中，神鹿加快脚步，载着墨炎竟变成了一道白色的光。这光芒盘旋而上又急速降落。剑光如影，一闪而过。

弹指间，煞气淡去，那蛊灵的身体被墨炎斩为了十段，如一个高耸的积木四下倒塌。

"我们成功了。"唐馨道。

"不，还没有。"易辰铂色的瞳孔微微收缩，就见那蛊灵受了墨炎九次斩击不但没有死去，那四下零落的身体反倒像是有了各自的意识，朝着墨炎围拢过来。每一截身体，都和墨炎一般高。每一只腿脚，就如锋利的兵器。蛊灵的十截身体就像是十个张牙舞爪的恶魔将墨炎和神鹿团团围住。

墨炎以一敌十很快便落了下风。一截身体从他的身后发起突然袭击，那锋利的腿脚刺穿铠甲，刺入了他的身体。

"墨炎！"易辰大喝一声，只见墨炎痛苦的表情在放大百倍后格外清晰。他吐出一口白色的血，那血液便燃烧成了白色的火焰。

墨炎怒吼一声，回剑斩断刺入自己身体的腿脚，一剑便将那身体焚为了灰烬。另一截身体又从墨炎身后袭来，神鹿扬起前蹄召唤出苍炎将那身体也焚为了黑灰。

可是，其余八截身体依旧如那张牙舞爪的恶魔朝墨炎聚拢过来。一阵猛烈的碰撞，神鹿化为一道火焰淹没在煞气之中。墨炎的身体在火光中变为了常人大小，如一具冒烟的死尸在空中直直坠落。

易辰飞身向前，接住了落下的墨炎。只见墨炎已是遍体鳞伤，他的灵体变为了半透明，鲜血从他的伤口中不断涌出来。

"墨炎……"易辰唤道。墨炎吃力地睁开眼，虚弱地看向易辰。

"不要放弃，永远也不要放弃！"墨炎拽着易辰袖边的灵袍吃力地说道。他每说一个字，鲜血便从他的口中溢出来。

易辰一挥手将墨炎收入刀中，却见身旁的唐馨捂着额头，身子一歪近乎要坠落下去。易辰一把抱过唐馨，却见她已是面若金纸，口吐鲜血。

"馨……馨……"易辰颤抖着摇晃着唐馨的身体。

"易辰，永远都不要放弃。"唐馨虚弱的声音从易辰耳畔传来。她似是笑了笑，紧抓着易辰的手便垂落下去。易辰感觉抱着唐馨的手一阵温热，他抽出手一看，竟是殷殷的血。

"馨……馨！"

易辰只感觉眼前模糊，心中如天崩地裂。他万念俱灰之时，却见身旁法阵一闪，第六魂主白夜和第四魂主曲狂出现在了易辰身旁。

白夜走近唐馨，在她的伤口上施展法术。她看了看唐馨，对易辰说道："第五魂主不必担心，明空谷主虽身受重伤，但并无性命之忧。多亏你牵制住蛊灵争取到了时间。现在，你且带着明空谷主退往后方。这里的一切，就交由我与第四魂主吧。"

易辰感激地看了一眼白夜，抱过唐馨便往后退去。白夜看了一眼曲狂，说道："第四魂主，事到如今，你还不认可易辰吗？"

曲狂朝后看了一眼，傲然说道："易辰这小子，有本王当年的风范。够痴情！如今我见到他与那小丫头，便会想起当年我与我的爱妃。"曲狂不禁抚摸着身旁的女神像，淡淡说道，"几千年了，我从未和她分开过。可今天，我们的大日子，到了！"

曲狂话音刚落，猛地捏碎了神像的头颅。一缕芳魂从那神像的断裂处飘荡出来，变为一道金色的光带在曲狂身边萦绕。

远处的蛊灵活动着身体。那八截身体就如灵活的积木，一块一块拼凑成了擎天的蛊灵。

白夜上前一步。她手中镰刀青光闪耀，口中念念有词，却道是："以吾之名，取五方神力；以吾之血，祭八方神灵。东方苍龙之角宿、亢宿、氐宿、房宿、心宿、尾宿、箕宿；北方玄武之斗宿、牛宿、女宿、虚宿、危宿、室宿、壁宿……"

白夜法诀念动之时，空中星辰光芒近乎刺破了重重煞气。与此同时，曲狂单手握于胸前，大声颂唱古巴比伦铭文。他身上的楔形文字红光大闪，如鲜血一般流动起来。

白夜咒语呢喃，白袍在巨大的灵力之中被撕开了一道道裂口。她顾不得衣裳碎裂，依旧是手握镰刀，双目紧闭，口中继续念道："西方白虎之奎宿、娄宿、胃宿、昴宿、毕宿、觜宿、参宿；南方朱雀之井宿、鬼宿、柳宿、星宿、张宿、翼宿、轸宿。此间万象听吾号令，星辰之力搬山卸岭；神之圣谕不可违逆，万瞬之斩切天断地！"

白夜念到最后，双手抡起镰刀。她洁白的肌肤如霜似雪，原本盘着的头发散落下来，在巨大的灵力中放肆地飘动。那一瞬间，漫天的星辰都发出了强烈的光辉，这光芒刺穿浓重的煞气，如万道尖刀刺穿了蛊灵的身体。

"神之万瞬斩！"白夜怒吼一声，镰刀一起一落，那星辰的光芒瞬间消失。那光芒所照射到的蚩灵的身体，竟被凭空移除，那些残破的肢体如奇形怪状的肉块从天空中翻滚下来。

白夜面若白纸，如一个虚弱的妇人艰难地倚着镰刀。她杂乱的头发合着她破裂的白衣在风中无力地飘动。白夜朝曲狂无力地说道："我以星辰之力将蚩灵身体的三分之一移动到了世界的各个角落，这剩下的三分之二就算要愈合也需要大量的时间。第四魂主，成败，在此一举！"

曲狂的咒文也已念到了最后，他身上血色的楔形文字和他身边的金光融为一体。

"去吧！"曲狂朝那空中一指。那金光化为了一个半透明的女神朝空中飞去，速度之快如疾光电影。眨眼的工夫，那道金光便飞到了蚩灵所在的高远天空。那些破碎的肉块还在空中翻滚，蠕动着恶心的肉体想要连接到一起。

女神在蚩灵的残肢之上绕了个圈，空中竟然隐隐出现了一道巨大的石铸大门。这门像是凭空生出的一般，慢慢由半透明的幻影变成了飘浮的实体。

金色的女神身边绕满红色的铭文，她将手轻轻搭在神之门上，那些红色的铭文就如深海中的鱼群游向了门上深深浅浅的刻痕。在铭文入门的一瞬间，这门上的刻痕红光荡漾，仿佛流淌着鲜血。两块石板如巨大的石碑，这石碑上的鲜红文字与曲狂身上所刻之字交相呼应，随着他的呼吸有规律地闪烁。

"吾之名，神之匙。汝之身，神之门。"曲狂高呼一声，"开！"

伴随着巨大的轰鸣，神之门以吞天之势轰然打开。霎时天地混沌，那天与地的界限消失不见。在这混沌的世界之中，分不清东西南北，甚至已经没有了上下左右。巨大的引力拉扯着一切，只能看见成吨成吨的岩土如一座座小山被连根搬起，如一个个小岛离地飞翔。

一切的一切都被这巨大的引力拉扯，仿佛那门内伸出了一只只无形的手，将周遭的一切拉向了神之门深不见底的漆黑。

蛊灵的残肢断腿在这巨大的引力之中无力地挣扎。它们摇摆着、蠕动着、翻滚着、颤抖着消失在了神之门无底的漆黑之中。

"关！"曲狂大手一挥，神之门应声消失。煞气散去，红色的天空恢复了平静，就仿佛那毁天灭地的蛊灵不曾出现过一样。

"司马狗贼，蛊灵一死，你便失去了推到灵魂之树的武器。胜负，已分。"曲狂说完这句话，忽然感觉眼前一黑，一头栽倒在了满地乱石之中。

白夜拄着镰刀，披头散发往这边走来。

"第五魂主，司马印成依旧活着。快去杀了他以除后患。"

易辰往那平静的天空中望了望，失声道："糟了！"

"怎么了，你看到了什么？"白夜吃力地问。

"我们消灭了蛊灵的灵体，可它的灵种依旧在这个世界上！"

"在哪儿！"白夜大声问道。

易辰望着天空中的白色雷电："在司马印成手中。"

白色的雷电一闪而过，如一道白光抓破了红色的天空往灵魂之树的方向直冲过去。

雷电的速度何其之快，五百里地也只需弹指的工夫。

雷电之凤翅翅而起，锵锵而鸣。司马印成一身镶金灵袍立于其上。他神情肃然，衣袂翩翩，一副仙风道骨中透着王者霸气。他的手中妖光闪动，张开一看，正是那蛊灵发着黑褐色光芒的邪恶灵种。

司马印成的面前是灵魂之树巨大的树冠，枯黄的树叶如一具具干枯的人体像是见到了什么可怕的东西忽然乱作了一团。

"颤抖吧，枯萎的灵魂。倒下吧，腐朽的大树。复活吧，远古的神灵。死去吧，肮脏的世界！"

司马印成大手一挥，仁王戒绿光大闪。

"仁王泽雨，万灵归一。"话音刚落，那绿色光芒如涓涓细流将蛊灵的灵种包裹了当中。伴随着灵体的悸动，那褐色光芒中的肉块像是分裂的细胞，一分为二，二分为四，四分为八。蠕动的肉块、变硬的甲壳、狰狞的腿脚正以喷涌之势无限复制。

"司马印成，你为什么还不死心？"白夜的声音。

"哦？"司马印成看着浮在半空之中的白夜和她脚下的空间阵法淡淡说道，"第六魂主，没想到如今的你还有力量施展空间之术。真是佩服，佩服。"

"受死吧！"白夜身后传来一声怒喝，一道耀眼橙光中倏地跃出一条火龙。这火龙通体晶莹，竟是由熔岩聚合而成。巨龙翻转着身子朝司马印成直冲过去，洒落的岩浆就如一场火雨。

"坤冥护体，万灵皆散。"司马印城轻轻一念，他的面前便凭空出现一道金色符文编织而成的结界。这火龙碰到了结界就如烂泥撞上了石墙，炙热的熔岩就如稀泥一样在那半透明的结界上滑落下去。

"可恶！"易辰小骂一声。他一手抱着重伤唐馨，一手挥剑又召唤出数道火龙。可这些火龙在碰到金色符文的一瞬间，便都如鸡蛋碰到了石头，琼浆炸满了天空。

"易辰，我已经得到了坤冥符和舜夏的血。这坤冥符的结界可以隔断一切攻击，你还是省些力气吧。"

"易辰，你听我说，你什么都不要管，继续攻击他。"白夜握紧了镰刀轻声对易辰道。

易辰手握灵剑大喝一声："九龙吟！"话音刚落，他身上的橙色烈焰猛地幻化成九条火龙，咆哮着朝司马印成飞扑了过去。

"我说过了，没有用的。"司马印成浅浅一笑。可就在那火龙将要接触了坤冥符结界的一瞬间，却忽然消失不见了。

"死吧！"白夜镰刀一晃，九道空间出口出现在了司马印成的周围。瞬息之间，这火龙就被白夜的空间阵法传送到了结界的内侧。

只听得一声巨响，高远的天空中如烟花绽放。炙热的熔岩在高空中翻滚、炸裂，无数的火种挥洒下来，在半空中熄灭。

"小心！"易辰话音还没落就听得一声法诀——罡炎焚天，万物尽烬！

那金色熔岩之中猛地射出一道红光，这红光巨大的能量将它周围的熔岩击退了何止数十丈。易辰这才发觉，这红色光芒的目标却是他身边不远处已近虚脱的白夜。

又是一声巨响，白夜的身上裹着滚烫的火焰，如一张被点燃的白纸从高空中飘落下去。

"白夜！"易辰大吼一声，脚下火光一闪便俯冲而下。

"罡炎焚天，万物尽烬！"又是一声法诀，就见那炙热的红光从高空砸落，将白夜的身体完全吞噬。

"司马印成！我要杀了你！"易辰踏着火焰在空中急停，他仰头大喝，却见司马印成立于高空之上，雷鸣之凤挥动着翅膀。

"白夜，我果然小看你了。"司马印成一把扯掉了半边被烧着的袖子。方才易辰和白夜从九个方向的合力一击完全没有死角，速度之快，范围之大就算司马印成动用神之雷光术也不可能全身而退。

司马印成的左臂被熔岩所伤，炙热的温度以熔岩为载体不断发挥着威力。司马印成一咬牙，右手挥起罡炎剑，一剑便斩下了自己的左臂。那条手臂从高空中坠落，在半空中消失。

"仁王泽雨，万灵归一。"司马印成法诀轻念，就见他右手小指之上的仁王戒光芒大盛，一道绿光飘飞出来缠绕着他左臂的断口。几秒的工夫，一条崭新的手臂竟从那断口中生出。司马印成活动着新的左臂笑道："三神器果然名不虚传，这仁王戒的回复之力竟如此神奇。"

司马印成话音刚落，易辰的熔岩之剑已经迎面劈来。在这高远的天空中，在这巨大的树冠之前，一橙一白两道光芒互相追逐，雷电与火焰交相辉映，彤云焚天，雷网盖地。雷鸣声，炸裂声惊天动地，响彻云霄。

深渊中的神猎们只能看见天空中耀眼的光芒，听见破空之声不绝于耳。巨大的能量竟让大地也开始颤动。

"看剑！"司马印成左手持着奔雷剑，右手持着罡炎剑，双剑齐挥，目标竟是易辰怀里的唐馨。

"不好！"那一瞬间，熔岩在易辰的身前凝聚成了一张龙头大盾。奔雷剑发出的雷电与罡炎剑发出的红光只一击便将易辰凝聚而出的熔岩之盾打成了液态。易辰感觉口中一甜，一口鲜血由喉头翻滚而上。

他左臂一颤，抱着唐馨的手一松，唐馨的身体便从他的怀中滑落下去。她的天女之衣在高空的大风中扑腾。她就像一个折翼的天使，在空中盘旋着飘落。

"馨！"易辰大喊一声，不禁吐出一大口鲜血。这血随风而去，散在风中。

"死吧！"司马印成祭起奔雷剑，一道雷电直朝着唐馨的胸口击打过去。雷电的速度何其之快，唐馨的生死只在瞬息之间。

就在这千钧一发之际，空中忽然刮来一阵大风将唐馨的身子吹到一旁。这雷电划着唐馨的耳畔击打下去，在遥远的地面炸开了一道深坑。唐馨的身体悬浮在半空，不远处，一个人影显现出来。

只见那是一个英俊的少年，面如冠玉白衣翩翩。他当空坐着木质的轮椅，黑色裤管空荡荡的在风中摆动。他手中折扇一挥，大风便将唐馨送到了自己身边。

"来者何人？"司马印成冷冷问道。

那少年折扇轻摇，眼神中毫无惧色。他淡然答道："蛊灵谷南宫镜，久仰先生大名。"

司马印成冷笑两声："原来，你便是那南宫凉的儿子。当年我在蛊灵谷时待他可不薄。今日你若是归顺于我加入我的乌托邦，你便是这新世界的功臣。我可以给你无限的生命、无穷的财富、巨大的权力。只要你现在杀了唐馨，我便立刻治愈你的双腿。"

南宫镜淡然一笑："多谢司马先生美意，既然您盛情相邀，那我就恭敬不如从命了！"南宫镜狠狠说完最后一个字，挥起一扇，将那大风凝聚成数百把透明的刀刃朝着司马印成削了过去。

"不识抬举。"司马印成口念法诀，在周身做出坤冥符的结界。

"南宫，你快带馨离开这里。"易辰擦干嘴角的血感激地看着南宫镜。南宫镜笑了笑，一挥扇子，便带着唐馨往那树下退去。

司马印成手握双剑灵袍飘飞，仅仅一招儿便化解了南宫镜的攻击。远处的蛊灵已在刚才几人的激斗中恢复了身形。其自身的回复之力与仁王戒的神力相辅相成，交相呼应，回复速度之快竟仿佛那擎天之柱是凭空生出的一般。蛊灵擎天的身躯在绿光中充满了力量，千万条腿脚搅动着黑色的煞气。天色暗淡下来，翻滚的煞气再一次铺张开去，遮蔽了血红色的天空。

司马印成的嘴角挂着一丝不易觉察的笑意，清癯俊逸的面庞却是不怒自威。他举起罡炎剑指向了灵魂之树大声道："蛊灵，吾命你不惜一切代价摧毁灵魂之树！"

话音刚落就听得煞气之上一声闷响。蛊灵怒吼着、咆哮着如那末世的死神扑向了羸弱的灵魂之树。

"可恶！"易辰大骂一声却再也无力阻挡蛊灵的脚步。司马印成挡在易辰和蛊灵之间不给他有一丝一毫的机会。

难道这巨大的灵魂之树就将在这一刻倾覆，这世间的一切都将在这一刻土崩瓦解？

那恐怖的场景在易辰脑海中一闪而过。他仿佛看见灵魂之树轰然倒塌，凡世天崩地陷，江海倒流。整个世界如地龙翻身，一切的一切彻底洗牌。万千生灵就此覆灭，人类文明就此终结。

咔咔咔一连串震天的巨响，却见灵魂之树被笼罩在了一圈金色的光晕之下。光晕之中符文跳跃，灵魂之树周围的七座浮空岛屿光芒大闪。

"神之三才阵？呵呵，三尊，你们可算出手了。"司马印成看着灵魂之树周围笼罩着的巨大结界叹道，"远古邪灵之力凌驾于万千神灵之上。虽你三尊乃魂国上神，也休想挡住蛊灵的愤怒！"

司马印成还剑入鞘，他双手做印，口中念念有词。那蛊灵似乎听见了司马印成的号令，身子一盘，竟像是一条蛇一样盘住了灵魂之树周围的那圈光。蛊灵邪恶的头颅拨云而下，一口咬住了光晕的最上端。

司马印成右手指天大喊道："远古之灵，极尽天威，三神之力，不足为惧！那蛊灵的身子猛地动了起来，就像是一列盘旋的火车飞速卷动。它锋利的腿脚肆无忌惮地划擦着金色的结界，伴随着翻滚的煞气，巨大的能量让那金色的光晕晃动了起来。

"看招儿！"易辰一剑逼近司马印成，却感到一股邪恶的气息从

174

自己的侧下方直冲而上。易辰变刺为砍，一剑向那邪恶的气息斩了过去。

那股黑气敏捷地一躲闪，绕了个圈便飞到了司马印成身边。

"三金道士，你的速度可真快啊。"喉咙摩擦的声音从那黑气中传出，腐烂焦黑的人体在那团黑气中若隐若现。

司马印成冷声道："尸鬼，你可是第一个到的。既然如此，眼前这小子就交给你了。我还有事要办。"司马印成说完，一摆袖子化为一道雷电朝着蛊灵的方向飞升而去。

"哪里跑！"易辰大喝一声，召唤出一条熔岩巨龙朝着司马印成的背影追过去。

"小子，你的对手是我！"尸鬼猛地一加速，一挥手便将那巨龙当中斩断。炙热的岩浆溅了尸鬼一身，可这夺命的熔岩于他而言仿佛只是普通的清水。尸鬼甩了甩手臂上发光的液体，竟然没有露出一丝一毫受伤的迹象。

"小子，我从你身上感受到了那蛊灵谷小丫头的气息。想必，你已经夺了她的贞操吧。哈哈哈……"尸鬼用恶心的嗓音大笑道。他这是要激怒易辰，让他露出破绽。

易辰没有理会尸鬼，他凝聚灵力，那熔岩做成的发光铠甲便在他的身上凝聚出来。他的背后张开了华丽的羽翼，就如天使的翅膀。

尸鬼在周身凝聚出带着绿光的黑气，口中叫嚣道："小子，你知道那蛊灵谷的女娃为什么断了一根手指头吗？因为，当日正是本尊咬下了她的手指。那手指脆得，就和胡萝卜似的……哈哈哈……"

尸鬼刚只笑了一声，便再也笑不出来。因为，他的头颅已被一道火光斩下。焦黑的头颅高高飞起，易辰不知何时已经到了尸鬼身后。

"原来，就是你。"易辰低声怒喝道。霎时，炙热的熔岩像是有了生命一般，如发光的潮水要将尸鬼吞没。

尸鬼双手平伸，那头颅竟飞回了脖颈的断口。炙热的熔岩侵袭尸鬼的身体，尸鬼怪叫一声将下半身从那夺命熔岩中拔出，没命地逃往那漆黑的更高处。

易辰挥动双手，那些熔岩听从易辰的号令，发着万道金光势要将这尸鬼挫骨扬灰。

"小子，本尊不得不说，凭你的年纪能有如此修为已是一个奇迹。只是，你还是太年轻了。"尸鬼话音刚落，一阵麻痹感由易辰右臂侵入身体。他强行御起木龙之力抵挡，可为时已晚。

尸鬼的尸毒已经侵入他的灵脉。空中炙热的熔岩一瞬间熄灭，变成焦黑的土块剥落分离。

"什么时候？"易辰捂着胸口，吐出一口黑色的血。

"呵呵，你问什么时候中的毒？"尸鬼弓着身子，慢慢往易辰的方向飘过来，"在你砍下本尊头颅的那一瞬间，尸毒便已由你的剑侵入了你的体内。小子，你不至于认为本尊躲不开你的剑吧？"

"可恶！"易辰大骂一声，又呕出一大口黑血。

尸鬼狰狞的身躯越来越近。他冷冷说道："待本尊先杀了你，便会杀了那蛮灵谷的女娃让你路上有个伴！"尸鬼双臂前伸，挥动尖锐的爪子朝易辰飞扑过来。

易辰看着飞扑而来的尸鬼，感觉自己的意识开始模糊。

我要死了吗？易辰的脑海中浮现出这个念头。

迷离眩晕之际，无数的画面在易辰脑海中如电影般闪过。漆黑中，他恍惚着看见了自己的妹妹易苒，还有母亲方茉。他们坐在老家冷清的客厅里对着碗里的剩饭吃得津津有味。漆黑的房间，只有一盏灯从餐桌上直直打落。

苒儿说："妈，家里快没米了。"然后，就是母亲俯在餐桌上剧烈咳嗽后喷出的鲜血。

"妈，我这就送你去医院。我有办法弄到医药费。"

画面一黑，易辰看见易苒浓妆艳抹，坐上一辆黑亮的奔驰车，在那寂静的午夜奔驰。他恍惚看见易苒对着那些富家公子厌恶地脱下自己的衣服，一件，又一件。易辰对着易苒的背影伸出手："苒儿，哥对不起你！对不起你！"

易苒的画面消失了。易辰的面前出现了一条冷清的街道。他看见母亲穿着破旧的市井衣服坐在昏黄的路灯下织着毛衣。她看见了易辰，猛地站了起来。她单薄的身体在晚风中萧瑟，头发中的银丝在孤单的路灯下越发明亮。

"阿辰，妈想你，妈好想你……"方苿的眼中闪着泪光。她伸出手，蹒跚着朝易辰走来。易辰不禁跪倒在地上，捂着脸泣不成声："妈！儿子没用，不能给你尽孝！"

一阵白光闪过，方苿的身影消失不见。四周忽然花雨纷飞暖风阵阵。在那花雨中，唐馨穿着淡黄色的连衣裙面容清澈如水。她看着易辰，说道："阿辰，你还愣着做什么呢？我们的念馨要去上学了，你骑车送送她吧。"

唐馨身后跑出了一个小女孩，这小女孩穿着粉色衣裳，扎着可爱的羊角辫。一双水汪汪的大眼睛就和唐馨一样。

"爸爸。"那小女孩开口唤道，一双明亮的大眼睛天真无邪、可爱动人。这一声"爸爸"却让易辰痛彻心扉，肝肠寸断。

"爸爸，你怎么哭了？"那小女孩问道。

易辰一把搂过她，说道："念馨，爸爸要去很远很远的地方，可能要很久很久才会回来。念馨，你和妈妈一定要好好的，记得冷了要添衣服，饿了要吃饭。以后长大了若是看见像爸爸这样的男人，一定要躲得远远的。要保护好自己，别让人欺负了。还有……还有……还有好多事……怎么说都说不完……"

易辰的泪水如大雨一般滂沱而下。他怀中的念馨忽然变成了无形的光点消失不见。

"易辰。"一个温柔的声音，易辰一抬头，又看见唐馨穿着天女之衣站在自己面前。

"馨。"易辰一把抱过她。

"易辰，我们为这个世界做得够多了。"唐馨轻声道。她仰起头，看着易辰英俊的面庞，说道，"易辰，让我再多看你一眼，就一眼。"唐馨的眼泪夺眶而出。

"馨，我也好想就这么一直看着你。"易辰认真地看着唐馨的眼睛。他们就那么怔怔地望着彼此，互相拭去落下的泪水。那一瞬间，这画面，却似乎定格成了永恒。

“小心！”易辰迷糊中，听见一声大喊。他感觉身子在空中不由自主地移动。他努力睁开眼睛，却见自己的胸口闪着一团绿光。

“魂主大人，老夫已将你体内的尸毒除去了七分。”说话的人穿着古代服饰，尖脸长发眼神冷漠。

“鸩队长，你专心为魂主大人治疗，这里有我们顶着！”说话的正是灵械队长王龙。易辰听见直升机的轰鸣，忽然感觉身子一抖，就听王龙大骂道：“小猫，你怎么开飞机的？”

“龙哥，那僵尸在后面追着呢，能开成这样就不错了。”小猫一边抱怨，一边扫了一眼在这直升机中的几人。

“你们坐稳了。”说罢，小猫操纵直升机兜了个圈。飞机一抖，两枚跟踪导弹便朝着尸鬼追了过去。

易辰努力回忆着，他记起自己方才中了尸毒，生命危在旦夕。在那危急关头，小猫开着直升机及时赶到。在尸鬼的爪子要碰到自己的一瞬间，一枚子弹击中了尸鬼的胸口。

想必，自己便是被王龙几人所救的。

“大功告成，老夫已将您体内的尸毒清除干净。现在，是算账的时候了！”鸩站起身。远处的尸鬼也已摆脱了跟踪导弹的追击再次朝着直升机扑了过来。

黑色雾气之中，那焦黑的身体大口一张，吐出了发着绿光的墨绿色气体。这气体像是一条蛇，扭曲着朝着直升机游了过来。

“妈呀，那是什么？”小猫怪叫一声，赶紧拉高直升机。

王龙被晃了个趔趄，开口数落道：“怎么你们美国人老是这么大惊小怪的？不就是个僵尸吗？”小猫被吓得面如土色，怯生生道：“蛇，蛇啊。”

在一旁的那尔幽幽地说道：“小汤姆，你要是不好好开，我就把我手上的蛇袋扣到你的头上。”

小猫想起那尔蛇袋中恐怖的眼镜蛇不禁面如土色，点头如捣蒜，口中不停地念道：“是是是，小的遵命，小的一定好好开……”

说话间，那条蛇形的毒雾已经逼近直升机。鸩一咬牙，一掌打碎了直升机的窗玻璃，顶着涌入的气流一头钻了出去。

"大哥，这直升机是新的啊……你要出去不会说一声吗？"小猫欲哭无泪，吐槽无力。直升机被这突变的气压冲得险些失去了控制。

鸮手持青色长剑当空而立，他口中法诀轻念，手中长剑轻舞，一道青色雾气从他剑中喷出和尸鬼的毒雾撞在一起。两团雾气相互撕扯便消失不见了。

小猫缓过神来，将直升机当空停住，口中唤道："Mike，show time!（麦克，抄家伙动手！）"话音刚落，直升机的舱门猛地打开。一个美国大兵在小猫身边渐渐显现。他头戴绿钢盔，身穿迷彩服，一副太阳眼镜遮住了大半张脸。顶着高空的大风，麦克扛起火箭炮对准了远处的尸鬼。

"那尔，你不也是灵术组的吗？快出去帮你队长呀。"王龙扫了一眼坐在角落的那尔说道。

那尔整理着自己的法老帽子，讪笑道："这个，其实吧，要想那么立在半空中起码得有队长的实力才行。就我这两下子，一出飞机就得摔死。不过吧……"那尔狡黠的小眼珠子转了两转，忽然对小猫说道，"要不这样，你把这飞机开到那尸鬼头上。容我打开蛇袋，把这剧毒的眼镜蛇给倒在他的头上。"

小猫一听，鸡皮疙瘩从脚趾开始蔓延到全身。他打了个机灵大声道："你这不是高空抛物吗？你们埃及人倒痰盂是不是都喜欢直接从窗口往外泼啊？"

"小汤姆，"那尔脸色一沉，幽幽说道，"我的蛇宝宝们说，他们最喜欢金发碧眼的小帅哥了……"

小猫的脑海中浮现出无数条眼镜蛇缠绕着自己的四肢和脖子，顿感头皮发麻，后颈冰凉。

"当我什么也没说，我什么都没说……"小猫连连告饶，似乎对这眼镜蛇的恐惧要远胜过那尸鬼。

几人摆好架势，远处的尸鬼也正弓着身子慢慢朝着鸮的方向飘过来。

"真想不到，魂国之内竟有人能抵挡本尊的尸毒。"尸鬼的声音含混而沙哑，"报上名来，能死在本尊手里，也算你三生有幸。"

高空的大风吹动鸩的长发。他冰冷的眼神中看不出情绪。

"大胆妖魔，你可还记得七百年前那一战吗？"鸩冷声问道。尸鬼一听这话不禁细细将鸩端详了起来。

"嘎嘎，"尸鬼的笑声如老人的咳嗽，他弓起身子大笑道，"果真是冤家路窄！你便是七百年前那六合天师的徒弟。"

"当年我六位师父祭出灵魂将你封印，本以为你将永世不得超生。真想不到，你这妖魔竟能冲破封印再次为祸人间。今天，我便要继承先师遗志替天行道！"鸩的周身冒出了滚滚绿烟，他抬起剑指向了尸鬼。

"就凭你？区区鸩妖也配说什么'替天行道'？当年那六个老头尚且要祭出灵魂才能将本尊封印七百年。今天，你区区鸩妖还想奈我何！"

尸鬼一张口，墨绿色的毒雾中飞出无数细小的长虫，如恶心的蚂蟥在空中朝鸩游了过来。

"雕虫小技。"鸩双袖一挥，却见紫绿色的羽毛从他的袖中飘出，挥挥洒洒，纷纷扬扬铺满了半边天。羽毛和尸鬼的毒虫撞在一起尽数化为黑色的尘埃。在那尘埃之中，尸鬼的利爪从黑暗中伸出，直直朝着鸩的面门抓了过来。鸩青色长剑出鞘，和这尸鬼在半空中战到了一起。

剑光闪烁，利爪破风，每一击都是黑烟四溅，毒雾冲天。鸩的毒羽和尸鬼的毒虫也在二人交战之时纠缠到了一起，一时间竟是难分高下。

"鸩妖，你既非人类，何必为其死战？"尸鬼猛力一击，二人拉开了距离。

"众生平等，若灵魂之树不在，百兽英灵亦将覆灭。即便吾不为人类而战，也要为这芸芸众生而战。"

"若你归顺三金道人，我定可让他封你为魂国兽王。"尸鬼说道。

鸩袖子一挥厉声道："妖言惑众！届时莫说百兽，即便一只蚂蚁都不会留下。吾等生食魂国之禄，死为魂国之臣。若是今日听信那司马妖道的蛊惑，日后必将被千人唾骂，万人践踏。若不想来日被千夫所指，名以不忠不义，今日就当清风两袖朝天去，免得闾阎话短长！"鸩说完，一挥袖子，如一只凌空的大鸟朝着尸鬼飞刺了过去。

此时此刻，不远处灵魂之树的结界已被那巨大的蛮灵箍得开始变形。伴随着列车开动一般的巨大轰鸣，高空之上忽地射下一道血色光芒。这光芒将滚滚煞气撕开了一道缝，直直打了灵魂之树的正上方。

天浊妖星已将月亮遮蔽，这血红的光芒正是这妖星赐予蛮灵的邪恶力量。天浊蔽月之时妖气最盛，而灵魂之树的神力最为虚弱。若是三尊编织的结界一旦破裂，那灵魂之树必将在这一瞬间被挤压为木屑。

这一切的一切都被树下的南宫镜看在了眼里。他的轮椅旁，唐馨虚弱地卧在一块平滑的长方形大石上。洁白的天女之衣发出微弱的光芒，她就像是一个美丽的天使静静地卧在那里。

一阵风来，南宫镜顿了顿，目光向右后方瞥去。他打开折扇冷声问道："来者何人？"

"没想到，我隐藏气息，竟还是被你感知到了。"那声音说。

"我感知到的不是你的气息，而是风的流动。"南宫镜缓缓将那木质轮椅调过头来。他叹了口气，道："这些年，还好吗？红尘。"

柳红尘纤细的身影从阴影中走出来，她头上的红色发带在风中飞舞，凄美动人。她看着坐在轮椅之上一身白衣的南宫镜，眼神中满是复杂的光芒。"镜，别来无恙。"她努力挤出几个字。

"多年不见，你的变化倒是不大。"南宫镜道。

"是啊，我已成虚空之体，身体不会衰老。只是想不到，你已经长这么大了。"柳红尘的话语间满是物是人非的感叹。

南宫镜缓缓推动轮椅，挡在了唐馨所卧的大石前，风吹动他和柳红尘的衣发是那样凄凉而肃杀。

大段的沉默，南宫镜的喉咙里终于挤出了几个字："红尘，你为什么要这么对我？"

"镜，我已经走上了一条不归路。这条路上满是鲜血，满是残忍，满是不为人知的真相。我知道你怨我当年在蛮灵谷中，在你我成亲之夜突然消失，可我柳红尘所做的一切都是为了南宫家啊。"

"红尘，你无须多言。昔日你我青梅竹马，今日却要刀剑相向。我谁都不怨，只怨这不公的命运！"南宫镜咬牙说道，两滴热泪夺眶而出。

"镜，我想你必然知道，当年我答应和你成亲，只是为了报答南宫家的养育之恩。当年，我只是南宫家的童养媳，一个照顾南宫家小少爷的丫鬟。我的存在，只是为了让南宫家延绵子嗣传宗接代。"柳红尘的眼中光芒闪过，她凄声道，"镜，我知道你恨我，可你不能恨你的孩子。他是南宫家的骨肉啊……"

"你说什么！"南宫镜睁大着眼睛，胸口起伏着。他用力捏住轮椅的扶手，以免自己跌落下来。

"你我成亲之前，我便已怀上了你的骨肉。我也未曾想过，那种年纪的你，竟能让我怀上孩子。那一夜，司马印成寻到了我，要我为他所用。若我不从，不要说是我和我腹中的孩子，就是南宫家三十二口人都将死于那一夜！"

"那，孩子呢？"南宫镜问。

"我离开半年之后，诞下了我们的孩子。我给他取名南宫安，希望他能平平安安。此时，我们的孩子正在司马印成的乌托堡中。他早已从天机中窃出了安儿的灵灯，即使灵魂之树覆灭，他也能安然无恙。"柳红尘一步步向南宫镜走去，"镜，为了南宫家的子嗣，唐馨必须死！这是，司马大人的命令。"

"不，不！"南宫镜大吼道，"为什么！"

柳红尘顿在原地，她的身后是长长的影子。她纤弱的身影在这缥缈的天浊之光中是那样憔悴而落寞。

柳红尘缓缓说道："镜，你以为我想吗？当年，我母亲和醉酒后的唐家少主唐星有过一夜之欢，所以，才有了我。你身后的唐馨，便是我同父异母的妹妹。今天，我要杀死的，是我的妹妹，我的妹妹啊！"

"红尘，我们还可以有孩子的。回头吧！"南宫镜大喊一声，低头落下两行泪。

"镜，待到灵魂之树覆灭，这世间所有的人，包括你在内都会随着大树一同死去。只有南宫安，这个灵灯不在树中的孩子才能躲过这一场劫难。为南宫家延绵子嗣是我的使命，也是南宫老爷对我的唯一嘱托。那一年，我母亲与唐家少主偷欢之事被唐星之妻封弪发觉，遂遭到了追杀。母亲抱着年幼的我逃到南宫府寻求庇护。她满身是血跪在南宫老爷面前求他收留我。直到老爷答应，母亲才含恨气绝。待到封弪杀到南宫府，南宫老爷亲手杀死了府中一个与我年龄相仿的女童和我母亲的尸身合放在一起才骗过了封弪。当年若是没有老爷，便也没有今天的红尘。那一夜，若因我而让南宫家惨遭灭门，我何以面对先母在天之灵，何以报答南宫老爷再造之恩？！"

"你难道就没有想过，你帮助司马印成推翻灵魂之树，我们南宫家也只有那幼儿一人能活。这和灭我南宫家满门有何区别？"南宫镜厉声问道。

"镜，你不要瞒我了，我什么都知道。"柳红尘淡淡说道，"那一天，那个深渊者血洗蛊灵谷之时，不仅杀死了长老唐琴，更是屠了南宫家满门。南宫老爷死了，就连逃出生天的夫人不久后也郁郁而终。而你，南宫镜，身染尸毒，被切去了双腿，也失去了生育能力。如今，我们的孩子南宫安，便是整个南宫家！"

"红尘，你又可想过，若司马印成成功，整个蛊灵谷的人都将随之死去。你身为蛊灵谷人，你于心何忍？"南宫镜问道。

"于心何忍？"柳红尘冷笑道，"我恨封家，也恨唐家！我看惯了蛊灵谷人的英年早逝和生离死别。如此坎坷的种族为何还要苟存于世遭此折磨？"

柳红尘慢慢拔出自己的猎魂刃，一步步逼向了南宫镜："交出唐馨！我不想伤你。我已获得虚空之体，有神猎之名。你身为凡人，不是我的对手。"

南宫镜一咬牙，折扇向上一举召来一阵大风环绕在自己和唐馨身边。他的声音被这大风撕扯地支离破碎："不错，我不是你的对手。可我南宫家的狂风之壁也非浪得虚名。我虽伤不了你，你也休想伤害谷主分毫！"

二人对峙之时，唐馨从那白石之上慢慢苏醒。她吃力地睁开眼睛，说道："南宫镜，原来，你那在新婚之夜失踪的妻子便是柳红尘。"

南宫镜叹了口气，没有说话。唐馨支起身子，望着柳红尘："若你刚才所说的是真的，你的父亲，便是我的父亲。本是同根生，相煎何太急？"

柳红尘拔出刀，冷声道："当年，你的母亲杀死了我的母亲。今日，你又抢走了我心爱的易辰。就算没有司马大人的命令，我一样饶不了你！"话音刚落，柳红尘利剑一抖，一个粉色的影子朝着唐馨飞奔而来。

"狂风之壁！"南宫镜挥起两扇，那粉色的影子一击砍在透明的风壁之上，霎时散开成了纷纷扬扬的桃花瓣。花雨纷飞之时，无数粉色的人影从各个方向跳出来，一刀刀砍在了南宫镜的狂风之壁上。

风卷花瓣，花瓣随风，这狂风之壁弹指的工夫就被逼得缩小到了原来的一半。

"镜，我不想伤你。只要交出唐馨，我便放你一条生路。"柳红尘的声音从四面八方传过来。

"你休想！"南宫镜又挥起一扇，却感觉灵力不济。一阵猛烈的破响，南宫镜口吐鲜血昏死过去，折扇在空中裂开。

"死吧！"风壁消散，柳红尘的身影从那漫天的桃花瓣中浮现出来，她的脸颊如霜似雪，面容竟和唐馨一模一样。她的眼里满是怨恨，她含泪运剑，指向了唐馨的胸口。

夺命利剑近在眼前，唐馨虚弱地支撑着身体感觉死期将至。她绝望地闭起眼，可那剑却迟迟未至。

当她再次睁开眼睛的时候，她看见了那个熟悉的背影。那铂色的头发在火光中熠熠生辉，蓝色的魂主灵袍在空中浮动。宽大的肩膀在火光中，却显得那么单薄，那么瘦。

"馨，我来晚了。"

这一声"我来晚了"却是让唐馨泪落潸然。在那火光幽暗处，易辰的手，生生握住了柳红尘的刀刃，而那刀却已经刺入了易辰的胸膛。炙热的鲜血顺着刀刃流淌出来，变成了一道橙色的光。

"红尘，这一剑，我欠你的。"易辰说罢，一发力，柳红尘连同她的猎魂刀便被推到了五步之外。

"易辰！"唐馨从身后抱住了他，当她抱住他的时候，唐馨感觉自己拥有了整个世界。

"辰，我以为再也见不到你了。"唐馨小声说道。易辰握住唐馨冰凉的手，久久不肯放开。唐馨感到易辰的手大而温暖，一股暖流在她的身上游动。

"馨，无论在哪里，无论发生什么，我都会在你身边。我死之前，绝不让人动你一根头发。"易辰慢慢抬起手，一把熔岩做成的利剑在他手中凝聚出来。他冷冷地望着不远处的柳红尘，说道："红尘，今日这一剑，你我算是两清了！你杀了王老师，杀了如痴师父，杀了凉子小姐。今日今时，你竟还要对馨下手。现在的你，便是我的敌人！"

柳红尘看见了易辰眼中的杀气。她望了望天，面无表情。她的红色发带在纷飞的桃花瓣中凄美地飘动着。她笑了笑，凄声道："当年，司马印成派我混入魂国，让我不惜一切代价接近首席剑术师。我做到了，在他司马印成的指点下，我顺理成章地成了剑术师大弟子。我和司马印成相约，天浊蔽月之前，必须好好活着为他所用。不然，他便会杀死南宫家唯一可以躲过天劫的孩子。你知道吗？当我用剑刺入师父身体的那一刻，我有多恨我自己！而今，天浊蔽月已至。我等这一刻已经很久了。"话音刚落，一个花瓣做成的粉色人影猛地扑向了易辰手中的剑。

橙色的灵剑刺穿了锦簇的花瓣，柳红尘的身影便在花瓣中显现出来。易辰的剑贯穿了她的胸膛，鲜血从她的口中喷涌而出。

"易辰，我终于可以解脱了。"两行清泪从柳红尘的面颊滑落，鲜血被易辰剑上的温度炙烤成了焦黑。

易辰收起剑，失神地站在那里，说不出一个字。柳红尘静静地卧在那里，她的声音气若游丝，但分明说道："易辰，你有没有爱过我？哪怕只有一分钟，哪怕只有一点点……"

唐馨转过身，捂着嘴，泪流满面。易辰抬头望了望天，低头时已是眼眶通红。

"红尘，我不恨你。"易辰咬牙说完这几字转身离去。他身后的柳红尘笑了笑，便化为一道粉色的光芒消失了。

天命之女

蛊灵吞吐着煞气，压缩着结界。在那结界之中的灵魂之树颤抖着，每一片叶子都被迫着发出绝望的低鸣。

"第五魂主！"远方的高地上传来一个高亢的呼声。

易辰一侧身便见到一个半人半兽的怪物在向他招手。那怪物上半身是个身披战甲的男人，下半身，或者说后半截身子是类似马的动物。他的身上长着浅棕色的兽毛，两双蹄子健壮又灵活。他的脸庞因沾染鲜血看得并不分明，他后腿一蹬，便如风一样朝易辰跑了过来。

易辰灵剑一横做出战斗姿势，那半人马见状赶紧双手做投降状，口里大喊道："魂主莫动手，自己人！"

"易辰，他灵力纯净，应该不是深渊者。"唐馨说。

那半人马诚惶诚恐地走到易辰身前行了个礼，用雄浑的声音说道："北长阿达拜见魂主大人。"

"你是，北兽之长？"易辰问道。

"正是在下。"阿达说着便从怀中掏出一个锦囊呈到易辰面前，"启禀魂主大人，在下奉八贤之命，务必要将这个锦囊亲手交给你。"

易辰接过锦囊，打开，却见里面只有五个字："封印三神器。"

易辰刚读完最后一字，就听得灵魂之树的方向一阵巨响。他身子随大地猛地一颤，那高空中巨响传来的方向绽放出了耀眼的红光。灵魂之树的结界之中猛得伸出了一把红色的巨剑。这剑大得难以想象，甚至比那树下的巨塔都要大上了好几倍。它当空悬在灵魂之树上空，只一剑就将那蛊灵劈为了两段。

蛊灵身体断裂处泛着黑绿色的泡沫，如黏稠的脓水一般将那灵魂之树周围的结界腐蚀出了一道裂口。司马印成驱动仁王戒之力，那蛊灵的身体在一瞬间愈合，就如那起死回生的巨大蜈蚣又扑向了脆弱的灵魂之树。

红色巨剑连连出击，司马印成术法连连。伤害和愈合相持，那剑和蛊灵的愈合之力一时间难分高下。可是，那蛊灵的煞气却已从结界的裂缝中灌入了灵魂之树所在的区域。煞气侵袭过来，凡是被沾染的叶片，都在一瞬间变成了灰烬。

说时迟那时快，大树底幽暗的洗魂池上又是一道绿芒，这绿芒不如刚才的红芒那般耀眼，却透着一股清澈的冰凉之力。这绿芒照耀到的地方，煞气便被净化，灵魂之树的叶片又开始生长出来。

"这是三尊的神之三才阵，两位，随我来。"阿达示意易辰和唐馨骑上他的后背。待二人乘上了那宽阔的马背，阿达后蹄一蹬，便一头扎入了绿色光满照耀到的大地。

"这绿芒在给我们传递力量。"唐馨说着，感觉自己的灵力在慢慢恢复。

"不错，我也感觉到了。"易辰睁开铂色的眼睛，往那树顶上望去，说道，"我能感觉出，术者就在那树顶上。"

阿达一边跑，一边说："这是第三魂主的人魂阵。第三魂主能通过这绿光感觉到你们的存在，尔后用自己的力量为你们治愈伤口，补充灵力。"阿达望了望那灵魂之树继续道，"而那树外的结界，便是第二魂主的地魄阵。地魄阵允许魂主从内往外进攻，而外界的力量都会被这结界屏蔽，就是连感知都很难做到。正是如此，第五魂主又是怎么知晓三尊的所在的？"

"我也说不清楚，"易辰捂着眼睛，"我感觉，大树在召唤我。"

易辰话音刚落，空中又是一响。这一响犹如烟花绽放，那悬在树上的巨剑嗖嗖嗖幻化为数百把小剑在那蛊灵身上疯狂地砍刺。这连续不断的攻击似乎压制住了蛊灵的再生和司马印成的仁王戒。蛊灵的进攻减缓了一些，可煞气依旧从那地魄阵的裂缝中源源不断地钻入大树所在的地方。

"那红色的剑便是大魂主的天灵阵。"阿达一边跑一边说道，"现在的一百零八剑名为玄灵斩，而百剑合一则为天灵斩。你们抓紧了！"阿达话音刚落，双蹄一蹬，便踏云而起。

他的脚步无声无息，竟如鬼魅一般从司马印成的后方慢慢向他接近。

"你们快握紧别星辰掩盖气息，以免被他发现。"阿达说着，身上的体毛开始由褐色变成了灰色。

"别星辰？"易辰问。

"就是上次你见第一贤者之时挂在胸口的那两个。"

易辰从魂主灵袍之内摸出两枚别星辰，两枚小巧的六芒星吊坠有着冰凉的触感。易辰将其中一枚分给了唐馨，他们便紧紧握着这吊坠，慢慢地，无声无息地朝司马印成的背影一步步靠近。

近了，又近了。只见在那高空的大风中，司马印成脚踏雷鸣之凤一身镶金灵袍。三神器在他的身前发着三色光芒。他扣起手指，翻动衣袖，作法施术之时全然没有感觉身后的易辰和唐馨正在慢慢靠近。

"再近一点，我便有把握一剑杀了他！"易辰咬牙说道。

"不能再近了。"阿达的蹄子停在了离司马印成百步之外的高空。他扭过头来望着易辰两人。易辰这才看见，阿达的脸上文着原始的兽形图腾，他的眼睛在暗红色的血污中显得格外明亮。

"不能再近了，司马印成乃旷世魔头，我们能借助别星辰之力身处其百步之内而不让他发现，已是一个奇迹。若是再前进一步，后果难料。"

"可是，我们要怎么才能封印三神器呢？"唐馨问。

"八贤说，司马印成之所以能架空神器持有者而占有三神器，是借助了某种血阵。他一定找到了另外的神器持有者候选人，用他的血祭出了神器的力量。在这种情况下，若要封印神器，你必须要将自己的血滴在神器之上与其建立连接，从他的手中抢回控制权。"

"我有一个办法，"易辰说着，便扶着唐馨翻下了阿达的背立在了半空中，"我们跑到司马印成的上方，然后将血由上而下滴在他面前的神器之上。如此他定难发觉。"

"好主意，"阿达竖起拇指，顿了顿，又说，"只是，你们不能在他的上方，而应该在他的下方。你们不要忘了，你们已成虚空之体，所有的血液都会飘向盲水的方向。"

　　唐馨点了点头，随后问道："我虽有办法施术让我们的血飘向神器，可是，这不会被司马印成感知到吗？"

　　阿达看了看脚下的灵魂之渊，叹道："你们看啊，灵魂之渊已经血流成河。司马印成怎有闲暇顾忌到那一缕血液是属于谁的。"阿达看向了唐馨，说道，"唐谷主，你安心施术，在下会分散司马印成的注意力为你们争取时机。"

　　"不行，太危险了。"易辰话音还没落，阿达马蹄一蹬，便往斜上方奔去了。易辰一看唤不住阿达，他叹了口气，便也只能随唐馨一起悄无声息地往下飘去。他们无声无息地来到了离司马印成百步之远的下方。他们割破手指，就见两缕细细的红色雾气朝上飘去。唐馨扣起手指，那两缕血雾就如有了生命一般，悠悠扬扬地往罡炎剑和仁王戒的方向飘了过去。

　　"司马狗贼！你可还认得你爷爷！"一个洪亮的声音从不太远的上空传来。

　　司马印成一听有人骂阵，他略略一抬眼，轻蔑地笑道："我道是谁呢？这不是半兽人阿达吗？你不陪着八贤下棋，怎有空来这儿散步了？"

　　"本座只是来看看你这司马小儿如何作奸犯科。识相的，就快快缴械投降。休得让本座出手让你死无葬身之地！"阿达喝道。

　　"哈哈哈，"司马印成大笑三声，随口骂道，"蛮荒妖孽，人兽杂交。你连做我胯下坐骑都不配，休要在此马嘶狗吠！"说罢，司马印成便不再看阿达。他正要转回身去，就听得阿达大喝一声："拿命来！"

　　司马印成一转眼，就见阿达在空中飞驰而来。他的手中生出一把银色长矛在黑色天空中闪着银光。

　　"不自量力。"司马印成轻笑一声，随手一指，一道白雷便洞穿了阿达的胸口。阿达的身体在空中一晃，便如一具焦黑的死尸坠落下去。

　　"司马狗贼，我在森罗地狱里，等着你！"阿达说完这句话，司马印成忽感大事不妙。

　　说时迟，那时快，易辰和唐馨的两道血雾缠绕上了他身前的罡炎剑和仁王戒。

　　"不好！"司马印成惊呼一声。他正要挥手作法，而易辰和唐馨已经抢先了一步。

　　"上古神器，听吾号令，以血为铭，速速封印！"易辰和唐馨同声念道。话音刚落，罡炎剑上的红光便消失了，仁王戒上的绿光也随之消散。

　　这剑和这戒指就像是凡间的普通玩物一般失去了所有光彩从空中坠落。

　　"你！你们！"司马印成怒视着下方的易辰和唐馨。他表情扭曲，额头两侧青筋暴起，鲜红的嘴唇因愤怒而颤抖着。

　　"司马印成，三神器已被封印了两个。你就等着死吧。"易辰狠狠说道。

　　"好，很好！"司马印成的嘴角抽动了一下，"神器一旦被主人封印，只有主人才能将其解封。哼，如此手段想必是那八个老东西的主意吧。"司马印成的脸上浮现出一丝诡异的微笑，他淡淡说道："只不过，我早就算到了八贤会有此一计。我司马印成纵横千年，岂会漏算这一步棋？"

　　司马印成望了望远处，口中念道："可算是到了。"话音刚落，遥远天际划过一道彩虹。这光芒飘到司马印成身边，幻化为了一个人影。这是一个身着七彩霓裳裙的少女，面容白皙，长发如虹。她的手中，抱着一个娇弱的婴儿。这婴儿裹着粉色的襁褓哇哇地啼哭着。

　　司马印成抓过那婴儿举到身前。他望了望唐馨，冷冷说道："唐谷主，你可认得这个女婴？"

　　那一瞬间，唐馨仿佛被抽干了所有的力气就要从空中栽下去。易辰一把扶住她，问道："馨，怎么了？"

　　唐馨双目无神，嘴角颤抖，她摸索着易辰的手臂努力站起来。

她面色苍白，颤抖地挤出了几个字："那是，念馨。那是，我们的女儿……"

"这不可能！"易辰朝唐馨大吼道。他扭头指着司马印成手里的孩子又吼了一声："这绝对不可能！"易辰的声音在风中散去，可唐馨却久久都没有回答。

易辰转回脸来看着唐馨，而唐馨却只是低着头，不看他。唐馨身体微微的颤抖让易辰感到一阵又一阵心疼。半晌，易辰问道："你确定那是念馨？"

唐馨绝望地点了点头，没有答话。

"司马印成向来狡诈，这一定是他的奸计。我们千万不能上他的当！"

司马印成的声音从高空传来："唐谷主的感知能力就连我司马某人也是望尘莫及。这女婴身上蕴含着你俩的卓越灵力，敢问这世间可还有第二个婴儿能有如此根骨？"

"第二魂主的地魄阵那么厉害，你不可能找得到丹眉。说，这婴儿是你使的障眼法对不对！"易辰喝道。

司马印成将那孩子交给身边的虹儿，说道："障眼法？呵呵，我司马某人当真是好奇了，究竟是怎样的障眼法能骗过你白金虚空的窥之力？"说完，司马印成从袖中拿出了一个有着民族图腾的项链，问道："唐谷主，认得这是什么吗？"

"这是，丹眉的项链，是丹眉母亲留给她的遗物。你怎么会有这个？"唐馨问道。

司马印成将那项链当空抛下，冷笑一声："我司马某人自然没有本事破除这第二魂主的地魄阵。若是我告诉你，这孩子是丹眉亲手交给我的。你信吗？"

"不可能，这绝对不可能！"唐馨失声道，眼中满是不相信。

司马印成伸出自己的食指，问道："唐谷主，你可还记得，你的手指是怎么丢的吗？"

唐馨望了望司马印成的手指，仿佛又回到了雨后初晴的那一天。他记得自己和丹眉去蛊灵谷外寻找虹虫。他们往彩虹所在的方向走去，却遭遇到了尸鬼。唐馨身边的两个灵女被尸鬼杀死，而自己的手指连同仁王戒被尸鬼吞下，就连前来救驾的南宫镜也因中了尸毒失去了双腿。

"想起来了吧。"司马印成看了看虹儿，"当日的彩虹，便是虹儿所化。而尸鬼，也是我命他埋伏在地底之下的。至于丹眉，她唯一的任务便是引你出谷，进入虹儿和尸鬼设下的圈套。"

"不会的，不会的！"唐馨捂着头怎么也不敢相信司马印成所说的话。

"丹眉是我的好姐妹，丹眉不可能背叛我！"唐馨失声哭喊道。

司马印成冷冷一笑："不错，丹眉是不会背叛你。应该说，就连丹眉她自己也不知道自己背叛了你。"

"你不要在这里妖言惑众！"易辰一把扶住唐馨厉声对司马印成喝道。

"到了今日今时，我就大发慈悲地告诉你们吧。"司马印成清癯俊逸的脸庞上满是计谋得逞的浅笑，"早在丹眉是个孩子的时候，我便在她的脑中种下了灵蛊。只要我发动这灵蛊，便能控制丹眉的意识让她按照我的心意行动，而她自己却丝毫不会觉察。"

"荒谬！"易辰喝道，"蛊灵谷蓝鹰长老可谓是当世神医，对于蛊术更是精通得不得了。有他在，怎么可能发现不了你在丹眉脑里种了蛊？"

司马印成长长叹了一声，将手背在背后："是啊，怎么就发现不了呢？"

那一瞬间，一个可怕的念头浮上了易辰的脑海。他猛地一颤，仿佛落入了无底的冰窖。

"难道……"易辰不敢再往下想，豆大的汗珠从他的额上滚落下来。

"当初，是谁提议要生下这个孩子的？"司马印成的声音冷而慢。那声音就像是一把无形的冰锥，一寸一寸扎入了易辰和唐馨的胸口。

"你住嘴！"易辰大喝一声，感觉头皮一阵阵发麻。

"不，我要说，我一定要说出来。"司马印成领着虹儿一步步逼向了易辰和唐馨，"蓝鹰脑中也被我种下了灵蛊。这个孩子，是蓝鹰劝你生下的。是我司马印成要你生下的！"

"不！不！！"唐馨撕心裂肺的尖叫划破了天空。易辰悲愤地怒视着司马印成。他指着司马印成的手颤抖着，潮水一般的愤怒、无奈、绝望让他说不出一句话。

"多么令人满意的表情，多么似曾相识的场景。"司马印成将奔雷剑轻轻靠在那婴儿的褯褓之上，说道，"现在，我只要轻轻一动手，这婴儿便会化为灰烬。"

"你到底想怎样？"易辰咬牙问道。

"三神器从被封印到解封至少要七七四十九天。而今，这时间是不够了。既然如此，你们何不自绝于这灵魂之树下，成为我司马印成走向乌托邦的铺路石。"司马印成依旧步步紧逼，他的眼中露出一丝杀气。

"你，你要逼我们自尽？"易辰硬声怒问。

"只要你们一死，我便能让易云成为这两样神器的新主人，重新激活三神器。如此一来，凭借神器和蛊灵，我便能将全人类，不，全世界，领向新的纪元！"司马印成领着虹儿一步步逼向易辰和唐馨。

"你休想！"易辰指着他，可自己却不自觉地向后退去。

"原本，你们的生死我并不在乎。这感觉就如人不会在乎一只蚂蚁的生死一般。其实，我想过留着你们，为新的世界开枝散叶繁衍后代，生出灵力高强的战士为我所用。而今，你们封印三神器，便是自掘坟墓。你们，必须死！"司马印成抵着婴儿的剑轻轻一转，淡淡说道，"自行了断吧。"

"若我们自行了断，念馨一样活不了。"易辰的眼中燃起了一团火焰，他一手扶住唐馨，另一手凝出一把熔岩利剑准备反击。

司马印成的脸上没有表情，他依旧用那平淡的语气说道："若你们的死，能让新世界到来，我手中的这个孩子便将是乌托邦的人王。"他说着一挥左手，空中便出现了一盏微弱的油灯。这油灯通体漆黑，散发着神秘的色彩。

"这是，念馨的灵灯？"易辰问道，而唐馨看着那灵灯已是泣不成声。

"不错，这便是易念馨的灵灯。我司马某人费尽千辛万苦才从灵魂之树中将其取出。"

"你胡说！天机早就被连安关闭。"

"天机关闭？笑话，你真是太小看我司马某人了。"司马印成一挥袖子，那盏油灯便消失不见，"你不要忘了，是谁亲手造出了这个孩子？"

"是……是蓝鹰。莫非……"

司马印成脸上的笑容转瞬即逝。他摆手说道："灵灯的产生并非在孩子生下的那一刻，而是在阴阳交合的那一瞬。那一夜，蓝鹰在那屋中让丹眉怀上了你俩的孩子。那一瞬间，这灵灯便从洗魂池中浮了出来。第七魂主只是略施小计便将这灯从池中捞出，交到了我的手里。"

易辰感觉头脑发胀。愤怒、绝望、悲伤、痛苦在那一瞬间游走在他的全身汇聚到了他的大脑。易辰浑身一颤，那一瞬间，他感到了一阵恍惚。

司马印成一步步向他逼过来。易辰和唐馨互相搀扶着一步一步向后退去。

"认命吧。"司马印成重重吐出这泰山般沉重的三个字。

高空的大风吹动司马印成的头发，他的表情在天浊妖星的红色光芒中蒙上了一层妖性："你们死后，易念馨便会成为我司马某人的女儿。待灵魂之树倒塌，芸芸众生覆灭，她便将是这个世界的人王。她和南宫安也将成为乌托邦的亚当和夏娃。"

"司马印成，你好毒啊……"易辰大骂一声，已经到了崩溃的边缘。他绝望地看了看怀中泣不成声的唐馨，两行银色的泪从红色的眼眶中溢出来。他看了看不远处哭喊的婴儿，低头说道："馨，决定吧……"

黑色的天空中，灵魂之树的轮廓在煞气中摇摆。金色结界在蛊灵巨大的力量中扭曲。在那与灵魂之树树冠相持的半空，司马印成领着虹儿，用剑指着那叫易念馨的婴儿一步步将易辰和唐馨逼向了绝路。

　　"决定了吗？"易辰轻声问道。唐馨将头埋在易辰怀里，努力点了点头。

　　"动手吧，我的耐心可是有限的。"司马印成的剑又往婴儿的胸口伸出了半分。

　　易辰深深吸了一口气，渐渐平静下来。他的手中再次凝出了熔岩之剑，坚定地说道："同样的错误，我绝不会犯第二次！"说完，他猛地举起剑，指向了司马印成。

　　司马印成的嘴角浮现出一丝不屑的笑意："怎么？你难道要亲手杀了自己的女儿？"

　　易辰的眼中满是坚毅，那剑依旧指着司马印成："上一次，我因一个孩子放走了你，险些葬送了整个世界。这一次，我易辰绝不会重蹈覆辙!"

　　"好，很好。"司马印成冷笑一声，抬起手，召来一阵风将那婴儿送到了自己身前，"易辰，现在已经到了最后的时刻。我就数三下，你要么杀了你自己，要么杀了这孩子。要不然，这孩子，可就轮到我司马印成杀了！"

　　"一！"司马印成数道。

　　易辰深吸一口气，双手紧握着剑却不敢去看那婴儿。

　　"二！"

　　唐馨从身后抱着易辰泪流满面。易辰握剑的手颤抖着，泪水从他的脸颊滑落，一滴滴落到他的剑上蒸发不见。

　　"三！"话音刚落，司马印成举起奔雷剑，白色的雷电打向了襁褓中的婴儿。这白色的光芒就如死神手中的勾魂索伸向了那粉色襁褓中小小的身躯。那一瞬间，易辰本能地闭上了眼睛。他的心里重复着这样的声音：念馨，爸爸对不起你……对不起你……

　　当易辰睁开眼睛的时候，只见到司马印成在那不远的高空中面容冷峻。不远处，黑羽姬的裙摆在黑风舸上随风而动，漆黑的羽毛飘满在天空。黑色的煞气之下，黑羽姬粉色头发在空中飞舞。她就如一个慈爱的母亲正在哄着自己怀中哭闹的婴儿。

"黑羽姬，你这是做什么？"司马印成问道。

黑羽姬哄停了婴儿，冷声反问："司马大人，难道你连一个无辜的孩子都要杀死吗？"

司马印成脸色一沉："杀不杀是我司马某人的事，哪轮到你一个下人对我指指点点？"

黑羽姬的脸上毫无表情，她的声音还是那般清冷平淡："不错，单是下人，当然无权过问主上的决定。可我黑羽姬仅仅是你司马印成的下人吗？"

"你竟敢直呼我司马某人名讳。你好大的胆子！"司马印成喝道。

"若连我黑羽姬都没有资格对你直呼其名。敢问，谁还有这个资格？"黑羽姬语气平淡，不甘示弱。

"把孩子交出来！"司马印成一伸手，话语间不容置疑。

黑羽姬看了司马印成一眼，冷冷一笑，挥动黑羽扇子调转黑风舸风驰电掣一般地往来路逃去。

"岂有此理！"司马印成额上暴出两道青筋，他正要随着黑羽姬逃跑的方向追去，却发现前路已被易辰召唤出的熔岩挡住。

司马印成眼神冰冷，他扣起手指当空一画，一道雷电便将那熔岩打成了一场火雨。他转头对虹儿说道："拖住他们！"

说罢，司马印成化为一道闪电顺着黑羽姬离开的方向急追过去。虹儿接到了命令，双手一张便在空中旋转起来。她七彩的头发在转动中渐渐变为白色，天空中霞光万道，几百个虹儿的影子从那霞光中显现出来将易辰和唐馨团团围住。

黑色的大风中，黑羽姬抱着念馨面若冰霜。那张黑风舸似是化为了一支黑色的箭，嗖的一声便往深渊外围射去。一路上黑羽漫天，不停地阻碍着尾随而来的司马印成。

可无论这黑风舸多么神速，这黑羽多么凌厉，可又有什么能快过这转眼即至的雷电呢？

"把孩子交出来！"司马印成的声音在黑羽姬身后响起。

"想要孩子，就自己来拿。"黑羽姬冷冷的声音在大风中模糊。

"找死！"话音刚落，一道白色的雷电追上黑风舸洞穿了黑羽姬的后心。她就如一个黑色的天使从空中飘然而落。黑风舸化为了黑色的羽垫轻轻接住了她。

在那高空之下，便是被战火洗濯过的乱石岗。在那残破的乱石岗上，黑羽姬口吐鲜血，手中依旧紧紧抱着那个粉色的襁褓。她的后背贴着一块粗糙的大石一动不动。

司马印成举着奔雷剑，一步步向她逼近。

"你要杀我吗？"黑羽姬冷冷问道。

"把孩子交出来！"司马印成还是那句话。

"说过了，要孩子就自己来拿。"

一道雷电将黑羽姬身后的岩石打碎了大半。司马印成一身杀气，镶金灵袍无风自动，就连他的头发都如失去了重力一般飘浮了起来。

"说，为什么背叛我？"司马印成第一次露出了修罗一般的神情。他的脸上像是蒙了一层霜，强大的灵力将他周身数丈之内的岩石都震为了粉末。

"背叛？哈哈哈，"黑羽姬含血冷笑，"我黑羽姬自你而生，由你所造。你问我为何背叛你？你何不问问你自己？"

司马印成冷冷看着她，却说不出半个字。黑羽姬看了看司马印成，又看了看怀中的孩子，问道："在你用雷电打向这个孩子的时候，你的心里可有过一丝一毫的不忍和怜悯？"

"不忍？怜悯？我司马印成岂可被这些凡俗之情所牵绊？"

"你若真的断了凡俗之情，当初又为何要造出我，并将那个女人的记忆植入我的脑中？"黑羽姬反问道。

"我司马某人行事还轮不到他人过问。"司马印成说着，一步步走向了黑羽姬。

"回头吧，印成……"黑羽姬叹了口气，"这是那个女人心中的声音。"

"你住口！"司马印成大声呵斥，挥手之间百雷齐鸣，乱石枯木化为了粉尘。一地焦黑中，黑羽姬静静地靠着半块大石，手中的念馨不知是睡着了，还是昏过去了，竟然不哭不闹。

"所爱之人，请让我将你杀死。这便是你司马印成的至理名言。"黑羽姬忽然抬起头。她的脸在熹微的红色光芒下显得落寞又凄凉："你爱上了谁，谁便成了你的牵绊。所以，你要杀死你所爱的那个人，让她劝不了你，怨不了你，别人也无法拿她威胁你。你杀了她，她便永远不会成为你的绊脚石。对吗？"

司马印成叹了口气，说道："这世上，唯有你一人懂我。"说罢，他将剑抵在了黑羽姬的心口。

"印成，这一刻，你的心里可有一丝一毫的涟漪？"黑羽姬含泪看着司马印成，而司马印成的眼中却是复杂的感情："1806年天浊蔽月时我便已杀了那个叫霰的女人。因为，她闯入了我司马印成的人生。只要我杀了她，便能彻底斩断凡俗之情，从此无牵无挂，无欲无求。可天不遂人愿，当我杀了她之后，她却被柳时槐以时光逆转之术救活。自此，我再也没有勇气朝她举起剑。直到后来，她助我打碎易枫的元神才成为了离魂之术的牺牲品，死在金水村里。要不然，她便是我司马印成一生都无法斩断的羁绊！"司马印成咽了一口口水，抵在黑羽姬胸口的剑抖了一抖。

"这一剑，我将斩断和她的一切，斩断我和这凡俗世界的一切。这一剑，你一定要死去！因为……"司马印成顿了顿，"因为，我只有这一剑的勇气！"

黑羽姬看着抵在自己胸口的剑，问道："若她还活着，便是你一生的牵绊；而今，她的记忆也将死在你手里，这难道就不是你一生的痛吗？"

"你住嘴！"司马印成大喝一声，一剑送入了黑羽姬的心脏。那一刻，天空中电闪雷鸣，而这雷电却不是来自司马印成自己的。

隆隆的雷声中，明亮的雷光里，黑羽姬带血的面庞一闪而过："若此时你的心里有一丝涟漪，便说明你还有一丝人性，我和霰便死而无憾了。印成，好自珍重，未来的路，只有你孤身一人了……"鲜血从黑羽姬的胸口溢出来。她缓缓将手挪到了自己的腹部，温柔地摸了摸，轻声道："我苦命的孩子，你爹走得太远，已容不得我们娘俩相伴。来生，投个好胎……"

说完这话，黑羽姬半睁着眼睛没有了气息。她和她腹中的孩子死在了那块大石前，死在了司马印成的奔雷剑下。她明亮的眸子反射着闪电的光芒。她的右手抱着婴儿，左手抚着自己的肚子。

右手是生，左手是死。她连自己都不明白，当她出手去救那柔弱婴儿的时候，是出于母性还是她早已看到了腹中胎儿的明天。

司马印成的手抖了一抖，慢慢抽出带血的剑。那一刻，天空中雷声大作，如奔腾的洪水由远及近。远空中，蚩灵在和三尊缠斗，可此刻的司马印成却仿佛什么也看不见，什么也听不见。

满地尘埃之间，这个誓要匡扶世界的男人静静地站着，一动不动，仿佛伫立成了一尊亘古的雕像。雨点落下来，淅沥沥，淅沥沥。是苍天落下的泪吗？

黑色的雨滴无情地打在司马印成身上。他的头发湿了，灵袍脏了。就连自己的面庞都被湿漉漉的碎发遮掩。

黑色的液体一道道从他的脸庞滑落。没有人知道，这是雨，还是他此刻落下的泪。

无数身穿蓝衣的神之猎魂者从四面八方围拢过来，在这黑雨中抽出白刃。

近了，更近了。

司马印成怒吼一声，他乱发飘飞，所站之处雷光大作。他的灵袍发着幽幽的蓝光，剑起剑落，灵血横飞。弹指之间，这乱石岗上已是尸骸遍野，只有司马印成一人傲然而立，看着黑雨降落，红雾蒸腾。

他望着黑云罅隙中打落的红光，叹道："我司马印成辗转千年，在这红尘中走了一遭又一遭。到头来，却是孑然一身，成了真正的孤家寡人。"

司马印成想起那黑羽姬怀中的孩子，却听得一个声音。

"这是谁的孩子？"循声望去，只见黑雨中走出一个魁梧的男子，他的身后随着一位白衣女子。她的怀里抱着那个粉色的襁褓。

"你可算是到了，赤妖王。"司马印成看了看伫立在雨中的舜夏和云牙说道，"这孩子，是某个蛊灵谷人的。"说完，他轻轻从那大石之上飘然而下，伸出手道，"把孩子给我。"

"不能给！"空中传来一声怒喝，就见一只熔岩巨龙扑在了司马印成身前。司马印成和舜夏赶紧跳开，就见那空中的易辰和唐馨急急赶到。

"舜夏，那是我和馨的孩子。你千万不能交给司马印成！"易辰朝舜夏喊道。

舜夏赤色的瞳仁中满是杀气，他望了望司马印成，问道："这是真的？"

"不错。"司马印成也不遮掩，淡然说道，"我乌托堡和你风城歃血为盟，今日易辰和唐馨擅自封印三神器。他们必须死！只有他们死了，三神器才能由我再次唤醒。"

"他们的死活与这孩子何干？"舜夏又问。

司马印成淡淡说道："他们一个是第五魂主，一个是蛊灵谷主。想要杀死他们还得费一番周折。而今，拿着这孩子劝他们自行了断可谓是上上之策。"

"舜夏，我们是出生入死的好兄弟，你千万不能将孩子给他！"易辰大声说道。

"舜夏，我求求你，放过孩子，孩子是无辜的……"唐馨含泪恳求。

舜夏看了看司马印成，又看了看易辰和唐馨："今日，我赤妖王率军前来讨伐，若你们执意保护深渊，便是我赤妖王的敌人。你们若想孩子平安无事，便退出这场战役。这孩子，我先收下了。"他转脸看了看云牙，说道，"云牙，将这孩子带回风城好生照看着。"

"慢着！"司马印成朝舜夏逼近了一步，"我已经说过，易辰和唐馨必须死！"

"那你便自己去杀，不要伤及无辜。"舜夏抛下这句话，转身而去。只留下那条赤色披风在这黑雨之中慢慢飘远。司马印成脸色灰暗，他握剑的手紧了紧，但终究没有动手。

"你站住！"易辰用剑指着舜夏的背影大喝道。

舜夏在很远的地方转回脸来，他的眼睛在黑雨中如两粒明亮的炭火。他开口问道："易辰，莫非你要对我刀剑相向？"

"别这样。"唐馨拉着易辰，靠在他的耳边说，"孩子在舜夏那儿没事的。他是舜夏，不是别人。"

"现在的舜夏已不是我们认识的舜夏了。他是风城之主，深渊妖王。我们还能信他吗？"易辰问。

唐馨看着易辰的眼睛，小声说道："现在司马印成就在眼前，若我们对舜夏出手必定遭他偷袭。现在的我们，不得不信。"

易辰深吸了一口气，他用铂色的瞳仁看着舜夏的眼睛："舜夏，若你还是当年的你，就算有一万个理由都不会去杀一个刚出生的婴儿。你回答我，你还是当年的舜夏吗？"

舜夏面无表情，慢慢摊开手。他的手上残着未蒸发的鲜血，在这黑雨中是那样的突兀，那样地刺目。他淡然地望着易辰，缓缓说道："你看看我这双手，不知夺去了多少神猎的生命。"他又指了指易辰的剑，"你再看看你这柄剑，上面沾有多少深渊者的鲜血。你问我还是不是当年的舜夏，你何不问问你自己，还是不是当年的易辰？"

易辰看着舜夏赤色的头发，赤色的面庞，炭火般炙热的眼神，看着他慢慢摊开的双手百感交集。恍惚之中，他仿佛看见了在金水村中遇到的那个寻宝旅人。他是那样质朴，那样善良。他穿着牛仔裤、登山靴，短发竖起，刚毅伟岸。他的眼睛，就如刚出生的牛犊那样清澈明亮。他说，他叫舜夏。

可是，这茫茫黑雨中，那个眼神炙热满身戾气的男人，又是谁呢？

他动了动嘴唇，话语冰凉："易辰，你是神猎，我是魂妖。我们早已是神妖殊途，势不两立。当初，是魂国将我逼上绝路，让我家破人亡颠沛流离。我父母胞弟皆为魂国所害，今天，我便是来复仇的！"舜夏一挥妖爪，杀死了两个朝他跑过来的神之猎魂者，随着云牙消失在了这茫茫黑雨之中。

"不去追吗？"司马印成站在不远处，冷声问道。

"追什么，孩子在舜夏手里便是在我手里。"易辰转过身来，怒视着司马印成。

"这话可说得真漂亮，"司马印成抚了抚自己的衣袖，"那，就祝你好运了。"司马印成一抬手，雷鸣之凤便飞到了他的面前。

"易辰，念馨的灵灯还在他手里。"唐馨说罢，易辰一挥剑，一道熔岩巨龙便朝着那雷鸣之凤以铺天盖地之势冲了过去。

"年轻人好大的火气，既然如此，我便陪你们玩玩。"说罢，司马印成踏上雷鸣之凤，单手指天，口中念道，"水切！"

话音刚落，那黑雨之中现出了一把水做的刀刃，只一下就将那熔岩巨龙斩成了两段。

"看招儿！"唐馨扣起手指，五张灵符朝着司马印成飞了过来。这五张灵符发着五色光芒，风雷水火土五样灵术由灵符召唤，招招攻向了半空中的雷鸣之凤。

"呵，天罡五灵符，这不是唐琴压箱底的法宝吗？"司马印成侧身躲开一个火球，又驱动雷鸣之凤躲过了自下而上的土块。那水灵符将这黑雨化为了万千水箭射向了司马印成，在这雨帘中，雷鸣之凤已是避无可避。

司马印成向前一伸手，口中大喝："搬山！"话音刚落，那乱石岗上的岩土就如失去了重力，纷纷由司马印成驱动飘浮到了他的身前，汇聚成了坚实的岩土之墙。

司马印成刚挡下这水箭，易辰已经绕到了他的身后。奔雷剑和熔岩剑碰撞在一起发出一声巨响。半空之中，一白一橙两道光芒你追我赶。爆裂声、雷鸣声响彻旷野。

唐馨扣起手指，念道："沐风。"她的身旁便绕满了白色的气流。这气流将她缠绕起来，大大增加了移动速度。她白衣一飘驱动五张灵符朝着司马印成杀了过去。

黑云压顶，熔岩飞溅，灵符闪耀，雷电破空。易辰唐馨二人和司马印成战得难舍难分。

"退开。"唐馨对易辰说罢，扣起手指轻念，"十梅傲雪，草木皆兵。"话音刚落，那半空之中生出了十株蓝色的梅花树，每一株都是亭亭玉立风姿绰约。这十梅就如十个战士，朝着司马印成围拢了过去。

"原来这便是蛊灵谷唐家的实力。"司马印成在半空中左突右撞。他躲过了梅树的攻击，却躲不过那漫天的蓝色火种。眼看着密密麻麻的花瓣要将他包围，司马印成倏地化为了一道雷电往更高的地方突袭而去。

　　"屠灵式，吞天！"易辰双手握剑直直斩下，那黑色天空就如裂开了一道又一道无形的口子。炙热的熔岩如瀑布一样从那天空之中垂落下来，一道又一道，像是连接天与地的河流，又如铺天盖地的幕布。

　　司马印成驾着雷鸣之凤在天崩一样的熔岩洪流中飞舞穿梭。易辰转动手中的剑，那空中的熔岩像是有了生命一般围拢到一起，纠缠着、咆哮着成为了一个巨大的炙热火球将司马印成困在了当中。

　　唐馨双手交叉于胸前，驱动五张灵符贴在了那火球的周围："天罡五灵！"唐馨手指向前，那五张灵符发出一道光芒维持住了熔岩之球的形状。

　　"这吞天的熔岩便是你的坟墓！"易辰大喝一声，"死吧！"

　　那空中的火球随着灵符的力量骤然缩紧。炙热的熔岩在一瞬间硬化，变成了焦黑的实体砸落在广袤的深渊之中。司马印成和他的雷鸣之凤就被困在了这炙热的熔岩之球里。

　　大地恢复平静，易辰落回地面吃力地倚着一块石头一脸憔悴。他看了看身边的唐馨，唐馨也看了看他。易辰咳出一口血，他灰白色的脸上残着天浊之光。

　　"馨，我们成功了。"易辰道。

　　"对，我们成功了。"唐馨道。

　　易辰一把搂过唐馨，他的手紧紧抱着唐馨瘦削的身躯。唐馨的手慢慢扣紧，她感受到了易辰的心跳和呼吸。唐馨细弱的声音颤抖着："辰，我们永远也不要分开，好吗？"

　　"我们永远也不分开。永远……永远……"易辰说罢，咳出一大口鲜血跪倒在坚硬的岩土地上。

　　唐馨俯下身去拍打易辰的后背。易辰擦干嘴角的血，看了看唐馨。

　　"你还记得吗？"他问她。

"记得什么？"她反问。

"那一个夜晚，你也就像这样在我身边。"

唐馨想起了那个寂静的夜晚，易辰在那条漆黑的小巷中救了自己，又在那条冷清的街道上大口地吐着鲜血。夜色清冷，夜风凛冽。她轻轻拍打着他的后背。

"我感觉，那一夜，似乎就在昨天。我总感觉那个黎明之前的夜晚特别长，长得让人等不到天光。"唐馨看着易辰，用手拭去他脸上的血渍。易辰的脸在这天浊之光中变得模糊，可又那样美好。

"辰，有时我会产生错觉，仿佛回到了从前。你记不记得，当年我们在金水村杀了魂煞之后我在家休养。你连夜翻墙来找我，却被我奶奶赶了出去。"

"记得，怎么会不记得。"

"其实，那时的我，天天都盼着你来。我也不知道为什么，即使奶奶不让我出门，我还是天天想你到我家门口叫我。我就是爱听你叫我，唐大小姐，唐大小姐……"

易辰抿了抿嘴，铂色的眸子中闪着光。他顿了顿，远处便传来一声尖锐的巨响。昏黄的天空中，一道白雷冲破了封印，划开了熔岩，冲上了这遥远的黑色天空。这雷电就如一把利刃划破了黑色的煞气，照亮了晦暗的天空。可易辰和唐馨却仿佛什么都没有听到，什么都没有看到。

滚滚烟尘中，易辰低着头，看着唐馨，唤道："唐大小姐。"

"欸。"唐馨眼眸低垂，柔声应道。

"唐大小姐。"易辰又唤道。

"欸。"

"唐大小姐。"

唐馨顿了顿，道："怎么了？"

"我只是，想再听一听你答应我的声音。"易辰笑了笑。他的脸，变成了没有生气的灰色，他的口中淌下了一道笔直的鲜血。

他们身后的烟尘之中，司马印成高高举起了剑。

三尊出阵

"馨，你后悔吗？"易辰擦干嘴角的血，问道。

"我已经没什么可后悔的了。"唐馨看了看易辰，淡淡说。

易辰望了望烟尘中的司马印成，叹道："没想到，我们耗尽所有灵力的最后一击竟都没能杀死他……"

"辰，我们尽力了。我们无悔了。"唐馨说罢，从容地从腰间抽出一把古朴的短刀。银色的刀身、金色的刀柄，亮如月，冷如冰。

这是奶奶过世前留给唐馨的刀，名为"无悔"。这刀曾被供奉在蛮灵谷封灵台万年不朽的石碑前。古往今来，不知有多少痴男怨女用这把"无悔"自裁，和早逝的恋人共赴黄泉。刀锋所过，身影倒下，空留炙热的鲜血铺满祭坛，冰凉的刀锋跌下石阶。

而今天，唐馨握住了这把刀，握住了这把用来自裁的刀。她的手抖了抖，说道："辰，我绝不能死在杀母仇人手里。就让我任性一次吧。"唐馨将这刀对准了自己的心口。

易辰低着头不说话，直到那烟尘淡去才吐出了几个字："馨，同生共死的誓言，我做到了。"他极力让自己的话语听着平静，但他的泪水还是如两道银色的线，不受控制地落在唐馨的脸颊上。

司马印成一步步向两人逼过来，他召唤着雷光，高举着剑，就像是滚滚烟尘中收割生命的死神。

烟尘未散，却见白光一闪。在那一瞬间，易辰感觉自己堕入了地狱，又如升到了天堂。他什么也看不见，什么也听不见，只能嗅到充满血腥的风从面前匆匆而过。

待到他能看清东西的时候，唐馨手中的"无悔"已经不见。她如一个天使一般沉沉睡去，睡在了易辰的怀里。易辰抬起头，司马印成已经站到了自己身前。他的身边环绕着迷离的光晕，让人看得并不分明。而他却只是站着，迟迟不动手。

"动手啊！"易辰咳出一口血，"你是在羞辱我吗？"

那司马印成仿佛什么也没有听见，依旧是那么静静地站着。易辰艰难地支起身子一拳打在那司马印成身上。可易辰已经精疲力竭，这如孩童般稚嫩的一拳没有撼动司马印成一分一毫，而他自己却虚脱地跌倒在冰冷的地面上。

"司马狗贼，我要杀了你……"易辰吃力地扯着司马印成的衣角，可那司马印成却依就是神情岿然不为所动，仿佛他身边的易辰根本不存在。

"我要杀了你……我要保护馨，保护凡世……我要为王老师报仇，为如痴大师报仇……我要杀了你……杀了你！"易辰扯着司马印成的衣角，鲜血顺着他的嘴角淌下来。

身受重伤，灵力耗尽，此时易辰的挣扎已如死前的回光返照。他略略一转眼，恍惚间竟看见了王平山和如痴在一束光芒中对着自己莞尔而笑。他们的身影在圣光中朦胧不清，就如那来自天国的使者。

"你们来接我了吗？"易辰问。

"对，时候到了。"王平山和如痴同声说。

易辰感觉耳畔轰鸣，视线失去焦点，从脚底而上的冰凉让他的身体麻木。他想抬起手，却发现自己的手已经不听使唤。他努力抬起头，对着那圣洁的光芒说道："能带我去一趟凡世吗？我想看我妈和我妹最后一眼。"

如痴笑了笑，道："还不到时候。"说罢，他一挥手中的念珠，一道绿色光芒便将易辰和唐馨环绕了起来。

"这是……"易辰动了动身体。

"这是什么？"易辰感觉自己的身体被一股温暖的气息包裹，"这个灵力，这是人魂阵的灵力……"幽幽的绿光连绵不断地渗入易辰的身体，一阵阵气血从他的心口涌遍全身。知觉在绿光中持续恢复，他感受到了高空的大风，感受到了大风划过脸颊的冰凉。

易辰看着自己手背上的伤口在这绿光中愈合，他睁开铂色的眼睛看清了周围。在他看清四周的一瞬间，一下就从地上弹了起来。

"这是哪儿？"

易辰望了望头顶，只见稀疏的枝叶后是黑色的天空。浓重的煞气云谲波诡。蛊灵邪恶的头颅拨云而下在不远的地方撕咬着金色的结界。

"这蛊灵……要过来？"易辰感觉头脑发蒙。他揉了揉眼睛，忽然发现自己的脚底踩着的竟已不是那乱石岗上的碎石，而是粗糙古朴的石板。他又望向了圣光中的王平山和如痴。

"我……我是在做梦吗？"易辰掐了自己一把，硬生生的疼，"你们，你们不是已经死了吗？这究竟发生了什么？这里是哪里？"

那王平山和如痴只是在那圣光中静静地看着他，不说话。易辰侧过脸，又看见了司马印成肃然而立，在那圣光中一动不动。

"不，司马印成怎么会在这儿？不，我要杀了他！"易辰握紧拳头就要朝司马印成砸过去，却听得一个熟悉的女人声音："住手！"

这是白夜的声音。易辰扭过头一看，就见白夜衣衫褴褛地盘坐在一个法坛之上。她面如白纸，碎裂的白衣血渍斑斑。她身后的不远处生长着粗壮的藤蔓。这些藤蔓的叶子和那空中的叶片都是人的形状。男人、女人、大人、小孩。他们有的笑，有的哭，有的一脸忧愁，有的无忧无虑。幽幽的绿光在这叶片中潺潺而动，就像绿色的血液。

易辰顺着那藤蔓密集的地方看去，就见所有藤蔓最终汇聚到了一个洞口，然后往下，一直往下到深不见底的深渊。

"白夜，你不是……这，这是哪儿？"易辰惊愕地看着白夜。

"第五魂主，我被司马印成逼入绝境时，便驱动空间之术避开了致命一击。我于人魂阵中恢复少许功力便将你和唐谷主引渡到了这灵魂之树的入口。你们安全了。"白夜说。

"空间之术……入口？灵魂之树的入口？"易辰感到一阵迷茫。

"看吧，这神树须脉汇聚而下的地方，便是灵魂之树的心脏。而这里，便是神树的入口。这入口有七座法坛，名为七星坛。而我们现在所在地方正对着天浊星，位于神树之巅。"白夜话音刚落，就见空中的红光越发明亮，这红光直直打在了蔓藤汇聚而下的巨大洞口上。

"第五魂主，你该知道何为天浊蔽月了吧？"白夜闭着眼睛，端坐调息。

"原来，天浊蔽月之日，就是天浊星代替了月亮，妖光代替月光落进神树的日子。"易辰缓缓转过脸，怒视着司马印成。他的手中凝聚出了熔岩剑，而那司马印成却依旧是那么站着，肃然地望着天空。

"第五魂主，你可认得他是谁？"白夜问。

"化成灰我也认识！"易辰说着，一剑便朝着司马印成劈了过去。可他的剑还未触及那圈光晕便被一把悬空的灵剑挡了下来。

一个雄浑的声音在他身后响起："易辰，休要胡来。"循声望去，就见曲狂驭着神皇五刃落到七星台上。他右臂的断口处闪着绿光。他吃力地放下身后的神像，一下坐倒在白夜身旁的法坛上。

"你这是做什么？"易辰瞥了一眼曲狂，怒道，"难道连你也是叛徒？"

曲狂用左手指了指右臂的断口："第五魂主是在说笑吗？我这手，便是被叛徒暗算的。"

易辰一咬牙，挡开曲狂的灵剑，朝着那司马印成又要刺过去。

"易辰，你好大的胆子。你可知道，在你面前的正是魂国上神，三尊之首，魂天尊！"白夜闭着眼睛，语气略显愠怒。

易辰的剑停了下来。他细细打量起他面前的这个人。只见他面容清癯，神情淡漠。那身金玉七星袍外散发着迷离的光晕。他的确像极了司马印成，无论是身形、外貌，甚至是他周身散发出的气息都像极了司马印成。

"这……他是……第一魂主？"易辰的手抖了抖。白夜闭着眼睛顾自调息，曲狂也已疲惫地说不出一个字。

易辰缓缓放下剑，隔着这一丈的距离细细感知。

对，他不是他。单凭他周身散发出的纯净的、比司马印成更加深不可测的灵力就可以判定，他不是他。

迷离的光晕中，易辰看清了魂天尊雪白的须发和苍老的面容。他看着，比司马印成老迈了许多，许多。他只是微微仰着头，深邃的眼神没有焦点。他像是望着无限高远的黑色天空，又像是望着深不见底的宇宙洪荒。他的须发和衣袂在这光晕中浮动着，仿佛这光就是一汪水，从他的身躯中荡漾开来。

他略略动了动手指，就见遥远天空中那一百零八柄灵剑合为了一把。随着一声瑞响，这巨大灵剑如天外而来的一道光，一下劈在了蛮灵的头颅上。蛊灵怒吼着、哀嚎着，用浓重的煞气试图推开这剑，却又见魂天尊眼神微动，那巨大灵剑便分为了一百零八柄小剑。它们飞舞着、旋转着、斩击着、穿刺着，直到漫天都是蛊灵的残肢断体。

魂天尊依旧是那样肃然地着望着远空，望着这如泰山崩塌一般的天际。蛊灵在这剑阵之下向后退去，那剑锋稍稍减弱，蛊灵的身体便又就如井喷一般开始再生。

易辰回头一看，那王平山和如痴也已站在了魂天尊的两侧。易辰细细打量着两人，却见那"王平山"须发乌黑，英俊潇洒，一身飘逸的深蓝金玉道袍更是添了几分侠义之气，举手投足间全不像王平山那般，是个风烛残年的老人。

而那"如痴"却依旧是一脸笑意。他一身土金僧衣，颀长的眉毛变成了雪白。他的头上戴着书生帽子，看不见头发。这哪里还是原来那个亦僧亦儒的青涩少年，这看着更像是一个吃斋念佛的高深居士。

"你们……你们是？"易辰不知从何问起。

曲狂开口道："他们便是魂国的第二、第三魂主——魂地尊与魂人尊。"

"我是人尊，他是地尊。"那老居士笑意盈盈地说道。

"那……那司马印成、王平山，还有如痴……"

魂地尊一捋黑色的胡髯，目光灿若星斗："想必你也发觉了吧，我三尊与那三人外貌相像。可三尊是三尊，那三人是那三人。王平山和如痴的确已被杀死，司马印成也的确是存了推翻灵魂之树的野心，可到头来依旧是三尊是三尊，那三人是那三人。"魂地尊说道。

"但为什么会有这样的巧合？你们，你们也长得太像了。"易辰说。

魂地尊又将了将乌黑的长须："既然说来话长，本尊便长话短说了。话说千年前，我三尊为了和灵魂之树同生息共吐纳不得已将自己的一魄融入了洗魂池中。如此一来，便能借助树与池的力量发动神之三才阵。我三尊的三魄在洗魂池中被灵魂之树吸收，和其他千千万万的灵魂一同飘往凡世。几经轮回，三魄都成了凡人，而凡人又修成成了虚空之体。天尊的一魄，轮回成了司马印成；我地尊的一魄，轮回成了王平山；而人尊的一魄，便是那如痴。此三人在成为虚空之前皆为凡胎肉体，只是因为有我三尊的一魄，所以根骨清奇、天赋异禀，再加上机缘巧合便都和魂国有了交集。"

易辰听罢，陷入了沉思。原来那司马印成正是取了天尊的一魄，才有如此通天彻地的本领。也不知天尊的这一魄究竟轮回了多少次，才有了司马印成这样的旷世魔头。

他想起了墨炎讲给他的故事。千年前，司马印成出生不久。那时的他只是一个弱小的婴儿，被父母遗弃在偏僻村庄的井口上。他弱小的身体摇摇欲坠之时被墨炎的祖师爷所救才幸免于难。王平山曾想，若当年先师晚来片刻，今日便不会有司马印成这个大魔头。可是，天尊的一魄不会毁灭，即便当年的婴儿坠井而死，天尊的一魄依旧会由灵船运往洗魂池进入新的轮回，成为另一个司马印成。

也许个人的命运吉凶难卜，但世界的命运却如滚滚向前的车轮。无论是英雄豪杰还是贩夫走卒都只是这车轮下的一粒沙石，难以阻挡它滚滚向前的轨迹。

易辰这么想着，又望向了魂天尊。可魂天尊依旧是那么肃然地望着远空，仿佛周遭的一切都和他无关。他华美的金玉天尊灵袍在微风中拂动，那一瞬间，易辰觉得眼前这个如塑像一般伫立的老者便是整个灵魂之树。

忽然，易辰感到一丝熟悉的气息朝这里逼近。他抬头看去，只见一只半人马从天而降。他穿过郁郁的枝叶。马蹄在石板上嗒嗒作响。

"你是，阿达？"易辰望着那半人马。

阿达来到众人身前，将右手搭在胸前行礼："参见各位魂主，第一贤者命在下前来禀报，司马印成的魂煞大军即将兵临灵魂之树。各位魂主只需合力对付司马印成和蛊灵，其他的杂鱼第一贤者自会应付。"

"有第一贤者出手，就算是千军万马又有何惧？"魂地尊一捋胡须。

"那我们就专心迎敌吧。"人尊笑道。

"阿达，你不是被司马印成……"易辰问道。

阿达转向了易辰："第五魂主，那司马妖道杀死的只是在下的一个分身。如今前第五魂主连安功力全失，无法进行灵蝶通信。因此，在下便以皮毛做成分身十六，专为上传下达。在下还有其他指令要去传送，先行告退了。"说罢，阿达一蹬马蹄，穿过灵魂之树的枝丫，消失在了被枝叶覆盖的低处。

魂人尊看着远去的半人马又看了看空中的蛊灵，笑了笑："第二魂主，你看这蛊灵如此凶猛，是不是也该拿出点看家本领了。"

"既然司马印成大军压进，那本尊就恭敬不如从命了。"说罢，魂地尊单手结印，口中却是一个字都没有念。

那一瞬间，这灵魂之树的金色结界放出了光芒。那光芒过后，就见这结界已经不如原本那般平滑。金色的光芒凝聚成了一根根尖锐的刺。这巨大的结界渐渐变成了一个尖刺横生的巨大金球。那刺越来越大，越来越粗，这结界的样貌也变得狰狞了起来。

魂地尊的身边绕满金色的光晕，他一挥袖，金色结界便飞速旋转。狂乱的地方吹散了浓重的煞气，巨大的力量切断了蛊灵的躯体。

可是，只要蛊灵的灵种不灭，他的灵体便成重生成百上千次。司马印成手中的褐色光芒如心脏一般有节奏地跳动着。那蛊灵的残肢肉块便以很快的速度再次聚拢在了一起。

蛊灵再生得快，可魂天尊的剑更快！

那远空的一百零八柄灵剑趁着蛊灵恢复的空当齐齐飞往了同一个方向。易辰用窥之力一看，就看见那远处的司马印成正踏着雷鸣之凤往这边飞来。

魂天尊目光如炬，他将藏在袖中的手抽了出来。而在那目力难及的远空中，司马印成也扣起了手指。魂天尊抬起了手，司马印成也抬起了手。魂天尊的眼神变了，司马印成的眼神也变了。他们的面庞是一样的清癯俊逸，只是一个年轻，一个老迈。

这是他们的第一次交锋。近了，又近了。那远处的一百零八剑就如一道红色的风刮向了迎面而来的司马印成。

"坤冥护体！"司马印成大喝一声，他的身边撑开坤冥符的结界。就听铮铮铮的声音连绵不绝，剑与结界摩擦出的火花灿若繁星。司马印成一咬牙，他所乘骑的雷鸣之凤化为一道白雷冲出了红色的剑阵。

魂天尊手腕微抖，这一百零八剑受其感召纷纷调转枪头朝着司马印成席卷回去。司马印成挥动奔雷剑，召唤出数十道雷电杀出了一条血路，朝着更远的地方逃去了。

易辰用窥之力看得分明，他从未想过这世间竟有人能在感知之力上胜过白金虚空，也从来没有想过，有人能在十里之外发动如此宏大的术法。若魂天尊能守住灵魂之树方圆十里不让司马印成靠近一步；只要魂地尊能维持灵魂之树结界不破；只要魂人尊能持续治愈煞气对灵魂之树造成的伤害。一旦天浊蔽月结束，司马印成将功亏一篑。

司马印成当然知晓这个道理，当他被一百零八玄灵斩追逐的时候便想到了这一点。可是，司马印成这个历经千年沧桑的野心家又怎么可能坐以待毙。他望了望身后追逐的灵剑，又望了望空中的霓虹。

"虹儿，是你效忠的时候了。我司马印成造出你，便是为了这一刻。"司马印成说罢。那彩虹之中，便现出了一个着七色霓裳裙的姑娘。她望了望司马印成便在那天空之上翩翩起舞。她转动着七色霓裳裙，空中出现了细小的粉尘，就像无数碎裂的玻璃游离在半空。明亮的、闪动的，就像无数飘浮在空中的钻石。

虹儿的身影随着她的旋转渐渐消失，最后，变成了这漫天的细碎光芒笼罩在灵魂之树周围。

那一刻，魂天尊的手抖了一抖。他慢慢转过了石像一般的脸，声音暗哑低沉："易辰，灵魂之树方圆十里内的感知已被隔断。从现在开始，你便是本尊的眼睛。"这声音苍老而晦暗，却满是坚毅。

"告诉本尊，司马印成现在何方？"魂天尊问。

易辰赶紧开动窥之力往远空寻找，却是一无所获。

"小心！"地尊话音还没落，易辰心头就是一紧。只见一道白光闪过，就是一阵雷电落地的巨响。易辰晃过神来，就看到司马印成背着手傲然立在了自己十步之远的地方。他的身旁雷光闪耀，散落着从天而降的余火。

"别来无恙啊，老东西。"司马印成淡淡说着，慢慢转过脸。此时的他，竟已站到了易辰和魂天尊不足十步的地方。

"以雷电之速疾行，以雷电之力击穿结界。好俊的功夫！"魂地尊说道。

"只是，你就这般自投罗网，真的好吗？"魂人尊嗤笑道。

"他是假的！"易辰眼中铂色光芒一闪大声喝道。

可一切，都太晚了。

浅浅的笑靥从司马印成的脸庞弥漫开来，他抬起手，就见虹儿的面庞一闪而过，他的身体变成了一束耀眼的白光冲上了遥远的了天际，冲上了天浊星所在的高远天空。刹那间，七星台上百雷齐鸣，万雷奔腾。这雷电如旷世天谴屠戮生灵。轰击声、爆裂声不绝于耳。这声音如惊涛骇浪，又如万军厮杀。雷电轰击着神树，雷网像是无数发光的触手照亮了半边天。残破的枝叶纷纷扬扬，挥挥洒洒飘了满天。

持续数秒的雷击过后就见硝烟下满地的焦黑。易辰呆呆地站在原地，在那耀眼的雷光中，他依稀看见魂地尊朝自己伸出手。他嗅到了浓重的焦灼味道，直到最后一丝雷电熄灭，才怔怔地向后退了一步，跌坐在唐馨身旁。

易辰看见自己的身上还有唐馨的身上都笼罩着地魄阵的金色结界。他环顾四周，就见天尊、人尊、白夜、曲狂的身边也都笼罩着地魄结界。而众人身后，魂地尊低着头。他满身焦黑，灵袍之上残着未熄灭的火苗。黑色的烟从他的身上飘荡出来。他捂着胸口，一下跪倒在七星台上。

"竟敢……"魂地尊呕出一口血。他吃力地抬起沾满黑尘的脸，望了望结界裂口处撒落而下的细小粉尘。他懊恼地闭上眼睛，喃喃道："将积攒百年的雷电以裂口送入，再以虹妖之骨为掩护，将雷电化为人形瞒天过海……司马印成，你真是用心良苦啊！"魂地尊喷出一口血，一下栽倒在七星台上。他倒下的时候，易辰和众人身上的结界碎成了金粉，而灵魂之树的结界猛然减弱了七分。

"地尊，坚持住！"魂人尊盘坐在地尊身旁为他疗伤。

"我们太小看了司马印成了，"白夜说道，"他将虹妖之骨散落在灵魂之树周围阻隔我们的感知，让我无法定位空间阵法，再用虹妖之魂化作人形送入他积攒百年的雷电。我们大意了。"白夜叹了口气。

司马印成在那结界外的高空望着七星台上雷击过后的黑烟抚摸着

手里的奔雷剑："两百年了，我司马某人每一天都在用这奔雷剑吸纳雷电之力。两百年的不懈努力，为的就是方才那制胜的一击！"他望着漫天的碎裂光芒，说道："虹儿，你没有让我失望。你看到了吗？你陨灭自己的灵魂骗过了三尊的眼睛。你磨碎自己的身躯断了他们的退路。你看到了吗？你已然是我乌托邦的开路者。你的名字将被写在乌托堡万年不朽的石碑之上供千人传颂，万人膜拜。"说到动情之处，司马印成竟也是热泪盈眶。

"冲啊！我的魂煞大军！"司马印成剑指大树大吼一声。那蛊灵在天浊妖星的红光下忽然躁动起来。无数身长白毛和黑毛的僵尸从灵魂之树周围的土地下钻了上来。魂妖、魂煞以及风城的勇士们从黑雾中杀出，他们红着眼，淌着血，披荆斩棘，怒吼着杀向了远处的洗魂池。

"将士们！为了自由！为了平等！为了我们的乌托邦！杀啊！"司马印成挥手之间，联合大军士气大涨，魂军节节败退，被压制到了离洗魂池不足五里的地方。头顶的蛊灵就如一个巨大的怪物撕咬着、缠绕着吹弹可破的结界。

"妖言惑众！"一个清亮的声音从半空中传来。这声音借助了灵力，传的极远极清晰。司马印成往远空一望，就见一深蓝色的大纛在狂风中飞舞。纛旗上书一"魂"字，纛旗之下是一木轮车。车上坐着一老者，羽扇纶巾，目若星斗。他的左右是一黑一白两个魂使。这魂使就如戴着面具的两条破布飘荡在空中。

"来着何人？"司马印成以灵力驱声回应道。

"吾乃魂国第一贤者，阁下又是何人？"那老者反问道。

"小老儿明知故问。我便是你魂国恨之入骨的圣裁者——司马印成。"

"司马印成？"那老者故作思量，说道，"老夫纵横千年，从未听过此人。想必不是那山野村夫，便是无名小卒。一介无名小卒也臆想着开拓什么乌托邦？可真是恬不知耻，痴人说梦。"

"第一贤者言重了。"司马印成答道，"我司马某人之所以取你灵魂之渊，正是因为凡世早已是道德沦丧，人心不古。而你魂国更是姑息养奸，听之任之。吾今日取你深渊无他，唯毁灭世界，从头再来！"

"好一个毁灭世界，从头再来。"第一贤者一摇羽扇，"若让汝这般不仁不义之徒凌霸天下，真乃天劫也。"

"小儿，吾已兵临城下，你已无路可走。古往今来成王败寇，功过是非自有后人评。"

"兵临城下倒是真。可无路可走的，还不知道是谁呢？"第一贤者一挥羽扇，就见那洗魂池周围的八个方位忽然出现了八个魂军方阵。他们蓝衣翩翩剑拔弩张，就等着联合大军前来进犯。

"你可识得此阵？"第一贤者问道。

"这不正是你诸葛孔明的奇门八卦阵吗？"

"呵呵，本座都快忘了这个名字了。"

司马印成不屑地说道："你记得也好，不记得也罢。只是此等古阵也敢在我面前班门弄斧。你倒是说说，古代的盾牌能挡得住现代的枪吗？"

第一贤者笑道："那老夫问你，古代的枪能杀死现代的人吗？"

"好一张利嘴。"司马印成道，"一个当年我司马氏的手下败将今日也敢在此叫嚣！"

"笑话！当年一个老夫的人偶便将你那没用的子孙吓得屁滚尿流。这死诸葛惊走了活仲达的故事已然成了千古笑谈。"第一贤者顿了顿，继续说道，"东汉末年，老夫六出祁山，终于在上方谷用火计将那司马懿逼入绝境。若不是你为了你那不成器的子孙召来了那场大雨，吾早就取了他的项上人头；若不是你捏灭了老夫的灵灯让吾心落秋风五丈原，这历史还不知该怎么写呢！"

"呵呵，"司马印成笑道，"演义戏说，竟也被你这小老儿演得这般活灵活现。"

第一贤者没有理会司马印成，继续说道："你为了一己私欲篡改历史，如此阴险龌龊之人当天诛地灭！"

"哼，我司马一氏好歹称帝百年，而你有什么？哦，对了，你至少还有一张嘴，还能在这儿像个女人一样骂骂街。"司马印成不动声色。

"当年还不知是谁穿了女人的衣服呢？"第一贤者反唇相讥，

"更可笑的是，竟还有人睁着眼睛说瞎话。"他将羽扇猛地收紧，"世人都说东汉末年是那司马懿诈病才夺了曹操的天下。可那曹氏的医官岂可能都是些草包庸医，竟一个个都被你那无用子孙所蒙蔽。其实，那司马仲达是真病了，是真的不久于人世了。都是因为你，司马印成！擅自进入天机延续了他的生命。所以，才有了高平陵之变，才有了你司马一氏篡权称帝！"第一贤者大声说道："叛军们听着！你们的主子是如此利欲熏心自私下作之徒。当年的八王之乱便是他司马一氏逆天改命的报应！你们还不快快弃暗投明，为我魂军倒戈开道！"

司马印成轻蔑地一笑，他扣起手指驱动了魂妖、魂煞身上的符咒："诸葛小儿，我乌托堡的部队可不吃你这一套！"话音刚落，那些魂妖和魂煞失去了所有心智，疯狂地杀向了洗魂池。

"行尸摄魂符？哼哼，狗贼，你待你的部下尚且如此，若是让你夺了天下，岂不是苍生之祸？今天，本座绝不会让你的爪牙靠近洗魂池一步！"第一贤者羽扇一挥，八卦阵的形态忽然间变幻莫测，嗜血地吞食着入阵的魂妖、魂煞。只要有一个神猎阵亡，便会有另一个神猎填充原来的位置。

这奇门八卦阵就如铜墙铁壁一般死死守护着碧绿的洗魂池。大树之底杀声震天，魂妖、魂煞的鲜血和神猎的鲜血混杂在一起，汩汩流向远方的池水。洗魂池边高高耸立的白色巨塔就如巍峨的炮台，猛烈的灵术攻击从那白色巨塔中自上而下，将即将突围的联军士兵逐一击杀。

"司马印成，刚才第一贤者说的可是真的？"舜夏驾着红雾来到司马印成身边。

"真的又如何，假的又如何？"司马印成淡淡说道，"我司马某人两千年前的确曾被红尘俗世所牵扰。但现在的司马印成已不是当年的司马印成。我既杀死了怀有我身孕的黑羽姬，便表明我已斩断凡尘，无欲无求。试问，一个无欲无求的人又有何可图呢？"

舜夏沉思了一阵，转眼望向那些死在八阵中的联合大军："那你倒是说说，你可有破阵的方法？"

司马印成静静地望着神树底下的厮杀，淡淡说道："办法，两百年前便想好了。"

"那你还不快快破阵？"舜夏眼里露出一丝不满和焦躁。

司马印成依旧立在半空中，静静地望着一批又一批联合军被困死在阵中。他的话语里听不出慌张也听不出怜悯。他的嘴唇动了动："赤妖王，凡事不能被表象蒙蔽。大战，须出奇制胜。不到最后一刻，永远不要亮出自己的底牌。"

司马印成话语间，联合大军中的魂妖、魂煞还有风城的勇士接二连三地被八卦阵中的神猎杀死。而司马印成却依旧面不改色，任凭远处的第一贤者羽扇轻摇一副胜券在握的样子。

"司马印成，我警告你。你的人死了多少我不管，但现在我风城的勇士与你的部队共同进退。你让他们去那阵中送死到底是几个意思！"舜夏怒喝一声，赤色烟雾从双臂中喷涌而出。

司马印成握着蛊灵的灵种。他手上的褐色光芒越发邪恶："蛊灵的力量已经蓄积完毕。我们的战斗才刚刚开始。"

说罢，司马印成高高举起了手中的灵种："上古邪灵，听吾号令，以汝神力，速速破敌！"司马印成轻喝一声，蛊灵的灵种从他的手中往空中飞去，一眨眼便飞入了蛊灵的头颅。

在蛊灵的灵种进入他头颅的一瞬间，那蛊灵的眼睛便发出了和天浊妖星一样的红光。它怒吼一声，猛地撞在了神树外的金色结界上。那一瞬间，七星台上的魂地尊喷出了一大口鲜血。灵魂之树的金色结界碎成了无数尘埃，这金粉在天浊之光中飞舞着，就如血液中的浓水弥散开去。

"地尊！"魂人尊不断施展着术法，但魂地尊身受重伤已是面若金纸口吐鲜血。他坐地调息，双手握着续命法诀。而在这一刻，魂天尊的一百零八剑已如一片红云飘浮在了半空。他张开双臂，驱动这一百零八剑射向了扑面而来的蛊灵。

剑雨漫天，红光四射，这一百零八剑的声势比之前不只强了一分半分。万千光芒闪过，一时间竟打得蛊灵支离破碎，寸步难前。

"天灵斩！"魂天尊单手指天，向下一劈。刹那间百剑合一，这把红色的巨剑一下压在了蛊灵的头顶上，剑锋过处，煞气尽散。可那剑锋刚过，就听得蛊灵怒吼一声，这煞气便再次弥漫开来。

说时迟那时快，蛊灵眼放红光，巨尾一甩，就见几根灵魂之树的树杈被甩到了空中。那断裂的树杈上的灵魂绝望地呼喊着、哭泣着，无助地在空中迎接末日的降临。

"人魂合一！"魂人尊双手合十，就见灵魂之树树杈的断口处闪现出一道绿光，这绿光像是一条绿色的绳子，将那被甩到半空的树杈拉回了原位，接合到了一起。蛊灵被天灵斩砍开的头颅开始愈合。它就如一头不知疲倦的野兽，再一次疯狂地扑向了灵魂之树。

易辰说道："天尊，这蛊灵疯了，好像根本就砍不死。"

魂天尊面不改色，略略转过了石像一般的脸："第五魂主，你要记住，万物皆有尽数。无论这蛊灵的生命力多么顽强，总会有油尽灯枯的时候。"

"就怕这蛊灵没有油尽灯枯，您就先油尽灯枯了。"易辰刚说完这话，自感失言，"我也不是那个意思，我只是觉得这蛊灵太厉害，我们应该想想其他的办法。"

"听闻第五魂主颇善谋略，想必已经有了退敌之策。本尊，愿闻其详。"魂天尊说罢，示意易辰去到他的身边。易辰靠到天尊身旁，将自己的策略一五一十讲了一遍。天尊听罢点了点头，略略转过脸："第四魂主、第六魂主，本尊命你二人配合第五魂主即刻执行计划。"

"曲狂遵命！"

"白夜遵命！"

白夜和曲狂在天尊身后听得真切，对易的计划已经了然于胸。

"易辰，我们为你掠阵。"白夜和曲狂说罢，先易辰一步飞向了半空的蛊灵。白夜在左，曲狂在右将易辰死死护在了中间。蛊灵巨大的腿脚掀动着煞气，对迎面而来的三人发动了疯狂的进攻。易辰看见一把天灵剑从自己身旁飞过，原来即便是魂天尊的一把小剑也如那生长了百年的古树一般粗壮。这剑雕刻着繁复的花纹，周身闪着红光，看着是极其锐利。

易辰还想再看看着剑，可那把剑在空中转了个圈，却已利落地斩下了迎面而来蛊灵腿。

"神皇五刃！"

"空间涡流！"

曲狂和白夜在天灵剑的掩护下施展术法一直护着易辰突袭到了蛊灵近前。

"去吧！"易辰用熔岩凝聚出了一道发红的锁链。他抱着这巨大的锁链，在白夜和曲狂的掩护之下，于煞气和黑色的腿脚间穿行。

远处的魂人尊不断掐动着法珠。他神力所及之处，夺命的煞气皆被净化。此时此刻，阵型已成。易辰主攻，曲狂护左，白夜护右，天尊施以火力掩护，人尊做治疗和补给。

易辰拼尽全力让这巨大的锁链将蛊灵环绕起来。可无论这锁链如何粗壮，对于巨大的蛊灵来说，也只是他身上的一条细绳子罢了。

易辰猛地一发力，将锁链的另一头挂上了魂天尊的灵剑。

远处的天尊驱动灵力，就见灵剑拉扯着锁链，锁链捆绑着蛊灵，将它渐渐拉离了灵魂之树。魂人尊法珠挥舞，不断为四人补充着灵力。易辰凝聚出了一道又一道熔岩锁链，将这蛊灵的身体和一把又一把灵剑相接。

自此，一场旷日持久的拔河开始了。

"这样下去可不妙。"舜夏说道。可司马印成却不以为意地笑了笑："想不到，魂国连这种小孩子过家家的把戏都拿出来了。真是难看！他们当我司马印成是死人吗？"

司马印成脸色一变，他手中法印翻动，口中念念有词。猛然间，联合大军中的魂妖、魂煞像是着了魔一般嚎叫了起来。

那一瞬间，远处的第一贤者面色骤变。他的羽扇停在了半空。

"起！"司马印成单手做印，往那灵魂之树下一指，就见那些张牙舞爪的魂妖和魂煞纷纷变成了血红色。他们的身躯膨胀着，变化着，就如被血洗过一般。无论他们之前是豺狼虎豹还是山精地怪，他们的背后都长出了一双血红色的，如恶魔一般的翅膀。这翅膀只扇动了几下，便带着这些血红的怪物飞向了空中。他们扑向了茂密的灵魂之树，开始撕咬着、蚕食着树中的灵魂。

"司马妖道！"第一贤者怒喝一声，他手中的羽扇颤抖着。

司马印成冷笑一声："古语有云，以己之长攻彼之短。这灵魂之渊会腾空踏云的神猎多为队长级别。数量有限，实力平平。而我的魂妖、魂煞只需一双翅膀便能越过你的八阵直捣黄龙。我倒是要看看，你如何接下我这一招儿。"

第一贤者缓缓收回羽扇，面色沉稳："两百年前，你于我八贤堂盗走了被封禁的《血咒天书》时，本座便看到了这一天。只是没有想到，你只花了两百年便参破了《血咒天书》的所有奥义。你不仅动用血云之阵架空了神器持有者利用神器，现在竟还以妖灵血印驱动魂妖、魂煞体内的妖血让他们按照自己的咒术进化。司马印成，本座不得不承认。"

"第一贤者，你实在是太小看我司马某人了。区区一本市井破书也配让我司马印成花两百年去研究？"司马印成脸上的笑容转瞬即逝，"在我看到《血咒天书》的那一刻我便参破了所有的奥义。我只是用了两百年的时间等待发动咒术的时机。"

"司马妖道，狂妄至极。"第一贤者羽扇轻摇，话语间又恢复了原本的泰然自若，"你也不想想，我既能以锦囊妙计破你的血云之阵，岂可能算不到你这一步棋？"话音刚落，第一贤者羽扇一挥就见灵魂之树茂密的枝丫间哗啦啦飘出了无数魂使。

那魂使如一条条长长的破布飘荡在空中。有的黑，有的白。他们戴着白色的面具，有的是一张哭脸，有的是一张笑脸。他们如一只只鬼魅的幽灵游走在灵魂之树的枝丫间。他们的身躯如一条条长长的尾巴将那飞到半空中的魂妖和魂煞绞杀在当中。

那一刻，司马印成的面色变得格外阴沉。他低头抬头间又望向了远处的第一贤者。他叹了一声："第一贤者果然是第一贤者。"说罢，他的脸上又浮现出了一丝阴冷的笑容："可谁都知道，魂使是灵魂之树的最后一道屏障。我已经逼出了你的底牌。"

巨大的蛊灵疯狂地发动着进攻，洗魂池边的血战还在继续。原本光鲜的大树已是遍体鳞伤。

远远地，传来一个清亮苍老的声音："将士们，为了深渊，为了凡世，我们一定要死战到底！"这是第一贤者在用灵力喊话激励八阵中的神猎。他举起羽扇指向空中："将士们，天浊蔽月将过。尔等只需坚守片刻，便能迎来深渊的黎明。到时，一切妖魔都将化为灰烬！"

司马印成背着手，站在高空的大风中。他的身旁是一脸冷峻的舜夏。司马印成望了望天，说道："第一贤者倒真是提醒了我。我们的时间，不多了。"

"若是在天浊蔽月结束之前，我们没能推倒灵魂之树会怎样？"舜夏问。

司马印成转过脸，他的脸在天浊之光中就像是一个谜。他靠到舜夏身边，轻声说道："到时，深渊的结界会快速恢复，神树也会开始再生。若你我能全身而退，则两百年后等东山再起；若无法全身而退，那便是功败垂成永无翻身之日。"

舜夏望了望七星台的方向，说道："就算这次推不倒神树，但起码也得杀了三尊！"说罢，舜夏驾着红雾就要往七星台的方向过去。

司马印成化为一道雷电一下拦在了他的身前："赤妖王，三尊比你想象的要强大很多。就算在远古邪灵的压制之下，也足够战胜你我。"

"你少吓唬我。"舜夏说罢，又要走，司马印成一伸手又拦下了他。

"舜夏，你好好听着。"司马印成的语气是前所未有的严肃，"方才，魂天尊在十里之外的保守一击已是让我狼狈不堪。且不说我，就是你们的老城主，初代深渊者风邪在魂天尊面前也战不过三个回合。你确定要去送死吗？"

舜夏转过赤色的面庞，用他炭火般血红的眼睛狠狠地盯着司马印成。他一下揪住了他的衣领："你！你既然这么清楚三尊的实力，又为何要以卵击石去策划这次行动？！"

"为什么？"司马印成看着舜夏的眼睛，坚定地说道："为了自由，为了平等，为了我们的乌托邦。"

那一刻，舜夏从司马印成的眼中读出了他的信念和执着。他慢慢松开手，缓缓问道："那现在，我们该怎么做？"

司马印成抚平灵袍上的褶子，眺望着硝烟弥漫的远方："我们现在能做的，就是杀死神树的心脏！"

"在哪儿能找到心脏？"舜夏问。

"入口，七星台。"司马印成丢下这几个字，毅然决然地往七星台的方向走去。

"不行，三尊都在七星台上守着，你这么过去就是送死！"舜夏喝道。

司马印成转过半边脸，淡淡一笑："赤妖王，我司马某人最后送你一句话。不到最后一刻，永远不要露出自己的底牌。"

"我和你一起去。"舜夏说。

"不必了，"司马印成摆了摆手，他的眼中是复杂的感情，"我们的生命可以陨灭，但建立乌托邦的意志不能灭。就算星星之火被扑灭，但火种不能灭。只要火种不灭，终有星火燎原时。"

说罢，司马印成一挥手，踏着雷鸣之凤往七星台的方向疾驰而去。凌厉的大风中，司马印成面色冷峻，他的方向没有一丝一毫的迟疑，直直奔向了神树之巅。

忽然，六道蓝色的锁链就像从下而上的触手伸向了司马印成的雷鸣之凤。司马印成瞥了一眼，驾着雷鸣之凤轻巧地一躲，那锁链便扑了个空。他还没站稳身形，又见一道金色的光芒唰的一下从他的头顶击落。

"碍事！"司马印成扣起手指做出一个巨大的雷电光球朝那空中的金色光芒猛地击打过去。那金色的光芒被雷电球击中，如一架失事的飞机拖着长长的黑烟往七星台的方向坠落。

"南骁！"唐云翼的声音被大风撕裂。他穿着深蓝色的灵袍满脸血渍斑斑。那高空中的司马印成冷哼道："老家伙，你还有空关心别人？"

话音刚落，一道白雷当胸击中了唐云翼。他身子一歪坠落下去。

司马印成一甩衣袖正要驱雷前往，却见五把古剑从五个方向朝着自己包抄了过来。

"奔雷阵！"司马印成单手做印，数十道雷电将那五刃弹开了百丈之远。而不远处，曲狂和白夜也正朝着司马印成杀了过来。

"我当是谁呢，原来是断了一只手的第四魂主和不能使用空间阵法的第六魂主。"司马印成正准备迎敌，却见自己的面前升起了红色的雾气。他的身边，舜夏的双手绕满了赤色妖气。这妖气在大风中胡乱地飘散着。他侧过脸对司马印成说："做你的事，这里交给我。"

司马印成望了一眼舜夏，露出了一丝捉摸不透的表情。他一甩衣袖化为一道白雷朝着七星台射了过去。而他的身后，一道红色的火光也在穷追不舍。

"狗贼，你给我站住！"易辰在那红色的火光之中大喝道。可他的声音被大风撕扯地支离破碎，竟连他自己也没能听清自己的呐喊。

那道白雷终于落到了龟裂的七星台上。司马印成从那雷光中现出身形。他背着手，周身已覆盖起了厚厚的坤冥结界。

"你还是来了，司马印成。"魂天尊转过石像一般的脸，用他如尖刀一般锐利的眼神看着锦衣华服的司马印成。那一刻，他仿佛看见了遥远的另一个自己。

他身后的魂地尊盘腿而坐，手握法诀，而魂人尊则站在法台之上掐动着法珠。他的口中念动着咒语，正在为刚被司马印成打落的南骁治疗。

唐馨静静地卧在法台边还未苏醒。他们的身后，便是那藤蔓聚拢的入口。那漆黑的深渊之下，便是整个灵魂之树的心脏。

"今日得见三尊，果然名不虚传。"司马印成说罢，就听远空中一声呐喊："哪里跑！"

易辰驾着火光一剑朝司马印成当头劈来。而司马印成只是化为了一道雷光，便轻巧地躲闪开去。易辰望了望昏睡的唐馨，举起剑，指向了泰然自若的司马印成："今天，我一定要杀了你！"

"一个本不该存在的野种就省省吧。"司马印成瞥了一眼易辰，又望向了三尊："你们可知道，你们器重的第五魂主是谁吗？"

易辰忽感心头一紧。他举剑喝道："我警告你，不要在这里胡说八道！"

司马印成没有理会易辰，继续说："三尊可否还记得一个名叫易枫的猎魂者。百年前，便是他坏了灵魂之渊千年的规矩。而现在站在你们面前的易辰，便是那易枫和凡人生下的儿子！一个本不该来到这世上的人类！"

"你住嘴！"易辰挥剑刺去。司马印成的身影又化为了一道雷电飘到一旁。他看了看易辰，又看了看三尊："关于此事，想必三尊已有了结论吧。"

魂天尊的眼神晃动了一下。但他的嘴却没有动。他的声音好像是从他周身的光芒中发出的一样："百年前，的确有个叫易枫的神猎以血肉传情，撼动了深渊千年的古训。易辰的样貌的确是像极了他。"天尊顿了顿，几个铿锵有力的字从那光晕中发出来："可，那又如何？"

"一个计划之外的人类该如何处理，我想三尊要比我清楚。"

"呵，"魂天尊轻笑一声，"我灵魂之渊的内事还轮不到乱臣贼子来说三道四。"天尊看了看司马印成周身的金色结界，说道："你既然有自知之明，知晓自己连撑开结界的时间都不会有。为何还来送死？"

"送死？"司马印成的表情就像是一个谜，"我司马某人从不做没有把握的事。"

"死到临头还嘴硬！"魂地尊喝道。他在手中做了一个印，凝聚起了金色的灵力。

"没想到，天浊蔽月就这么圆满结束了。"魂人尊笑道。说话间，他法珠一盘凝聚起了绿色的灵力。

"大魂主，我们无须和他废话。只要杀了这贼人，便天下太平了！"魂地尊说罢双手做印往司马印成的方向一指，就见一道金色的结界以平山之势往司马印成的方向切割而来。

"那就从你开始吧。"司马印成话音刚落，就见魂地尊双眼发直。他像是受到了巨大的伤害，哇得吐出一口血仰倒在法台之上。那锐利的金色结界在司马印成身前三丈的地方消失不见。

"岂有此理！"魂人尊法珠一挥，就见一道绿光朝着司马印成如蛇一样窜了过去。这绿光经过的地方，树干和树叶都变成了没有生气的黑色。

224

"吸纳生命？有意思。"司马印成话音刚落，又见魂人尊身子一抖痛苦地捂住了胸口。一道殷红的血从他的口中直直落下来。而那道能够吸收生命的绿光也在司马印成身前消散成了绿色的光点。魂人尊面若死灰，颤抖着举起手，指向了司马印成："你……"魂人尊刚挤出一个字，一口翻涌而上的鲜血就将他呛得咳嗽了起来。

　　"第三魂主，你不必多说，本尊已经看明白了。"魂天尊冷冷地看着司马印成。他的眼神就像是两柄尖刀，锐利得就像是要把司马印成千刀万剐。

　　"拿出来吧，不要藏着了。"天尊说话间，司马印成已从袖中掏出了两块血红色的宝石。而每块宝石之上，都被钉入了一枚漆黑的长钉。

　　"血咒纳魂石。本尊没记错吧。"魂天尊冷冷说道。

　　"天尊好眼力。这便是能吸纳魂魄的血咒纳魂石。"司马印成将那两块石头随手一丢，"可现在，它们已经没有任何价值了。"

　　"司马妖道，原来你早就计划好了！"南骁扶着口吐鲜血的魂人尊坐到法台之上。而魂人尊紧闭着双眼，手握续命法诀已经说不出一个字。

　　"快说，你到底施了什么妖法！"易辰喝道。

　　司马印成转过半边脸，轻蔑地看了看易辰："第五魂主，你以为，当初我费尽心机去杀死王平山和如痴只是因为私人恩怨吗？"

　　"难道……"易辰似乎想到了什么，他握剑的手不住地颤抖了一下。

　　"你想得不错，当柳红尘击碎王平山和如痴元神的时候，她便用这血咒纳魂石取了地尊和人尊藏于他们体内的一魄交给了我。我司马某人自知不是三尊的对手。所以，只能在此时此刻将钉魂钉打入纳魂石中，直接伤及你二尊的元神。如此一来，就算是人尊的人魂阵也无法在一个须臾以内让你们痊愈。"

　　"卑鄙！"魂地尊勉强支撑着身体，口吐鲜血大骂道，"狗贼，就算你设计伤了我二尊的元神，你以为……你是天尊的对手吗？你不要忘了，天尊的一魄就在你体内。除非你死，不然休想取到天尊的那一魄！"

"司马印成，你能走到今天这一步，已经出乎了本尊的意料。"魂天尊冷冷地看着包裹在金色结界中的司马印成，话锋一转，"可是，你也只能走到这一步了。"说罢，魂天尊高高抬起了手。他的手中凝聚出了一道红色的光芒，这光芒就如罡炎剑的红光那样炙热而耀眼。他抬着手，就像握住了半个太阳。

"结束了！"魂天尊话音刚落，整个世界都被笼罩在了刺目的红色光芒中。易辰和南骁只感觉热浪袭来，不自觉地向后退去。这红光只持续了短短几秒，可易辰却觉得，这耀眼的红光似乎是那落在他眼睛里的鲜血，永远也无法从他眼前抹去。

焦黑的七星台上，司马印成衣裳褴褛。他的身上冒着黑色的烟。他身边的金色结界消失不见。他颤抖地向后退了一步，猛地吐出一口血。这是易辰第一次看见司马印成如此狼狈。那个儒雅的、光纤的、清癯俊逸的、泰然自若的司马印成仿佛被这红光带去了另一个世界。

"对，结束了。"司马印成惨然一笑，从焦黑的袖中滑落出了第三枚血咒纳魂石。

远处的魂天尊依旧是那么静静站着，一动也不动。半晌，天尊身边的光芒猛地暗淡了下去，一道鲜血从天尊的口中渗出来。

"不可能……"天尊冷冷地盯着司马印成。

"你实在是太小看我了。"司马印成冷笑道，"早在二十年前，我便已将你的一魄从我的体内取了出来。只是没想到，即便你元神受伤，依然能在一瞬间毁我结界，把我伤到这个地步。"

"这怎么可能……若没有如我三尊这般与灵魂之树合而为一，普通的虚空之体只要缺了一魄，便是死！"魂天尊的身子晃动了一下，远处的蛊灵猛地挣脱了熔岩锁链，又一次疯狂地朝灵魂之树扑了过来。

"玄灵斩！"魂天尊稳住气息双手做印，驱动着一百零八剑与和那蛊灵艰难地周旋，大口大口的鲜血从他的口中溢出来。而他的眼睛，依旧死死盯着不远处的司马印成。

"是啊，缺了一魄便是死，"司马印成诡异地一笑，"可你知道二十年前，我派人施展离魂之术换了肉身。除此之外，还做了一件关乎未来的事。"

"莫非……你！"南骁死死指着司马印成。

"黄金神猎，那一日，你在蛊灵谷里没有杀我，将是你这辈子犯下最大的错误！"司马印成看着南骁，"我记得，那一日，我刚刚完成离魂之术穿上了易枫的身体……"

"你住嘴！"南骁喝道。

"不，我要说。我一定要说出来。"司马印成把脸慢慢转向了易辰，"易辰，我这就把真相告诉你……"

"不要理他！"南骁喝道。他的身体如一道金光扑向了司马印成。可下一个瞬间，这道金光便被雷电打退。

司马印成望着易辰说道："易辰，你以为当年我为何夺了易枫的身体还要打碎他的元神。那是因为，我需要用他的一魄去换出天尊的一魄。所以，我身子里的一魄是易枫的。是你父亲的！"

司马印成落地，却见易辰呆立着一动不动。他的眼睛埋在天浊之光的阴影中，头发被风吹动。

"你知道吗？易枫的一魄正在用我的眼睛看着你呢。"司马印成说罢，两行清泪从他眼中滑落。他的眼神忽然变得像个父亲一样诚挚。他嘴唇一抖，竟吐出一句话："对不起，当年不辞而别。儿子，你还好吗？"

"不……"易辰颤抖着倒退了一步。他的剑落到了地上。他望着司马印成那似曾相识的眼神忽然头痛欲裂。他仿佛又回到了十八年前的那一天，母亲抱着婴儿时期的易莘，牵着幼童一般的易辰在火车站的人流中跌跌撞撞。列车消失在阴天的麦田。

"不……不！"无数画面在易辰脑海中闪过。他痛苦地捂着头，像疯了一样吼叫起来。那一瞬间，九条熔岩巨龙从他的身边升起。他胸中莫名的悲愤都化为了这冲天的熔岩爆发出来。而司马印成跟跄了一步，化为一道白色的雷电迅速钻入了那藤蔓汇聚而下的深渊。

"易辰，不要中计！冷静！"南骁大吼道。

易辰的眼睛猛然间已变成了骇人的血红色。他怒吼着、呼喊着，冲天的熔岩如巨浪一样翻滚着压向了灵魂之树的枝枝叶叶。

"白金虚空暴走……"魂地尊咳嗽了一声对天尊的大喊道，"大魂主，快杀了他！"

魂天尊腾空而起，一把巨剑朝着易辰直压下去。而这金色的熔岩却自动汇聚成了一张龙头大盾将这灵剑弹开。魂天尊分神之际，又见那蛊灵已是近在咫尺。

"天灵斩！"天尊一挥手，一剑斩开了扑面而来的蛊灵。

"人魂合一！"魂地尊稳住气息，无数绿色的萤火虫从他的手中飞出，不断治愈着被熔岩烤坏的树干与树叶。

"司马印成，我要杀了你！"易辰狂吼一声。冲天的熔岩回旋翻飞，像是火山喷发一般。

"天尊，再这样下去，整个灵魂之树都会被烧毁。你若下不去手，我来！"魂地尊强撑着浮到空中，他的脚下是肆意横流的金色熔岩。他将灵力汇到指尖，就见一把金色的投枪出现在了他的手中。他凝聚灵力，将这把地魄神枪对准了易辰的胸口。

"别怪我，易辰。"魂地尊手印一翻正要射出这枪。忽然，只见一道白色的影子出现在了耀眼的熔岩中。这白影就像是一朵白色的莲花漂浮在金色的熔岩上。

金风火雨中，那白色的影子一步步走向了发狂的易辰。地尊一眨眼，就见那翻滚的熔岩中，唐馨已经站到了易辰面前。她的脸被熔岩的光芒映照地温暖又苍凉，她的身躯似乎下一刻被会埋葬在熔岩之中。

"辰，我们约好的。"唐馨的眼神闪烁着，"我们永远也不要分开。"

"馨……"易辰从喉咙中挤的这个字，被熔岩的咆哮声吞噬。

"不！"他痛苦地吼了一声，冲天的熔岩扩散成一个巨大的漩涡。眼看着，易辰和唐馨就将要被这炙热的漩涡所吞没。

"易辰，"唐馨的手环上了易辰的脖子。易辰的手指深深地扣进了唐馨的手臂，一道血泪从他的眼中涌出。

"辰，即使你我共赴黄泉，我们也要在一起。我们生生世世都不要分开。"唐馨说罢，轻轻踮起脚尖，吻上了易辰的唇。那一瞬间，所有熔岩都失去了色彩变成了黑色的碎片。易辰的眼睛渐渐恢复成明亮的颜色。

大风吹过，熔岩散去。高台之上，易辰在滚滚黑烟中和唐馨相拥而泣。这画面，似乎定格成了永恒。

满地焦黑的七星台上，魂天尊石像一般的脸浮现出一丝笑容，可当他望向蚩灵的时候，表情又变成了冷酷。他转过身，驱动灵剑斩断蚩灵的腿脚。他的衣袖在风中展开如一面旗。转眼间，又见魂地尊调转枪头，一枪刺向了蚩灵的头颅。这枚地魄神枪就如一枚金针穿过煞气，刺破了蚩灵血红色的眼睛。

蚩灵巨大的身躯晃动起来，灵魂之树也跟着晃动了起来。猛烈的震动让七星台也跟着摇晃了起来。

"第五魂主，本尊命你速速前去击杀司马印成护我深渊！"天尊的脸色在蚩灵的猛攻之下越发苍白。他咳出一口鲜血继续说道："其余人等，随我誓死抵抗蚩灵，保卫灵魂之树！"

"是！"易辰坚定地望了天尊一眼，就要往那藤蔓汇聚的洞口下去。

"辰，我和你一起去。"唐馨说道。

易辰看着唐馨："你待在三尊身边我才能安心战斗。等我，我很快就会回来。"易辰说罢，将灵力覆盖在全身。唐馨看着易辰坚定的神情，含泪点了点头。

"易辰，我追不上司马印成，但我有一样东西送给你。"南骁说着，便来到了易辰身边。他将右手放到胸口，掏出一团金色的光芒。他用力一捏，这光芒便汇聚到了易辰体内。

那一瞬间，易辰周身的灵力变成了天空一样的湛色，纯青色的火焰在他的身边绽放。

"这是我身上的金龙之力。易辰，如今五龙之力集于你一人。唯有你，才能杀死司马印成。"南骁说罢，又听魂地尊的声音从不远处传来："易辰，司马印成就要突破本尊在入口中布下的结界。事不宜迟！"一边说着，他一边艰难地支撑着身体在空中召唤出数道金色盾牌和蛊灵周旋。

　　易辰深深地望了一眼唐馨，化为一道蓝色的火光扎入了蔓藤汇聚而下的入口。火光疾驰而下，密密麻麻的藤蔓就如自上而下的管道。幽幽的绿光浮动在周围，将这里照耀成了另一个世界。

　　"馨，你一定要好好的。无论发生什么，无论我在不在。"火光疾驰而下。那一刻，易辰感到了一丝心痛。

　　树外猛烈的攻击就像树内的一场地震。易辰的神之火光术何其之快，转瞬之间就落到了深渊之底。在那大树内部的平地之上，已站了一个人。

　　"易辰，没想到，你这么快就到了。"司马印成在那绿光中露出深邃的眼神。他的灵袍有些残破，但话语温吞，依旧是那种海纳百川的气势。

　　易辰一抬手，捏住一道蓝色火焰大声喝道："司马印成，到此为止了！"

　　而司马印成只是看了看易辰手中的剑和他周身散发出的蓝炎，淡淡说道："没想到，我司马某人有生之年还能再看一次五龙聚首。可是，你真的想清楚了吗？"

　　"我只知道，今天从这里出去的只会有一个人！"话音刚落，就见一道蓝炎在司马印成脚下炸裂。可司马印成轻巧地化为一道雷光，站到了远处。他原本站立的地方残着熊熊燃烧的火焰。

　　"易辰，你知道我们现在在哪儿吗？"司马印成指了指脚底。易辰看了看脚下的平台，发觉这是一块巨大的木头。这木头没有一丝一毫的接缝，却有细小的线在这巨木的表面有规律地排列着，密密麻麻就如粗糙的纹理。

　　"你看看这些巨大的年轮。"司马印成指着易辰站立的地方，

"这里，便是上一棵灵魂之树被砍伐过后留下的树桩。历史的更迭从未停止，也永远不会停止。只要我们携手而进便能共同开创新的世界。而现在的世界就会像这个树桩一样，被历史的泥沙覆盖，最终被人们遗忘。"

"都到现在了你还在这里妖言惑众！"易辰喝道。

"易辰，就算你今天阻止了我，三尊也不会放过你。"司马印成指了指头顶遥远的入口，"不要忘了，你的出生原本就是灵魂之树的错误。而魂国的天职便是维护他们所谓的天道不灭。你信不信，魂天尊正在磨他的剑呢。"

"即便如此，我也绝不能让你毁了这个世界！"那一瞬间，母亲和妹妹的面庞在易辰脑海中一闪而过。

"你可要想清楚了。"司马印成依旧不依不饶，他继续说道，"用你的剑，杀了神树的心脏，三尊便会死去。你和我，便是新世界的开创者。来吧，加入我们。让我们一起成为这个世界的救世主！"司马印成在绿光中张开双臂，眼中满是诚恳。

"若灵魂之树倒了，这个世界便会崩塌，这世上所有人都会死。你难道就一点同情心都没有吗？"

"你看看现在的世界，多少人在死亡线上挣扎，在人心的险恶中挣扎，在世界的残酷竞争中挣扎。又有多少人碌碌无为地如同行尸走肉一般。我毁灭这个世界，正是要帮助他们脱离苦海，给他们最后的平等。"

"最后的平等？"

"对，这最后的平等便是每个人都会面临的死亡。无论是英雄豪杰还是贩夫走卒，他们都将迎来末日的审判，迎接终结的到来。"

"你疯了！"易辰喝道。

"不，这世上只有我一个人醒着！"司马印成厉声道，"你难道没有感受到'它'的力量吗？"

"它？我根本就不知道你在说什么。"易辰冷冷道，手中又凝聚出了绕满蓝炎的剑。

"这一切都是'它'的安排。我们都是它的棋子。"司马印成说罢，一挥袖化为一道雷光往他身后的石阶上飘去。

"你休想！"易辰化为火光紧追而上。二人你追我赶，白雷和蓝炎在这石阶之上互相撕扯着涌入绕满藤蔓的屏障。

穿过茂密的枝叶，又是一个黑暗的世界。古老的藤蔓在绿光上露出龟裂的轮廓。这里静得出奇。漆黑中，绿色的萤火虫在司马印成和易辰身边环绕。

"我们终于到了这里，埋藏着神树心脏的终结之地。"司马印成指了指身后黑暗中绿光闪烁的地方。

易辰望去，就见在那些残断的藤蔓之后悬浮着一个小小的岛屿。一道绿光从不知名的高处打落。那束光中，一个圣洁的女神正安详地闭着眼睛飘浮在半空。她的身躯藏在光中，就如一件精美的瓷器。

女神的身体仿佛没有重力，随着她长长的头发一起浮动着。她的头发黑白参半，如水中的丝绸一般。她的面容被凌乱的长发遮掩，安详又朦胧。她的面前，摆着一架古老的织布机，还在咔嚓，咔嚓地织着布。这黑白参半的布就顺着这台子一直滑入了底下的洗魂池中。

司马印成指着女神说道："她便是灵魂之树的心脏——命运女神。这摆在她面前的，便是命运的织布机。"他顿了顿，继续说道，"这织布机以女神的头发为线。黑线为恶，白线为善，所织出的，便是凡人的命运。这些命运混入洗魂池中，决定了一个个凡人的生老病死，成败是非。唯有获得虚空之体才能摆脱命运的牵绊逃出女神的手掌心。"

"人的命运一直都在变化，怎么可能是一块布能决定的？"易辰道。

"问得好。"司马印成指着那从织布机中缓缓流出的布，叹了口气："是啊，命运岂可能是个定数？这命运之布写的是凡人，可他们的轨迹却会被许多不是凡人的事物所改变。比如，你和我。"

"那这布上所编织的东西又有什么意义？"

"这布织的不是命运，而是善恶。"司马印成的眼睛在这绿光中变得越发深邃，"命运的轨迹时刻改变，人心中的善恶也在改变。就像这块布，前一寸是黑的，下一寸便是白的。人心亦如此，上一念是善，下一念便是恶。影响命运的是你我，可决定命运的却是人们心中善恶的分量。"

司马印成指着女神说道："你看看啊，这女神满头的黑发，她织出的布，能白吗？"

说罢，司马印成将剑指向了女神的方向："只要我杀了她，洗魂池便会重新创造出一个女神。我会一直杀下去，直到洗魂池为我创造出一位白发女神为止！"

说罢，司马印成化为一道雷光扑向了女神的方向。

"你休想！"易辰化为一道火光追了过去，和司马印成纠缠到了一起，蓝炎和白雷在这黑暗中炸裂。

"易辰，你为什么不和我合作！"司马印成喝道。

"因为，我属于这个世界！"

哶啄同机

凡世，一场突如其来的地震将方茉的毛线针震落到了地上。她的手上还握着为易辰织到一半的毛衣。她在屋中摸出眼镜，唤道："苒儿，发生了什么？"

易苒站在窗口，望着成群的飞禽逃向空中。

"妈，好像出事了。"易苒指着窗外，就见原本晴朗的天变成了狰狞的血红色。太阳和月亮在空中的两个方向同时出现。红色的闪电如高空中的触手。大块大块的冰雹砸落下来。到处都是人们的惨叫和玻璃碎裂的声音。

"妈，是不是末日来了？"易苒和方茉抱在了一起。

"苒儿，你哥怎么还不回来啊？就算是末日，我们一家人也要在一起啊。"方苿抱着易苒哽咽道。

与此同时，灵魂之渊，七星台上的三尊也已到了极限。疯狂的蛊灵在三尊的火力下没有丝毫退却，一次又一次扑向了灵魂之树。可三尊即使是魂国上神，被司马印成伤及魂魄之后也渐渐无法抵挡蛊灵的疯狂进攻。

魂地尊率先倒在了七星台上。魂人尊的法珠也在空中散落。只有魂天尊披头散发，面对这邪恶之力足以毁天灭地的蛊灵单身鏖战。他的身边残着微弱的光晕，鲜血从他的口中溢出来。

"天灵斩！"天尊一挥手，斩断蛊灵的数根腿脚，可蛊灵又凝聚起一团巨大的煞气朝七星台轰了过来。这团巨大的煞气就像是毁天灭地的陨石压顶而来。

黑暗中，一道白光切开了煞气，唐馨挡在了天尊面前。可浓重的煞气如一阵黑色的风已将七星台团团包裹。

"唐谷主，你听我说，"魂天尊口吐鲜血，用一柄剑支撑着身体，"灵魂之树已经保不住了……本尊命你和我深渊所有神猎速速撤离，养精蓄锐等待时机。"

"可如果灵魂之树倒了，我们的世界，便会毁灭……"唐馨念道。她看见魂天尊的脸上掠过一丝哀伤。天尊望了望被煞气染黑的灵魂之树，又坚定地望向了唐馨："唐谷主，这个世界，就要毁灭了。可你一定不要忘记，今日，这树上六十亿冤魂的悲鸣和这被血染红的天空。你一定要和所有神猎一起，将今天这比血海深仇加倍清算！"

说罢就见另一道煞气从天而降。天尊挥手划开那压顶的煞气吐出一口鲜血。

"天尊……"唐馨看着虚弱的天尊不知所措。

"唐谷主，本尊命你速速撤离。"天尊虚弱的字句从他的喉咙里挤出来。

"可易辰还在里面……"唐馨颤抖着捂着嘴。

魂人尊盘腿而坐。他擦干口边的血说道："唐谷主，本尊尚有最后一丝灵力能为你杀出一条血路。你只有活下去，才能为这个世界报仇，为易辰报仇！"

"不！"唐馨凄声吼道。她的眼泪簌簌而下。

"走，这是最后的机会了！"魂人尊扣起手指，一道绿光冲破了浓重的煞气，在黑暗中照出了一条路。

"走！"魂人尊吼道。

唐馨望了望天，摸了摸袖中冰凉的东西。冰冷的触感从她的手心一直传入身体。

她感到了无比的心痛。

唐馨慢慢抽出手，端详着手中的无悔之刃。回忆在她脑中翻滚。她慢慢将刀抽出刀鞘。每抽出一寸，易辰的样子便在她的脑海中闪现一遍。他的笑、他的怒、他的玩世不恭、他的深情万丈都像是深藏在她脑海的宝石被汹涌的回忆冲上堤岸。

易辰，我爱你。可是，我没法信守承诺了。你会原谅我的吧……

一念至此，唐馨拔出无悔之刃毅然决然地刺入了自己的心脏。那一瞬间，唐馨的胸口绽放出了无数星辰。一道耀眼的白光冲上了天际。

醒来吧，禁天军！

那一瞬间，神树中的易辰忽然感到一阵心痛。他挥出一剑和司马印成拉开距离。他摸了摸心口，却只感到了刺骨的冰凉。

"易辰，你不是我的对手，受死吧！"说罢，司马印成化为一道雷光朝易辰攻了过来。易辰一咬牙召唤出蓝炎和司马印成展开了殊死搏斗。

而七星台上，唐馨静静地站在高空。她的发在风中飘动。她苍白的脸在天浊之光下是那样苍凉。她的心口，出现了一个黑色的空洞。她的身边，一百零八位唐家先祖站了满天。他们穿着红蓝相间的袍子，戴着白色的面具立在空中。他们半透明的身躯散发着神秘的光晕，饱藏着巨大的灵力。

放眼望去，一些人的胸口有着和唐馨一样的空洞。而那当中唯一的一位老者飘到了唐馨身边。她略略犹豫，缓缓摘下了自己的面具。

"馨儿……"那老者的眼中噙着泪。

"奶奶……"唐馨望着唐琴苍老的面容和熟悉的身影百感交集。

"馨儿，你最终还是走了这条路。"唐琴指向了那些胸口有空洞的禁天军们说道，"你看看，他们便是蛊灵谷的英雄。无数劫难中，正是他们前赴后继，用生命祭出了禁天军才让我们蛊灵谷绵延至今。今天，你为了这个世界献出生命，你将和他们一样，永垂不朽！"唐琴看着唐馨，眼中满是复杂的感情，"你可知道，当你将无悔刃刺入胸膛的时候，你和易辰已是两个世界的人了。"

唐馨点了点头，可泪水还是忍不住顺着她的脸颊落而下。

唐琴叹了口气，往后招了招手："星儿，快过来。看看你女儿，都这么大了。"

禁天军们退开了一条路。在路的另一头，一个年轻的男人手足无措地站着。

"星儿，这是最后的机会了。你过来！你过来看看你女儿啊！"唐琴喝道。

那男子像是下了很大的决心，讪讪地往唐馨的方向走过来。他局促地站在唐馨面前，颤抖着摘下了自己的面具。

他的面庞干净而略带幼齿，他的眼睛就像星星一样明亮。他颤抖着抬起手，在唐馨眼角下的那粒朱砂泪痣旁停住了。

"馨儿，是你……真的是你……"唐星的眼光闪烁着，"都这么大了……馨儿，我是你爸爸。"

"爸爸……"唐馨望着眼前这个比自己年长不了多少的男人百感交集。

"馨儿，你怨我吗？"

"不，不会的。妈妈告诉我，当年正是你将生命给了妈妈，才让她有足够的寿命陪伴我到成年。爸爸，你知道吗？你和我梦中的那个爸爸一模一样。"

唐星一把抱过唐馨："馨儿，爸爸今天哪都不去。我会一直在你身边守护你。"说罢，他站到了唐馨左边。

"馨儿，奶奶永远和你在一起。今天，奶奶哪都不去，只会一直守在你身边。"说罢，唐琴站到了唐馨的右边。他们将唐馨护在了当中，而其余的禁天军则像是无数的影子射向空中。

他们将蛊灵团团围住念动着咒语如漫天神佛的浅唱低吟。狂乱的蓝炎无情地灼烧着蛊灵的躯体。而蛊灵在这焚天的灵火中挣扎着、咆哮着、扭曲着身体企图再次扑向灵魂之树。

此时此刻，神树之内的易辰和司马印成也已是两败俱伤。司马印成蹒跚了一步，举剑喝道："易辰，你为什么一定要和我作对？"

"那你为什么要毁我的世界？"易辰擦干嘴角的血。

"因为你的世界脏了。"

"脏了，就擦干净。要是毁了，就什么都没有了！"

"妇人之仁！"说罢，司马印成化为一道雷光扑向了女神。易辰挥起一剑召唤出一道蓝炎挡住了司马印成的路。而他带起的这阵大风却吹开了女神面前的乱发。

女神的面容显现出来。那一瞬间，易辰吓得一下丢掉了自己的剑，颤抖着倒退了三步。

"看见了吧，她是不是很像一个人？"司马印成问。

"你住嘴！"易辰重新凝出蓝炎剑，可他的剑上的火光分明在不住地抖动。

"只可惜天浊蔽月之日女神不会苏醒。要不然，她便能解答你所有的疑惑。"

"我没有疑惑！"易辰喝道。

"你难道就不想知道，为什么女神会那么像你的母亲方茉吗？"司马印成的话语像一柄尖刀。

"我不想知道！"易辰喝道，可他却全然没有发觉自己的声音已经嘶哑。

"你母亲方茉最喜欢做的一件事是什么？"司马印成不动声色。

"我警告你给我住嘴！"易辰的脑海中浮现出方茉织毛衣时的情形。他的目光扫过女神身前的织布机挥剑召唤出蓝炎。可司马印成化为一道闪电，轻巧地躲开了。他背着手，在幽幽的绿光中淡然一笑："这所有的秘密都藏在天尊的那一魄里，当年易枫苦恋的茉芳便是今日的方茉。他们体内轮回着的，是命运女神的一魄。易辰，让我把最后的真相告诉你吧。"

司马印成缓缓从袖中掏出一枚卷轴，甩到了易辰手中。

易辰将那卷轴打开，就见一行行熟悉的字跃然纸上。易辰曾在家中的老抽屉里无数次地看过这字。这是易枫的字，是他父亲的字。

印成吾兄：

命运女神的一魄并非你我可以解读。百年前你命我接近神魄，我却阴差阳错地爱上了她的载体。直到遇到她，我才知道无论是茉芳还是方茉都是我易枫值得用生命守护的挚爱。

我不知我的妻儿有没有乌托邦重要，但我很清楚，他们至少比我的性命重要。我易枫愿献上自己的灵魂置换出你体内的天尊一魄去完成天浊计划。愿汝能删去易辰和易苒在天机之中的痕迹，让他们安度此生。

这封信没有落款，易辰看着熟悉的字迹泪水模糊了视线。他握着卷轴指着司马印成："这是什么？你告诉我这是什么！"

"易辰，当年我和易枫义结金兰。我为兄，他为弟。今日的天浊计划，便是我与他一手缔造。我们所做的一切，都是为了乌托邦。"

"你少在这编故事，我不会信你的！"易辰喝道，可司马印成却全然没有理会他："当年，我们为这个计划拟订了两个方案。第一个方案便是让易枫接近神魄的载体，读取神魄中的记忆去寻找灵魂之树的弱点，并在天浊蔽月之日杀了载体，用《血咒天书》咒杀女神。可是，若我们贸然杀了载体，必会被掌管凡人命运的女神察觉。所以，易枫的任务便是潜伏在茉芳的身边，等待她自然死亡，并在她死亡的那一瞬间去读取神魄中的记忆。之后，再寻找神魄的下一个载体，接近方茉。"司马印成说到这里，叹了一口气。

"易枫不会是叛徒，不可能……"易辰重复着这句话。

"可是，这个方案失败了。"司马印成继续说道，"这方案并不是败在易枫对载体动了真情，而是因为，女神之魄并非我和他的能力可以窥测，更不可能被轻而易举地咒杀。于是，我们放弃了这个计划。"

"你胡说！"易辰颤抖着倒退了一步，喃喃道，"不会的……易枫不会是叛徒……"

"是的，易枫不是叛徒。他是为了新世界献出生命的英雄。"司马印成伸出手，"侄儿，和伯伯一起完成你父亲未了的心愿吧。"

"我不会上你的当的……你骗我……你骗我！"易辰嘶声吼道。

司马印成淡然地看着近乎崩溃的易辰："你以为当年方茉的病是我进入天机减了她的寿命导致的吗？呵呵，我可不会蠢到通过天机让女神有所察觉。其实，我只是下了毒药让方茉出现了病症。之后，再和柳时槐联手将你骗入灵魂商铺。这一切的一切，都是为了蛮灵和三神器，都是为了我们的乌托邦。这是，易枫的遗愿。"

"你给我住嘴！"易辰怒吼一声，举剑朝司马印成攻了过去。

司马印成的脸上露出了一丝不易察觉的笑容。他扣起手指，大喝一声："百鸟朝凤！"

话音刚落，就见无数雷电凝聚而成的白色飞鸟从奔雷剑中飞出。这雷电的光芒在漆黑中无比刺目。百鸟发出的鸣叫振聋发聩，这尖锐的鸣叫将周围的藤蔓炸裂开来。

易辰惨叫一声被弹到远处，他捂着自己的耳朵在地上打着滚。殷红的鲜血从他的双眼和双耳中淌出。他想努力睁开眼睛，却发现眼中全是鲜血。他依稀看见司马印成模糊的轮廓站在不远处。巨大的轰鸣像是他脑中的一把锯子。

"这便是我当年打伤王平山的绝技。怎么样，这滋味好受吧！"

易辰捂着耳朵，紧闭着双眼。此时的他已是目不能视，耳不能闻，而司马印成举着奔雷剑，朝着易辰一步步逼了过来。

"死吧！"司马印成喝道，运起一剑刺向了易辰的胸口。而易辰双眼双耳都淌着血，已经没有了招架之力。可是，在司马印成的剑就要刺到易辰胸膛的一瞬间却见易辰身前火光一闪。

奔雷剑被这团蓝色的火焰死死地握住了。

墨炎的身影在蓝炎中若隐若现。司马印成用力推动着剑，可墨炎依旧用他的双手死死地握着剑刃。

"易辰，快走！"墨炎大声道。

"墨炎，你说什么……"易辰的脑中嗡嗡作响。

"快走！"墨炎吼道。易辰摇摇晃晃地站了起来，可又倒了下去。

"没有用的，中了我的百鸟朝凤短时间内根本无法行动。"司马印成冷冷地看着墨炎，而墨炎也正用他的虎眼怒视着司马印成。墨炎的手死死握着奔雷剑的剑刃，不让这剑前进半分。

"没想到，被蚩灵伤成这样还能现身。"司马印成转动剑柄，奔雷剑便绕满了白色的雷电。

"这就送你归西！"司马印成大喝一声，就见墨炎浑身一颤，奔雷剑在他的手中滑动了半分。

墨炎转过脸，深深地望了一眼重伤的易辰，又狠狠地看向了司马易成："司马狗贼！你毁我肉身，杀我师父，伤我主公还妄图毁灭世界。今天，我墨炎就算灰飞烟灭也不会放过你！一起下地狱去吧！！"

说罢，墨炎一放手，这柄剑便没入了他的身体。他一咬牙，张开手臂死死抱住了司马印成。他的身躯化为了一团火焰，将司马印成撞到了远处。

司马印成在这团火焰中惨叫着、挣扎着。可任凭白雷如何炸裂，这蓝炎都死死地裹着司马印成。直到这团蓝色的灵火熄灭在漆黑的阴影中，四周又恢复了死一般的寂静。

"墨炎……墨炎……"易辰脑中的轰鸣停止了。他朝着周遭唤道，可漆黑中，墨炎的气息慢慢淡去。无声的死寂里，易辰听到脑海中传来墨炎的声音，这声音就像墨炎靠在他耳边的低语："易辰，我走了。你一定要记得，我们曾经并肩作战过……"

那一刻，易辰仿佛看见墨炎银盔白甲地伫立在自己面前，手中握着锃亮的银枪。就像无数个黑夜，他在他身旁忠实的守望。漆黑中，他仿佛看见墨炎靠近他的耳畔，吐出温热的气息说着告别的句子，然后不舍地望了易辰一眼又一眼，最后在无尽的漆黑中越走越远，远走越远……

"墨炎！"易辰大吼一声，泪水夹杂着血水如大雨一般滂沱而下。

阴影中，司马印成摇摇晃晃地站了起来。他满面尘埃，浑身焦黑，他的喉咙中挤出暗哑的声音："没想到……我司马印成英明一世，到头来却是功亏一篑……"他的身体晃了晃。他惊恐地看着四周，念道："怎么到处都是人啊？"

易辰闭着眼睛，依稀听见司马印成的话："不可能，这里不可能有人！"

"你看看，你看看，到处都是人啊……"司马印成指着周周念道。

"你疯了！"易辰喝道。

"你感受到'它'的力量了吗？这些人都在'它'的世界里呢，"司马印成无奈地笑了笑，"你知道吗？他们一直都在看我们。从开始，到现在。在他们眼里，我们的故事在一遍又一遍上演。我们活着又死去，死去又活过来。当他们翻回故事的第一页，你依然是那个被母亲牵着的孩子呢。"

"你在胡言乱语些什么？"易辰努力睁开眼睛，依稀看见了司马印成的轮廓。只见他披头散发，不安地望着周遭。他忽然对着无边的黑暗像个疯子一样喊道："我知道你在看我，我知道你们在看我们。哈哈哈……哈哈哈……我司马印成费尽心机就是为了让你们记住我们！这样，我们才能永远地活下去！"

"够了！"易辰捂着头，运起一道灵力洞穿了司马印成的胸口。

司马印成的口中淌下了一道笔直的鲜血。他望向易辰，意味深长地说道："易辰，总有一天，你会明白我的良苦用心。"

"下地狱去吧！"易辰喝道，又是一道灵力穿过司马印成的胸膛。

他站在阴影中，身躯被阴影覆盖，只有那双眼睛像黑暗中炯炯的火焰。易辰努力望着司马印成的方向，却只听到了他在黑暗中的叹息：

"人们只看到了光明的坦途，争相爬向那火光照耀到的明天。可也不要忘了那高举火把的人，是他，孤单地站在黑暗中呢。"

　　随着那声叹息，司马印成的身影化为一道雷光在黑暗中骤然熄灭。终结之地，只有易辰一人，孤单地站在如潮水一般无边无际的黑暗中。

　　他感觉，到处都是人。

　　风啊，狂乱地吹吧。吹散这无边的黑暗，让黎明如尖锐的匕首划破血染的天空。

　　云啊，尽情地翻滚吧。搅动这不安的天际，在猩红的波涛中泛起满是白骨的渣滓。

　　被命运束缚的人啊，你枕戈待旦，披荆斩棘。可黎明之后，你又该去向何方？

　　硝烟淡去，余火未散。高空的大风中，唐馨面无血色。她胸口的空洞冒着蓝光。一百零八禁天军就如那漫天的神佛将疯狂的蛊灵团团围住。唐馨眼中的梅花印不停地转动，直到淌下殷红的血泪。

　　漫天的蓝炎炙烤着蛊灵，刺目的光芒照亮了魂国的半边天。禁天军阵型一变，又在手中蓄起封印法诀。蓝色的光点在蛊灵周围弥漫。却见蛊灵大口一张，在它的正上方出现了一个巨大的空洞。

　　蛊灵蠕动着身子，逃往了虫洞之中。

　　当蛊灵的最后一截身体消失在虫洞，黑色的天空变为了猩红。天浊星掠过神树之巅，日月的光辉刺破了彤云。

　　"馨儿，结束了。"唐星喃喃念道。

　　"馨儿，我们在那边等你。"唐琴怜爱地望着唐馨。禁天军们的身体发出蓝色的光芒，在日月的光辉中消失不见。

　　唐馨望了望天，却感觉天空是那样苍白而模糊。她眼前一黑，感觉被抽干了所有力气一下倒在了七星台上。冰凉的感觉从她心口的空洞处弥漫开来，她知道，这是死亡的感觉。

远远地，她听见了易辰熟悉的声音。这声音像是黑夜中的响铃在唤她："馨……馨……你在哪儿？"这声音到了后面竟是带了哭腔。那一刻，唐馨感到胸腔中有东西一片一片地碎裂。易辰的声音是那样绝望又无助，渴望又迷茫。这声音像是无尽黑暗中的呐喊，在满是乱石的黑色旷野里是那样渺小又苍茫。

她似乎又回到了那个黑夜，他们在冰冷的路灯下凝视彼此。她似乎又看到了那个站在路灯光下的青年，他不羁的眼神和那眼神中透露出的不可名状的忧伤。她仿佛又听见易辰在唤她："唐大小姐，唐大小姐……"这声音温柔又多情，就像是上天赐给她的礼物。

唐馨的心中有一个声音：辰，我在这儿……

七星台上，易辰衣衫褴褛双眼淌血。他无助地伸着双手毫无方向地摸索着。

唐馨如游丝一般的灵力一闪而过。易辰仿佛在黑暗中看见了摇曳的烛火。他朝着那一丝微光摸索着、狂奔着。他被脚下的藤蔓绊倒，却顾不得满身伤痛向着那一丝微光连滚带爬着伸出手。

一步，又一步。他抓住了那只手，那只近乎冰凉的手。他感到了手中传来的死亡来临前的气息。

"馨，我们约好的……"易辰一开口便哭出了声音。

唐馨听见了易辰的哭声，感到了前所未有的心痛。可此刻，她已没有力气回答。她的眼中淌着泪，将自己最后的灵力汇聚成了一句话，送到了易辰手中：辰，对不起，我没能守住我们的约定。答应我，你要好好的，一定要好好的……辰，我好怕，我怕的不是死亡，而是怕……我要去的世界，没有你……

"馨！不要走！"易辰死死抱着唐馨冰凉的身体大吼道。唐馨的样子在他的脑中如放电影一般闪过。他声嘶力竭地呼喊着她的名字，如潮水一般的悲痛让他的心口近乎碎裂开来。

他摸到了唐馨胸口的六芒吊坠。冰凉的触感将他带回到从前。他似乎想到了什么，奋力扯下了自己的那一枚六芒吊坠和唐馨胸口的放在了一起。

他将两枚吊坠捏在手中，像是许愿一般虔诚地低着头："别星辰，我求你，让我的挚爱唐馨活下去。就算，我们如那深渊的彼岸花，花叶相生相错，世世永不相见。我易辰，也心甘情愿！"

话音刚落，就见那对别星辰发出了巨大的白光，将整个世界吞噬。

一切，重新开始。

第四辑

凡所有相，皆是虚妄。若见诸相非相，即见如来。

一切归零

鸣蝉出卖了夏天的秘密，闷热的午后大雨将至。

远处一声闷雷，易辰睁开眼睛看见了白色的天花板。他努力支起身子环顾四周，只看到了模糊的影像。

"这是哪儿？"易辰捂着隐隐作痛的额头努力眨了眨眼，可眼前的一切还是那么模糊。他触到了柔软的床单，闻到了太阳晒过被单后特有的气味。

"这是，我的房间？"易辰揉了揉太阳穴，慢慢下了床，刚走出两步便感到一阵眩晕。

房门被粗暴地打开，之后便是易苒的声音："哥，你能不能小心点儿，眼睛不好就不能走慢点吗？"

说罢，一双熟悉的小手将易辰往床上架。

"苒，我在哪儿啊？"易辰刚问完就感觉头顶被人敲了一下。

"哥，你是午睡睡糊涂了还是怎么了，连自己家都不认识了？"说罢，易苒换了一副口气，"今天我男朋友要来，你能不能打扮打扮给我长点脸呀？"

易辰刚要说什么，就感觉一条温热的毛巾捂到了自己脸上。自己的衣服也被解开了。

"哥，快快快，快换衣服，来不及了！"易苒心急火燎地把易辰像个洋娃娃一样捣鼓来捣鼓去。

"苒儿，馨呢？"易辰问道。

易苒没好气地说："馨？哪个馨？你又糟蹋哪家姑娘了？"

"她姓唐，叫唐馨。她是唐家大小姐。"易辰说罢，就感到自己的额上被放了一只小手："哥，看来你还真病得不轻。和你有过点什么的姑娘我哪个不知道。哪有一个叫唐馨的？"

易辰刚要站起来，又被一把按住了："我给你换衣服你就别乱动了，你就不能让我省点心吗？"说话间，又听门铃响起。

"谁啊？"卧室外传来方苒的声音，紧接着便是拖鞋拍打地板的踢踏声。

"妈，你先别开！我的假睫毛呢？"易苒怪叫一声赶紧冲出了房间。易辰感到一阵眩晕袭来，意识开始模糊。隐约间，他听见了客厅里男男女女的交谈声。不知道过了多久，他感觉自己被人狠狠拍了一下："哥，你今天是怎么了？才刚醒怎么又睡着了？"

易苒连拉带扯地把易辰往客厅里送。

"墨炎，我哥来了。"易苒说。

"辰哥，你总算是出院了。"墨炎洪亮的声音响起。

"墨炎？"易辰激动地一把抓过墨炎，"墨炎，太好了，你没事……对了，馨在哪儿？"

墨炎一惊，本能地推开易辰："辰哥，我这好端端的，你这是怎么了？"

易苒扶住易辰，对墨炎说："我哥病没好，可能是没吃药，你懂的。"

易辰将易苒推到一边，一把扯住了墨炎的衣服大声道："馨在哪里？你告诉我唐馨在哪里！"

忽然，易辰感觉自己被一股力量扯开，然后又是一个陌生男人的声音："大白天的发什么神经！闹够了没有？"

那男人朝墨炎说："阿辰那件事后伤了眼睛，脑子也不太清楚了。你不要和他计较。"

墨炎客气地说道："枫叔，我听苒妹讲了辰哥的事，没事的。"

"你是谁！"易辰朝身边的陌生男人喝道。

"我是你爸爸！"那男人厉声道，"你的病是越来越重了，怎么连你老子都认不出来了？"

"你胡说！"易辰退开一步，指着他大喝，"易枫早就死了，我没有爸爸！"

一个重重的耳光落到易辰脸上。

"阿枫，你做什么？阿辰的病没好，你就不能体谅体谅他吗？"方茉的声音朝这边走过来。

易辰呆立在原地一动不动。半晌，他开口道："让我一个人静一静。"说罢，易辰摸索回房间关上了门。他摸索着上了床，用毯子死死地捂着头。他蜷缩在床脚，窗外的雷声一下一下地砸在他的耳膜上。

他觉得头疼欲裂，生不如死。

"馨……馨……你在哪儿？"

唐馨的影子在易辰眼前摇晃摇晃。他的泪水如窗外的大雨倾盆而下。他又听见了那个陌生的声音："阿辰，好点了吧。吃饭了，爸爸给你把饭菜端进来了。"

易辰依旧用毯子捂着头装睡。

"搁你桌上了。早点吃，别凉了，"说罢，易辰听见了男人离开的脚步。

"等等。"易辰的声音从毯子的缝隙中钻出来，他的声音有一丝颤抖。

"我就知道你这小兔崽子没睡。"那男人坐到了易辰床边，"哪儿不舒服了，给爸爸瞧瞧。"

"我问你，你认不认识一个叫唐馨的女孩？"易辰问。

易枫沉思片刻，叹了口气："你昏迷时，便一直念叨着这个名字。我让手下的兄弟出去找了，始终没有找到一个叫唐馨的女孩。"

"那你知不知道，有一个魔头叫司马印成？"易辰又问。

易枫无奈地笑了笑："阿辰，你是小说看多了吧。不要说是我们这片区，就是全市我都没有听说过姓司马的。儿子，其实爸真该多管管你。要不然，你便不会出事。"

"什么事？我出什么事了？"易辰迷茫地问道。

"看来你是真的什么都不记得了。"易枫叹了口气，"要是我多管管你，你也不至于会去碰顾彪的女人。那一天，你因为那个叫颜夕的女孩子和顾彪起了冲突，被他们带走。我在那个废弃工厂找到你的时候，他们已经用东西弄伤了你的眼睛，正用一根棒球棍狠狠地砸在你的脑袋上。然后，你便一直在医院昏迷。不过，你放心，我已经处理了顾彪替你报仇了。"

"顾彪？颜夕？废弃的工厂？"易辰感觉头痛欲裂，"好像，是有这么一件事。可他们带走我时馨也在那儿。我要见颜夕，我要见颜夕……"

"你先冷静。"易枫将手放在易辰的额上，说道，"你瞧你，又发烧了。我还是打电话叫医生吧。"

易枫刚掏出手机却被易辰一把抓住了衣袖。易辰的声音从毯子的缝隙里钻出来："不用了，我很好……爸爸。"

易枫沉默了。半晌，他问道："阿辰，能和我说说唐馨吗？"

大段的沉默过后，易辰的声音如雨声那样沙哑。

"她是唐家大小姐，她的眼睛里藏着一朵梅花。我和她发誓永远也不分开，可我却和她走散了。你能帮我找找她吗？"

众里寻她

雨后的天空灰蒙蒙，易辰闭着双眼在一片灰色中辨别方向。他躲过了迎面而来的自行车，跨过了横在人行道上的小树杈，绕过了向他奔来的孩童。他的眼前是一道道明明暗暗的光线交织勾勒着事物流动的轨迹。

"你瞧，那个人真奇怪，阴天还戴着墨镜。"一个小孩的声音。

"估计是个瞎子吧。哈哈。"另一个小孩的声音。

"胡说，瞎子手里都会拿根棍儿。你看他，手里啥都没有。"又一个小孩的声音。

易辰听见了小朋友的嬉笑声，侧过脸道："小朋友，你们能不能帮我看看，我左边是不是有一个宅院？"

"大哥哥，你真的看不见啊？"一个小女孩的声音。

"是啊，哥哥眼睛不太好，你能帮我看看吗？"易辰问。

"大哥哥你不知道啊，这宅院上个月被一场火烧掉了。现在就剩一堆黑炭了。"那小女孩的声音有些惋惜。

易辰沉默了一会儿，接着问："那，那你们知不知道，谁住在这院子里？"

"噢，我听我外婆说过这个院子。"一个小男孩的声音，"她说她出生那会儿这宅院就在了。也不知道为什么，周围都盖了高楼大厦，就偏偏这院子没被拆。而且，我外婆说她从来也没见过有人从这院里出来。"

"好的，谢谢你们，"易辰从口袋里摸出几颗巧克力，"来，哥请你们吃巧克力。"

可那群小朋友却嬉闹着跑开了，其中夹杂着一个声音："妈妈说，不可以吃陌生人的东西。"

易辰叹了口气，摇了摇头，往来路走去。

三天后，易辰在医院换下了眼睛上的药，护送他回家的正是墨炎。在出院的路上，易辰问道："查到了吗？"

"查到了。"墨炎从包里掏出一叠文件递到易辰手里。

易辰将文件一推，说道："念。"

"是，"墨炎说着打开了文件，"这文件上说，辰哥要调查的那个宅院是历史文物，早就没人住了，没被拆迁也是因为文物保护的关系。只可惜，就在上个月，这宅子被雷劈了，毁在了一场大火里。而这宅子原先的主人是个古代的玄学家，叫唐云翼……"

"够了！"易辰说道，"寻人启事登了吗？"

"登了。"墨炎说，"眼角下有泪痣的人实在是太多了。所以，我把重点放在了眼睛中的梅花印记上。"

"传单发了吗？"

"发了，"墨炎说道，"不但发了，我让兄弟们将附近城区的电线杆上都贴满了。"

"那有消息吗？"易辰又问。

"我安排了兄弟二十四小时守着电话。已经接到上百个电话了。"墨炎顿了顿，语气中显得沮丧，"所有线索我都安排弟兄们去核实过，全是骗子。"

易辰沉默了，他慢慢坐在医院廊道的椅子上。这廊道黑暗而幽长，只有一点光从廊道的出口弥散进来。易辰摘掉墨镜。他的脸一半在光里，一半在影子里。他仿佛看见那束光的里面，藏着那个穿白色连衣裙的女孩。

她的裙摆和光线融为一体，头发飞舞着就像整个春天。她莲步轻移，带起树木发芽的声响。

易辰眨了眨眼，他眼前的光线便碎裂成了不规则的形状。他闭上眼，就只能看见一片漆黑。

那一整夜，易辰没有说一句话，只是不停喝酒。他拿着啤酒罐光着脚，在那条湿漉漉的街道上一直晃荡到天光。他在那被焚毁的废墟前将啤酒罐放在地上，然后奋力将它踢到空中。

"唐大小姐！天亮了，快出来啊！"易辰声嘶力竭地喊道。

他仿佛听见宅院的大门被打开，唐馨在熹微的晨光中莞尔而笑。

可废墟，还是那个废墟。寂静的黎明，只有易辰声嘶力竭的呐喊和啤酒罐残忍的落地声。

他无力地跪在雨后冰冷的地面上捂着脸。

馨，我熬过了一个个黑夜，等到了一个个黎明。可你在哪儿？

馨，我拐过了一个个街角，穿过了一座座城市。可你在哪儿？

馨，你家门口的海棠花开了。你在哪儿？

馨，我就在这儿，可你在哪儿啊？

此去经年

三年后。

易辰走在那条熟悉的街道上，又听见了孩童嬉闹的声音。

"小朋友，叔叔眼睛不好，你能不能帮我看看，这楼盖得怎么样了？"易辰问。

一个小男孩的声音："叔叔，这楼已经盖了三层了。"

"哦，还挺快的，都三层了。"易辰喃喃道。

那小男孩忽然说："叔叔，那边有个阿姨向你招手呢。"

"在哪儿？"易辰问。

"在街对面的小路上呢。"说罢，那小男孩便跑开了。

易辰闭着眼，躲过了马路上的车流，来到了街对面的小路。

"你找我？"易辰问。

"你不也在找我吗？"一个女人的声音。

"是啊，这些年你都跑哪儿去了？"易辰问。

"顾彪死后，我去外地做生意了。你过得还好吗？"颜夕问。

"就那样吧。"易辰说罢，从口袋里掏出一个金属酒壶闷了一口。

"辰，你真是一点都没变。"颜夕包裹在雍容华贵的貂毛皮草下叹了口气。

"夕，我们都不年轻了。"易辰说。

颜夕笑了笑："是啊。你看看你，满脸都是胡茬儿，身子倒是比以前壮多了。"颜夕将手放在了易辰脸上，"辰，这么多年了，我兜兜转转才发现，我的心里一直有你。"

易辰慢慢移开颜夕的手，说道："可是，夕，我的心里已经装不下你了。对不起……"说罢，易辰转身要走。在易辰快要走出那条小路的时候，颜夕忽然从背后抱住了他。

"辰，我知道这么多年你一直一个人。"颜夕的声音颤抖着，"辰，你寂寞吗？"

易辰没有回答，只是执拗地掰开了颜夕戴着白绢手套的手，一步步走向车水马龙的街道。

"我能帮你找到她！"颜夕含着泪，她的手里捏着易辰贴的寻人启事。

"我不信……"易辰回头，淡淡说道。他的表情是那样意味深长。他义无反顾地扎进了茫茫人海，消失在城市的喧嚣中。

馨，三年了，你还好吗？

我找你，只是要你知道我在找你。即使，我知道无论怎么努力，我们也只能如那深渊中的彼岸花，花叶相生相错，世世永不相见。

彼岸花开

那个黄昏特别暗，易辰坐在马路牙子上喝酒。天边的火烧云编织出狰狞的形状。

易辰甩掉手里的啤酒罐刚拿出金属酒壶，就听见一个小女孩的声音："叔叔，保护环境人人有责。"说罢，就听见啤酒罐被丢进垃圾箱的声音。

"不好意思，叔叔错了，下次不会了。"易辰柔声道。

话音刚落，就听见不远处一个痞里痞气的骂声："小娘们，不交保护费也敢在这儿摆摊，你他妈活腻了！"

然后就是木片散落的声音和一个女人的求饶："我求求你不要这样，放过我们吧。我们母女相依为命，你砸了我的摊子我拿什么买吃的给我女儿啊？"然后，易辰听见那个小女孩的哭声："不要打我妈妈，不要打我妈妈……"

"小子你混哪里的？"易辰冷冷说道。

"老子收保护费他妈要你管？"那小混混的一只手刚碰到易辰的身体就听见一阵骨头碎裂的声音，然后就是那个小混混的惨叫和一声声求饶。

"滚！"易辰骂了一句转回脸来。他又听见了小女孩的声音："妈妈，在这儿呢。这儿还有一片。对，这儿还有……妈妈，你眼睛不好，我来给你捡。"

"好心人，你还在吗？"那女人问。

"我在这儿呢。"易辰说。

"真是太谢谢你了，"那女人的声音，"我也没有什么可以报答你的。要不然，我给你算一卦吧。"

"好。"易辰说罢，那女人重新支起了自己的摊子。

"你要问什么？"那女人问。

"我要问，我最爱的人在哪里？"易辰淡淡说道。那女人拿出一个竹筒，说："那你在这筒里抽一支签，我来给你解一解吧。"

"好。"易辰说罢，拿出一支签被女人接过。那女人在签上摸了摸，说道："这签讲了一个故事。故事说，从前，有一对夫妻，他们都看不见东西。忽然有一天，女人得了怪病命不久矣。她在临终前对自己的丈夫说，我的身体里有一块石头，那石头上刻了能让人重见光明的法诀。你需要在我死后抄写佛经焚化在我坟前，直到抄断九九八十一支毛笔才能将我的尸骨挖出。不然，便什么也得不到。男人在妻子死后天天抄写佛经，待他抄断八十一支毛笔时已是一个迟暮的老人。已到暮年的男人挖出女人当年的尸骨，却只摸到了尸骨包藏着的一块光滑的石头。上面只刻了两个字——希望。"

"希望？"易辰问。

"是的，希望。"那女人轻轻将这签放在了易辰手上。她的手和易辰的手慢慢握紧，"其实根本就没有重见光明的法诀。正是这一盏希望之灯照亮了黑暗，才让他坚信黑暗不是永恒，总有一天，会见到黎明的到来。"

"我想，我已经见到了。"易辰说罢，一把将女人揽进了怀里，"馨，这一世，你瞎我盲，我们无法相见，却也不会分开！"

后记

　　写完《魂国志》时，我身在美国硅谷的Palo Alto。我在落下最后一个标点的时候仿佛看到了一束光落到心里。这束光代表回归，代表圆满。同时，我的心中也泛起了一丝小小的不舍。落下最后一个标点意味着书中的世界离我远去，书中鲜活的人物也将与我告别。我让大多数人找到了他们的归宿。也有一些人，依然在猜测"它"的存在。

　　没有错，我是他们那个世界的神。我掌控他们的喜怒哀乐、生老病死。我便是那个"它"，那个他们口中的魂国之王。然而，司马印成所指的"到处都是人"，便是指你们，我亲爱的读者们。他知道你们在看他，也知道你们和我的存在。你们或在书桌，或在床头，或在地铁，或在郊外捧着《魂国志》看着他们演绎的故事时，书中的人物也隐隐察觉到了你们的目光。这一切的一切都是我赋予他们的智慧，赋予他们的权利。可纵然他们在那世界里有通天彻地的本事，他们的生死依旧得听从我的安排。

　　书中的逻辑由我设置，书中的情节由我掌控，人物的思想由我操纵。可纵使我在这书里随心所欲，我在我的世界也只是普普通通的一个人，就像在这茫茫人海中的你我他。我不禁在想，我们所生活的世界，正在探寻的宇宙是否也像我所写的这本《魂国志》这样，和成千上万本普普通通的书平行地摆放在书架上。

　　我的家里有一个很高的书架。书架上，《西游记》的旁边摆着《哈利波特》。书的世界里，孙悟空在一片名叫"西游记"的天地间施展七十二变，但他见不到哈利波特也不知道魔法的存在。而哈利波特在一个名叫"哈利波特"的世界中施展魔法，他见不到孙悟空也不知道

《西游记》。虽然，在书架上，这两本书紧挨着就像隔壁邻居，但书中的世界却永远无法相通。因为，创造他们的人不同，他们所在的世界也永远无法相交。

也许，在更高的次元里，我们的世界也是一本书，我们也是书中的人。这本书，叫"宇宙"。

我们的《宇宙》或许也是书架中普普通通的一本；这书的作者在他的世界里也只是芸芸众生中的一个。只是这作者的智慧超越你我千万倍。他制定了《宇宙》的运行规律，描述了《宇宙》中每一粒微尘的运动、温度以及能量。然后，他在《宇宙》中写出了文明和科学。

我们永远无法真正了解他的世界，做出"正确"的推断。因为，他制定了逻辑和人们的思考方式。并且，他能对自己所制定的一切在你我无法察觉的情况下进行修改。在他的世界里，读者们可以超越时间，就像阅读书籍一样来回翻动。他们能看我们的过去，也能看我们的未来。而我们现在的当下，只是无限个时间点中微不足道的一个。

有人说，如果在我们的世界里，一切都由《宇宙》的作者制定，甚至连时间、空间、温度、速度这些基本概念，以及最基本的科学常识都由作者书写，那我们何以探寻宇宙的真理？其实，方法是有的。只是，我做不到，也不能说。

我想留一把钥匙给未来的探索者们。这钥匙只是一句话：在《宇宙》中，或许只有哲学是唯一可能"正确"的东西。

当然，这一切只是一个无法举证的假说，所有的东西只是我完成《魂国志》之后的所感所想。

作为年轻作家的我，很幸运地出生在了一个物质富足、国泰民安的时代，也很幸运地来到了一个精神自由、解放思想的国度。这使我的创作不需要任何目的。我不需要取悦谁，不需要抨击谁，不需要反映什么，也不需要维护什么。我所需要做的，只是纯粹的思考和不带有任何目的的创作。

但是，我在写下以上那段话的时候是心虚的。因为完全不受外在影响的创作是不存在的。文学即是人学，文学的创作者是人，核心内容是人，阅读者也是人。因此，创作和传播便无可避免地纠葛在了一起。

任何一部作品，只有得到了广泛的传播才能实现其艺术价值、社会价值和应用价值。每一个作者，无论是在心理层面还是社会层面都希望自己的作品得到广泛的传播和积极的认可。

作者的表达方式或多或少会被读者的接收方式所影响。在网络文学和数字出版如此发达的今天，在这个娱乐至上、游戏至死的"泛娱乐"时代，纯文学作品已被推到了生死边缘，成了名家、名人的专利。于我们这些名声尚浅的年轻作家而言，纯文学也只能是供自己练手消遣的抽屉文字，没有机会曝光也得不到读者的阅读。

曾几何时，文学是神圣的，是遥不可及的。作家是崇高的，是要被仰望的。可现而今，在年轻一代中，文学和商业已经牢牢地联结在了一起。网络作家成了一个新兴职业。网络作家们日夜操劳码字不断，闭门不出，日更数千字，为的不再是纯粹地追求文学理想，写自己心中想写，述心中所述，而更是为了得到读者的关注和青睐，获得尽可能多的点击量从网站拿到稿费分成，得以养家糊口，甚至改变命运。

当文学被商业统治的时候，创作就不再是纯粹的表达，而是不得已的取悦。

我站在89年的尾巴上，看着90后甚至00后的年轻人加入文学创作的队伍。也许，在有些人心中，文学的定义已经变了。文学的表达方式也被阉割得只剩下了小说。那些优秀的散文、诗歌、剧本已被边缘化，甚至有人已经将这些排除在了文学的主流之外。他们心中的文学或许就剩下了玄幻小说、言情小说、都市小说、惊悚小说等等。在对文学的鉴赏上面，也就只剩下了"是不是一个好故事"。

但是，这一切的现象，不能完全归咎于作者本身。这同时也是由读者的接收方式、鉴赏品味以及阅读喜好所决定的。因为作家如果不写读者爱看的作品就没有人愿意看，没有人愿意看，那些等米下锅的作家就饿死了，那些不等米下锅的作家则没有了创作动力，到最后不是改变思路迎合读者就是从此投笔退出文坛。

与此同时，商业出版社也加入到了引导年轻作家的队伍中。既是商业出版社就需要考虑营利，营利的方式就是保证图书有大量的购买者。因此，出版社在选稿的时候就会倾向于甄选出能够迎合读者口味，具有商业价值的作品。这样，就引导了年轻作家在创作的时候一切以读者为中心，一切以市场为导向。

因此，无论哪一种情况，其结果都是中国年轻作家出不了被世界认可的文学作品，只能写出中国读者用来打发时间的娱乐小说。大批实力雄厚的年轻作家出版无门，投靠网络文学网站又上不了首页，得不到推广，最后只能放弃梦想迎合市场。一些有家学渊源的年轻作家所创作的纯文学作品得到了出版的机会却得不到关注，在期刊的版面上也争不过功成名就的老一辈作家。这一切的一切就造成了中国文坛年青一代的现状，也恐造成中国文学的断层。

在我的家族中，没有人进行文学创作，也没有家人能够在出版渠道或是媒体公关上扎扎实实地帮助到我。我混迹过文学网站，也得到过实体出版的机会。我也和千千万万的年轻作家一样，在文学这条路上经历了风风雨雨。一路走来，也是如人饮水，冷暖自知。

创作《魂国志》用了整整五年。五年中，我在思考，也在创作。这本书的出版，我要感谢我的父亲母亲，感谢我的好朋友陈晨，感谢季佩佩编辑，感谢本书责任编辑潘媛，感谢所有为这本书付出过努力的人们。同时，我还要感谢你，我亲爱的读者，请允许我为你献上最衷心的祝福。希望这部作品能给你带来慰藉，带来感悟。也祝福每一个阅读到这里的你，幸福美满，健康平安。

杭　松

2017年11月20日于美国硅谷